스타벅스 100호점의 숨겨진 **비밀**

스타벅스 100호점의 숨겨진 비밀

초판 1쇄 발행 | 2005년 4월 20일
초판 8쇄 발행 | 2007년 9월 20일

지은이 | 맹명관
펴낸이 | 이범상
펴낸곳 | (주)비전비엔피 · 비전코리아
121-865 서울특별시 마포구 연남동 224-57 2층
e-mail : ekwjd11@chol.com / visioncorea@naver.com
Tel : (02)338-2411(대) / Fax : (02)338-2413
http://blog.naver.com/visioncorea
등록 | 제313-2005-224호

ISBN 89-87224-50-3 03320

비매품입니다.

스타벅스 100호점의 숨겨진 비밀

마케팅 컨설턴트 **맹명관** 지음

비전코리아

일러두기

이 책의 '스타벅스 코드를 찾아서'는 스타벅스커피 코리아 정영권 상무와의 인터뷰를 정리하여 쓴 글입니다. 정영권 상무의 목소리를 그대로 옮기고자 노력했음을 밝혀둡니다.

추천하는 글

스타벅스의 경영 철학 – 나눔과 섬김

스타벅스커피 코리아 상무 | 정 영 권

2004년 7월 27일 스타벅스커피 코리아는 이대 앞에 첫 매장을 낸 지 5년 만에 100호점을 오픈하였습니다. 회사에 입사하여 1호점부터 100호점까지 오픈을 주도해온 백영호 개발팀장이 흥분하여 격앙된 목소리로 제게 말했습니다.

"상무님! 드디어 해냈습니다. 제가 그랬죠? 5주년 기념일을 맞춰 반드시 100호점을 오픈하겠다고요."

2000년 12월에 입사 권유를 받고 그 다음해 초에 입사했으니 벌써 5년이라는 세월에 접어 들고 있습니다. 권유를 받고 가장 먼저 했던 일은 스타벅스 커피의 하워드 슐츠 회장이 쓴 〈스타벅스, 커피 한잔에 담긴 성공 신화〉라는 책(번역본)을 읽은 것이었습니다. 그 책을 읽고 난 후 스타벅스커피 코리아라는 배에 올라 탔습니다. 마치 오래 전에 예약한 배에 오르듯이.

회사에 입사해서 깨달은 것은 스타벅스커피의 본질은 '커피 문화의 전도사'라는 것이고, 경영 철학의 기본은 '나눔과 섬김'이라는 것입니다. 또한 스타벅스커피의 경영전략의 기본이 5P(People, Product, Place, Price, Promotion)와 오감 마케팅(시각, 청각, 후각, 촉각, 미각 마케팅)이라는 것을 점점 더 깊이 느끼게 되었습니다.

이번에 출간하게 된 〈스타벅스 100호점의 숨겨진 비밀〉은 이러한 것들을 기반으로 하여 쓰여졌기에 실무자의 한 사람으로 깊은 감동을 느낍니다. 보다 많은 분들에게 스타벅스 경험(Starbucks experience)을 하게 하고, 스타벅스 커피를 좀 더 가깝게 느낄 수 있도록 하게 하기 때문입니다.

오늘날의 스타벅스커피 코리아의 위상을 저는 감회 어린 눈으로 지켜보면서 스타벅스커피 코리아의 파트너(종업원)들이 떠올랐습니다. 젊은, 어찌 보면 나이 어린 그들이 이 땅 위에 새로운 커피 문화를 심고 정착시켜나가고 있습니다. 스타벅스커피 코리아의 지난 5년간의 경영

실적은 스타벅스커피가 진출한 해외 36개국 중에서 단연 톱에 속합니다. 이 모든 것들은 우리 젊은이들이 해낸 것입니다.

이 책은 이런 간과할 수 없는 성공 요소를 마케터의 냉철한 시각과 통찰력으로 바라보고 더 나아가 적용의 여지까지 남겨두어 우리 경제의 일선에 나가 있는 분들께 희망과 용기를 주고 있다는 점에서 적극 추천하기에 부족함이 없겠다는 생각을 해봅니다.

끝으로, 스타벅스의 사례가 스타벅스커피 코리아만의 것이 아니라 글로벌 브랜드로 비상하는 우리 기업의 힘찬 도약대로 사용되기를 간절히 소망해봅니다.

스타벅스의 신화적인 마케팅 매뉴얼

숭실대학교 벤처중소기업학부 교수 | 정 대 용

소비자가 생산자보다도 더 많은 정보를 보유하며 평가하고 대응하는 요즘 같은 시대에는 과연 어떤 마케팅 전략이 필요할까?

1987년 미국 시애틀에서 6개의 매장, 100명의 종업원으로 시작해서 17년 만에 세계적인 커피 제국을 구축한 스타벅스. 1999년 한국 땅에 1호점을 연 이후 불과 4년 만에 110호점을 개설하는 등 눈부신 성장을 거듭하고 있다. 전 세계 9천여 매장 중에서 가장 큰 매장이 서울 명동에 있을 정도이며, 전 세계 점포 중 개점 후 가장 빠른 시간 내에 흑자를 낸 공로로 스타벅스 회장상을 수상하는 등, 스타벅스커피 코리아는 수많은 기록을 세우면서 전 세계 30여 개 지사들 중에서 단연 주목을 받고 있다.

서구 문화에 길들여진 젊은 층을 타깃으로 성공적인 국내 정착을 이루고 있는 스타벅스커피 코리아는 철저한 품질관리와 직원의 마음으로부터 우러나오는 친절과 우정의 서비스, 고객 감동적인 분위기 제공 등의 브랜드 관리와 새로운 문화에 대한 변화의 욕구를 체험 마케팅(experiential marketing)으로 적절히 충족시켜왔다는 평을 받고 있다.

특히 한국의 커피 문화 연구에 착수하여 시장진입에 성공하고 세계적인 경영의 정착이란 대성공을 거머쥔 스타벅스커피 코리아의 신화적인 마케팅 매뉴얼들은 세계 경영의 문화 마케팅에 대한 이해와 기업 경쟁력 강화에 대한 시야를 넓혀줄 것이다.

이밖에 국내에 생소한 테이크 아웃 문화를 소개하여 대성공하기까지의 철저한 시장조사뿐만 아니라 고객의 오감을 만족시켜주는 고객밀착관리, 마케팅 플래너의 전문지식인 STP전략과 5P믹스 등에 따른 다양한 성공과 실패의 사례들을 담고 있다. 이를 통해 많은 사람들이 '단순한 창업 아이템만으로도 세계 경영까지 성장시킬 수 있겠는가', '수많은 글로벌 기업의 성공 신화 속에 감춰진 비밀은 무엇인가'에 대해 진지하게 생각해볼 수 있을 것이다. 마케팅 전문가로서 풍부한 경험과 큰 인기를 갖고 있는 저자가 스타벅스의 감춰진 경영 비밀과 신화를 알기 쉽게 설명하고 있기 때문이다.

또한 어떤 지위에 있건 서로를 존경과 품위로 대하는 회사 분위기와 엄청난 광고비 투입이나 현란한 이벤트보다는 소외된 이웃과 환경보호에 기여하며 더불어 사는 가치를 지속적으로 추구하는 스타벅스커피 코리아의 기업정신을 보면서, 앞으로 모든 기업들이 추구해나가야 할 기업의 사명을 다시금 떠올리게 된다.

중소 벤처기업 창업 이후 성장 비결에 관심을 가진 분들과 세계 경영 및 시장경쟁 사례와 선진기업 마케팅에 관심이 높은 대학생, 그리고 체험 마케팅 분야 전문 컨설턴트와 교수 등에게 이 책이 커다란 도움이 될 것이라 생각한다.

차 례

추천하는 글 · 정영권 스타벅스의 경영 철학–나눔과 섬김 _6

추천하는 글 · 정대용 스타벅스의 신화적인 마케팅 매뉴얼 _9

저자 서문 마케팅, 그 복잡함과 단순함의 두 얼굴 _16

1부 스타벅스, 한국의 새로운 문화가 되기까지

1. 선점에 성공한 스타벅스 _24
   - '마케팅 전도사' 스타벅스커피 코리아의 올인 스토리 _31
2. 한국에서의 성공 비결–구전 마케팅 _37
   - 광고 없이 한국에 상륙할 수 있을까 _46
3. 바꿀까, 지킬까? _51
   - 지역의 특성에 맞게 변화하는 스타벅스 _61
4. 떡을 판매하는 커피점 _67
   - 철저하게 한국화된 인사동 매장 _73
5. 스타벅스 매장이 몰려 있는 이유 _78
   - 별다방의 물결 _83
6. 스타벅스가 빌딩 1층을 차지하고 있는 이유 _87
   - 스타벅스가 들어서면 땅값이 오른다 _94

2부 | 오감을 자극하는 마케팅의 선수

1. 변화의 흐름을 정확히 꿰뚫고 있는 스타벅스 _100

스타벅스는 커피 회사가 아닙니다 _107

2. 성공의 키워드는 '오감'이다 _116

오감 만족 시뮬레이션 _123

3. 체험이 사람들을 열광시킨다 _131

모든 감각을 자극하는 스타벅스 체험 _140

4. 스타벅스는 알고 있었다, 관계 맺기에 목마른 사람들을 _145

바리스타-커피 전문가와의 기분 좋은 만남 _153

5. 가치 제안이 마케팅의 핵심이다 _160

휴식을 맛보는 제3의 공간 _166

3부 일류 브랜드 창조의 힘

1. 무엇이 브랜드 이미지를 만드는가 _172
한잔의 커피 맛을 만들기 위해 스타벅스가 하는 일 _178
2. 우리의 고객은 누구인가 _186
단순하지 않은 고객층 파악하기 _196
3. 어떤 상품을 만들 것인가 _200
에스프레소 모험 _207
4. 마케팅 플래너가 해야 할 일 _213
전 직원이 만든 프라푸치노 _221
5. 브랜드는 무엇을 먹고 크는가 _226
스타벅스가 일류 브랜드가 된 배경 _238

4부 변신의 귀재, 스타벅스

1. 고정관념을 깨는 데는 용기가 필요하다 _246
단순한 커피 전문점을 넘어서다 _252
2. 스타벅스를 성공으로 이끈 것, 발상 _257
마케팅 교과서를 새로 쓰다 _264
3. 1 더하기 1은 2가 아니다 _270
스타벅스와 손잡으면 성공한다 _278
4. 소비자는 가끔 놀라운 힘을 보여준다 _282
디지털 세대를 위한 변화 _288

5부 | 크게 볼 줄 아는 기업

1. 눈물겨운 내부 고객 잡기 _294
종업원이 아니라 파트너다 _304
2. 기업이 사회적 책임을 회피하지 말아야 하는 이유 _309
윤리적 기업이라는 이미지를 만들어내다 _315
3. 모든 기업은 자기만의 사명을 띠고 이 땅에 태어난다 _320
스타벅스 미션 _326
4. 위기관리, 새로운 도약을 위해 _331
100호점 이후의 위기 관리 _337

참고문헌 _341
국내 인용사례 기업 및 브랜드 _343

저자 서문 | 맹명관

마케팅, 그 복잡함과 단순함의 두 얼굴

단상1. 무게

가끔, 정말 가끔씩 내가 한 말에 얼마나 무게를 두고 있는지 인생의 잣대로 재어볼 때가 있다. '팔아야 된다'는 중압감에 시달리는 이들에게 나는 약장수처럼 허망한 서커스단의 무희처럼 지난한 몸짓을 하고 있지는 않는지…. 허접스런 전문용어로 나의 나약함을 감추고 약육강식 밀림의 세계인 시장에서 작은 기업을 적당히 겁을 주고 을러가며 나의 논리의 발톱을 세우고 있지는 않는지…. 그간 스무 해를 풍선보다 더 가벼운 무게로 힘든 자리를 지켜가며 나는 수없는 변신을 거듭했다. 무엇이 옳고 무엇이 그른지 분별력조차 없으면서 나는 너무 많은 선생짓을 거듭해왔다. 우리 나라 최초의 광고 문안이 '고백'이라는 사실은 충격적이었다. 고백. 무엇을 고백할 것인가? 스무 해를 넘긴 나에게 마케팅에 대한 고백을 하라고 해도 나는 정말 고백할 것이 없다. 삶의 무게가 그 하중을 더해가도 나의 지식창고는 텅 비어 있다.

단상2. 하워드 슐츠의 사과나무

내가 즐겨 보는 TV 프로그램 중에 〈사과나무〉라는 프로가 있다. 대개 출연자는 극적인 인생을 살아온 뒷이야기 끝에 오늘날 자신을 있게 한 성공의 근원, 버팀목을 '사과나무'로 비유한다. 감동의 사과나무, 윤동주의 싯귀처럼 '무엇을 바라며 살아왔을까?' 빈민가에서 희망도 없이 작은 소망의 끈을 잡고 청년기를 보낸 하워드 슐츠 회장, 모두가 아니라고 비아냥거릴 때 그의 희망의 주머니엔 무엇이 담겨 있었을까? 좌절과 절망에서 희망과 도전의 사람으로 변신하기까지 그가 흘린 땀과 눈물은 얼마만큼일까?

단상3. 우리에게 교과서는 무엇인가

이 책을 쓰기 위해 수많은 경영서를 뒤적이면서 내가 느낀 것은 우리의 삶이 곧 교과서라는 것이다. 굴곡 없는 교과서가 또 어디 있단 말인가? 이론이라 하여 천대받고 실무라 하여 불완전하게 보는 우리의 사시적 관점이 못내 아쉬웠다. 나는 이 책의 내용(contents)에서 스타벅스의 성공은 결코 우연이 아니라는 것을 입증하고 싶었다. 누군가가 정립해놓지 않는다면 지나가버릴 성공신화 같은 것…. 신화에서 현실로, 그리고 그것이 우리에게 어떤 의미를 주는지….

단상4. 너는 틀렸다

“공기보다 더 무거운 기계가 하늘을 나는 것은 불가능하다”, “컴퓨터에 대한 수요는 전 세계적으로 5대 정도에 불과하다”, “어느 누구라도 개인이 자신의 집에 컴퓨터를 사놓을 이유는 없다”. 누가 이런 이야기를 대영 왕립 과학회 회장이나 IBM 회장의 말이라 믿겠는가? 세상의 오류와 평가가 얼마나 유치하고 허접스러운가를 굳이 이런 예를 찾아 떠나지 않아도 알 것 같다. 단정지어 평가한다든지, 내 생각만이 옳다고 주장하는 것은 바닷가 모래사장에 모래 한 알갱이 들고 서 있는 형국이라는 것, 진리의 바다에 고개를 숙인다.

단상5. 현재 시각

시간이라는 것. 흐르는 물 같아 담으려 해도, 잡으려 해도 그림자처럼 사라지는 것. 현재 시각이라는 말… 과거나 미래의 잣대가 되는 또 하나의 표식. 이 책을 쓰면서 마케팅은 현재 시각 같은 존재라는 생각을 했다. ~ing가 의미하는 심오한 뜻을 조금은 알 것도 같다. 시장은 시시각각으로 변하고 소비자의 들뜬 마음은 어떤 모습이 될지…. 사례를 인용하면서 마케팅이란 참으로 어렵다는 생각을 내내 했다. 무엇이든 쉽게 긍정적으로 보려는 이 기질이 문제, 현재시각 시계 제로다.

단상6. 강남

"친구 따라 강남 간다"는 말이 실감되는 요즘이다. 스타벅스커피 코리아 정 상무…. 와와대는 나와는 정반대의 기질을 가진 착한 친구…. 침착하고 온유하며 배려의 마음 씀씀이가 보통을 넘어선 친구다. 처음엔 그저 마음만 의기투합하여 책 하나 쓰자는 게 걸림돌 없이 여기까지 왔다. 자료 정리, 인터뷰, 교정, 게다가 입장 정리까지 맏형처럼 잘도 챙겨주었다. 힘들고 어려운 업무 중에도 고궁에 들어가 살아온 궤적과 추억을 더듬는다는 고전 낭만파 스타벅스커피 코리아 정영권 상무… 친구 따라 강남까지 허우적거리지 않고 올 수 있었던 이유…. 그냥 따뜻하고 좋은 강남에서 함께 중년의 포만감을 누렸으면 좋겠다. 여보게, 친구!

단상7. 고마움, 정, 사람

먼저 하나님께 모든 것을 올린다(그분은 위에 계시니까… 목 아파!). 불광동 성서 침례교회 김우생 목사님 외 김관준 · 이재기 목사님, 집사님들과 형제자매들, 믿음의 형제 김윤성 · 노영배 · 장승권, 캐나다 토론토 대학에서 멋진 숙녀로 자라고 있는 둘도 없는 내 딸 주희, 20여 년을 철없는 남편 이해하랴 다독거리랴 착한 아내 장애진, 집필 중 하나님의 부르심을 받은 나의 장인, 홍콩의 처형, 어머니 최재희 목사님, 혈육 맹명섭 그리고 제수씨, 조카, 타이핑 · 교정 등 밤마다 원고와 씨름했던 먹반장 강은실, 조진행, 이형재 부부, 이영조 회장님, 한만기, 오병구, 늘 나의 힘이 되는 이정헌, 서민혁, 기도의 용사 정지미, 탁용주, CCM의 거목 송정미(거목이라는 단어를 싫어할 텐데…) 그리고 이 세상에 계시지 않는 아버지…. 가끔 우리 곁을 스치고 간 옛사람이 생각난다. 그들의 체취, 말, 눈물나는 추억들…. 내 일천한 기억의 한계에 점점점으로 대신하고자 한다. 참, 경성대 이연승 교수님, 숭실대 정대용 교수님은 나의 지적 후원자임을 밝혀둔다. 나에게 시간을 주시고 섬김으로 늘 나를 감동케 한다. 언제나 이 은혜를 다 갚을꼬.

성서의 말씀대로 입은 지혜를 말하고 마음은 명철을 묵상하는 예지자의 길을 나는 걷고 싶다.

단상8. 사각지대

얼마 전 대형 교통사고를 당했다. 다행히 간발의 차이로 화를 면했지만 내게 큰 교훈을 준 사건이었다. 우측 깜박이를 켜고 차선 변경을 하는 순간, 사각지대의 8톤 트럭을 보지 못한 연유였다. 사각지대가 있다는 사실, 존재하지만 보이지 않는 비밀스런 장소, 마케팅의 사각지대는 어디인가? 서치하고 서치하면서(리서치) 나는 어둠 속의 존재를 더듬고 있다. 안개 속의 시장과 미궁의 소비자….

단상9. 이름하여

어릴 적 나의 이름은 나의 증오의 대상이었다. 맹이라는 희성은 둘째치고 명관이라는 발음하기도 어려운 내 이름. '중국집'이라고 아이들이 놀려댈 때마다 밝게(明), 베풀(寬)라고 지어주신 할아버지를 원망하였다. 맹영관, 명맹관, 명명관…. 내 이름 수난사는 내가 이름이 쬐금 알려지기까지 계속되었다. 나는 안다. 밝게, 널리 베풀라는 내 이름이 마케팅의 개념이라는 것. 귀에 걸면 귀걸이, 코에 걸면 코걸이라고 놀려대겠지만 이제 내 이름은 어엿이 하나의 개념(concept)이 되어 있다. 이름하여 맹명관… 베풂의 덕(德)을 쌓고 싶다.

단상10. 그리고 시작

지식의 바다에 용케 나침반 하나로 헤쳐 여기까지 왔다. 그리고 안개 자욱한 저 길을 나는 걷고 또 걷는다. 끝은 또 하나의 시작이라는 것을 나는 오십이 다 되어 알게 되었다. 덧없이 흘러간 세월이 아쉽고, 지나친 삶의 궤적이 돌아다보이지만 그것은 시작을 위한 제스처였다는 것을…. 어느 날 훌쩍 짐을 싸서 남도로 가는 열차에 몸을 싣고 싶다. '시작은 그렇게 다가올 것이다.'

1부_

스타벅스,
한국의 새로운 문화가 되기까지

1 선점에 성공한 스타벅스

초기 스타벅스커피 코리아의 마케팅 스토리를 듣다 보면 이들의 행동과 사고가 선구자적이라는 느낌을 지울 수가 없다. 1호점에서 100호점을 넘기기까지 이들의 노력은 한마디로 전사적이었다.

에스프레소 커피, '들고 나가서 마시는' 테이크 아웃 문화, 한 차원 업그레이드된 제3의 공간에서의 커피 문화, 고객과 바리스타의 1:1 커뮤니케이션 등 스타벅스는 누구도 상상할 수 없는 컨셉트를 가지고 시장을 만들어갔다. 일종의 선점 전략이었다.

■ ■ ■

바리스타 barista　커피를 서빙하기도 하고 손님과 대화도 나누는 종업원

선점 전략 preemptive strategy　제품의 우월성을 소비자에게 확신시킬 수 있는 제품이나 경쟁사의 반응 선택법이 극히 제한될 때 적당한 전략이다

선점 전략은 초기 진입자의 이점을 획득하기 위해 경쟁 기업보다 앞서 주요 시장에 진입하는 것을 의미한다. 따라서 선점 전략을 채택하면 기업은 일단 시장에서 확고한 위치를 구축할 수가 있다. 물론 어떤 경우에는 경제적으로 수지타산이 맞지 않을 수도 있다. 이런 상황에서 수요를 개발하고 기업의 경쟁적 위치를 확고히 하기 위해서는 단기적으로 손실을 감수하면서 상당한 투자를 해야 한다. 왜냐하면 급성장하는 신 시장을 선점한 초기 진입은 여러 이점을 누릴 수 있기 때문이다. 지금의 스타벅스가 커피 문화의 대명사로, 또 고객과 동종 업계의 기업으로부터 그 후광효과를 인정받고 있는 이유가 바로 그것이다.

그렇다면 다시 원론으로 돌아가 선도자의 개념부터 알아보자. 여기서 한 가지 질문을 던지겠다. 달에 첫발을 내디딘 사람은 누구일까? 그렇다, 닐 암스트롱. 그럼 그 다음에 달에 간 사람은?

비행기로 대서양을 횡단한 사람은 누구인가? 린드버그. 그렇다면 그 다음은? 이 질문을 하다 보면 왜 기업들이 미개척지에 선점의 깃발을 꼽으려 하는지 알게 된다.

포스트, 스카치테이프, 맥도널드, 코카콜라, 크리넥스…. 이들 브랜드의 공통점은 무엇일까? 첫째 No.1 브랜드라는 것, 그리고 미개척지인 시장에 선도자로서 선점한 기업이요 브랜드라는 사실….

선점하지 않으면 생존할 수 없다는 불안감에 마케터는 서둘러 시장에 뛰어들어 선도자로 포지셔닝되기를 간절히 소망한다. 시장에서 선도자가 된다는 것은 강력한 진입 장벽을 구축해서 후발 경쟁 브랜드가 소비자 마음속으로 파고들지 못하도록 방어하는 것을 의미한다. 물론 경제적, 기술적인 측면에서 강점도 있겠지만 소비자 행동 차원에서 보면 선도자 브랜드는 우선 인지 장벽을 가진다.

인간의 인식은 선택적이어서 자신에게 주어진 무한한 자극을 모두 다 받아들일 수 없는 생리적인 한계를 지니고 있다. 보통의 경우, 처음 몇 단어는 잘 기억해내지만 중간으로 갈수록 점점 기억하기 어렵고 나중에 나오는 몇 단어에 대해서는 다시 기억이 급격히 증가하는 현상을 보인다. 이런 현상을 그래프로 표현하면 다음과 같다.

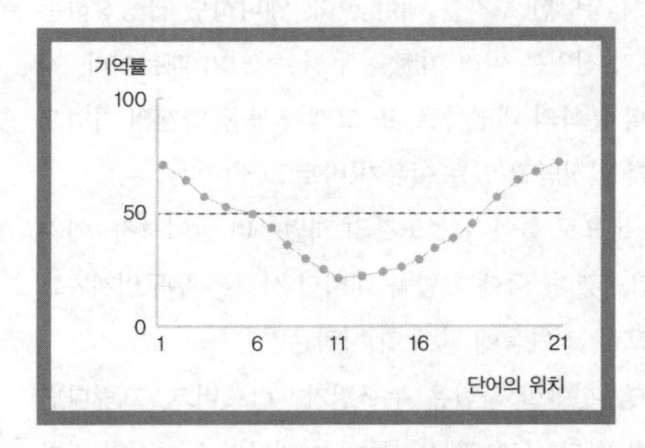

이때 첫 부분의 단어를 잘 기억하는 현상을 '초기효과'라고 하고 나중에 잘 기억해내는 현상을 '최근효과'라고 한다. 따라서 첫째, 소비자 머릿속에 처음 인지되는 브랜드일수록 기억에 오래 남는다.

둘째, 선도자 브랜드는 커뮤니케이션 효과를 갖는다. 소비자가 어떤 범주, 분야(카테고리)에서 최초로 접하게 되므로 각종 매체의 무료 홍보, 기사 지원(publicity)을 받기 때문에 뒤에 진입한 브랜드에 비해 월등한 인지 우위를 획득한다. 아울러 소비자들 뇌리에 확실히 자리매김하게 됨은 물론이다. 우리 나라에서 최초로 상품화된 밥(?)인 '햇반'의 경우 출시 1년 동안 단지 14억 원 정도의 TV 광고비만 투자하고도 국내 언론의 전폭적이고 자발적인 홍보 지원으로 무려 90%가 넘는 소비자 인지율을 기록했다.

셋째, 선도 브랜드는 심리적으로 안정적이라 볼 수 있다. 이것을 전문적인 용어로 전환장벽이라 하는데, 소비자가 선발 브랜드 외에 후발 진입 브랜드를 탐색하는 데 드는 노력과 비용, 혜택(benefit)의 비교를 위한 사고비용, 심리적 불안감(risk taking)을 고려하는 데 따르는 기회비용 등이 소비자들에게 호의적이고, 안정적으로 어필된다는 것이다. 일종의 심리적 관성의 법칙이라고 할까?

마지막으로 선도자 브랜드는 후발 브랜드에 비해 더욱 오랜 기간 동안 광고와 시장에 노출되었기 때문에 후발 진입 브랜드에 비해서 더욱 잘 알게 되고 더 많은 소비 경험을 갖게 되는 마케팅 전쟁에서 유리한 고지에 서게 된다. 물론 이런 현상이 절대적인 우위를 보장하는 것은 아니지만 아무튼 선도자 브랜드의 이점이라 말할 수 있다.

여기서 선도 브랜드의 강점을 정리하고 넘어가기로 하자.

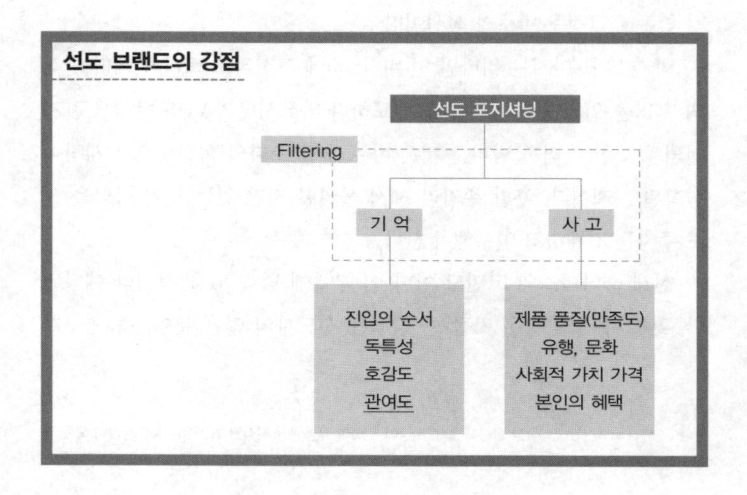

위의 도표를 설명하자면, 선도 브랜드의 강점은 후발 주자에 비해 일단 많아 보인다고 말할 수 있다. 아니 실제로 여러 혜택을 다양하게 받는다. 브랜드를 인식하는 과정을 살펴보면 선도 브랜드의 자리는 후발 주자에 비해 확고해 보인다. 놀라운 사실은 소비자는 각종 매체로부터의 수많은 정보들 중에서 자신에게 부합되는 정보만을 걸러내는 여과기능(filtering)을 가지고 있다. 이를테면 한정된 소비자의 저장 용량을 먼저 채우고 다른 유사 데이터가 들어오는 것을 막는다는 것인데, 설령 기억된다 하더라도 소비자 머릿속에 오래 살아 있지 못하고 소멸되어간다는 것이다. 그것이 후발 브랜드의 한계라 말할 수 있다.

도표를 보면 기억을 도와주는 요소와 사고를 도와주는 여러 요소가 나열되어 있는 것을 볼 수 있다. 물론 이 안에는 다른 제품과의 차별화, 브랜드를 소비자 목표에 연결시키는 전략 등 여러 요소가 고려되어야 하겠지만 이들을 일순간 허물어뜨릴 수 있는 후발 주자의 비장의 무기가 있는데 그것은 바로 혁신성이다.

박카스가 '마시는 비타민' 인 비타500에 고전하고 소니가 베타 방식의 VCR을 먼저 만들어 시장을 선도하다 마쓰시타의 VHS 방식으로 자신의 확고한 자리를 넘겨준 것은 바로 후발 주자의 혁신성으로 시장이 변화된 사례이다. 후발 주자라 해서 불리한 것만 있는 것이 아님을 선도 주자는 경계하고 연구해야 한다.

현재 스타벅스의 고민도 아마 이 부분에 멈춰 있을 것이라 예상된다. 후발 주자의 경우 가장 큰 장점은 선도자의 많은 분야, 즉 연구개

관여도 involvement　　특정 상황에 있어 자극에 의하여 유발되어 지각된 개인적인 중요성이나 혹은 관심도의 수준

발, 인프라 개발 투자 등에서 쉽게 말하면 무임승차할 수 있다는 것이다. 한마디로 정의하자면 기술 비용이나 모방 비용이 선도자보다 낮다는 것—이 부분을 선도 브랜드는 경계해야 한다.

삼성 애니콜 초 경쟁으로 업계 정상에 오른 기업의 사례이다

또한 후발 브랜드는 기술적 불확실성과 시장의 실패 사례에서 어느 정도 자유로울 수 있다. 더불어 이를 해결함으로써 이익을 얻을 수도 있다. 사실 불확실한 시장에 조기 진입하는 것은 분명히 상당한 위험을 내포하고 있는 것이다. 선도 브랜드가 제대로 포지셔닝하지 못할 때 후발 브랜드는 이상점에 가깝게 재 포지셔닝할 수 있다는 점도 선도자로서는 간과할 수 없는 부분이다.

일례로 90년대 초부터 삼성전자에서는 '삼성 휴대폰'이 제품으로 판매되었지만 모토로라 제품과의 기술 격차를 보이며 점유율 10%대의 낮은 수준을 보이고 있었다. 그러나 삼성은 1994년 "한국 지형에 강하다, 애니콜"이라는 슬로건과 브랜드명을 탄생시켜 경쟁사와 차별화 전략을 구사하여 1995년 8월 드디어 모토로라를 제치고 업계 정상을 차지했다.

놀라운 것은, 이들이 일시적 승리에 만족하지 않고 초 경쟁(hyper competition), 즉 또 다른 성능으로 경쟁자와의 경쟁 거리를 넓혀나갔

포지셔닝 positioning 광고하려는 상품이나 기업을 사람들의 마음속에 어떻게 위치시키느냐 하는 것으로 이는 이미지나 퍼스널리티와 깊은 관계를 맺고 있다

다는 점이다. 애니콜은 바 타입의 핸드폰을 뛰어넘어 플립 형태의 핸드폰을 출시하고 한 걸음 더 나아가 경쟁자의 반격을 뛰어넘어 폴더 타입의 핸드폰, 그후에 컬러 핸드폰, 카메라폰 등으로 절대적 우위를 점하였다.

지금까지의 스타벅스는 선도 브랜드로서의 사명을 훌륭하고 견고하게 잘 수행해왔다. 그러나 시간이 흐르고 시장의 변화와 소비자의 필요에 의해 후발 주자의 반격이 예기치 않은 위기를 가져올 수도 있다. 후발 기업이 스타벅스를 벤치마킹하여 철저히 닮아가거나, 틈새 또는 자기만의 매력 있는 시장으로 진입했을 때 스타벅스가 할 수 있는 일이 무엇인지, 그 용호상박의 혈투가 충분히 예상된다.

따라서 스타벅스는 독점을 누릴 수 있는 수혜 기간 동안 충분한 진입 장벽을 쌓아야 할 것이고, 후발자는 시장의 흐름과 변화를 항상 예의주시하고 있다가 선발자가 기반을 확립하기 전 기습적인 공격을 펼쳐야 할 것이다. 이것이 마케팅의 '정글의 법칙'이라는 것을 우리는 분명히 알아두어야 한다.

벤치마킹 bench-marking 조직의 향상을 위해 최상을 대표하는 것으로 인정된 조직의 제품, 서비스 그리고 작업 과정을 검토하여 자기 것으로 소화하는 체계적인 과정을 말한다

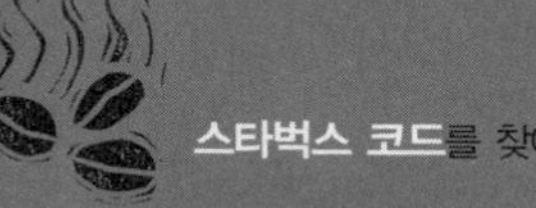

마케팅 전도사
스타벅스커피 코리아의 올인 스토리

스타벅스커피 코리아는 전 세계 점포 가운데 개점 후 가장 빠른 시간, 즉 1년 내 흑자를 낸 공로로 미국 본사로부터 '프레지던트 어워드(President Award)'를 수상했습니다. 스타벅스커피 코리아는 99년 이대 앞 1호점을 오픈한 이래 2004년 7월 말 이태원에 100호점을 오픈함으로써, 그야말로 눈부신 고도 성장을 거듭하였습니다. 99년 1호점, 2000년 10호점, 2001년 34호점, 2002년 58호점 그리고 2004년엔 110호점으로 그 기록을 더해간 것입니다. 과연 그 비결은 어디에서 찾아볼 수 있을까요?

1999년 후반에야 국내에 소개된 에스프레소 커피를 대중에게 알리는 것과 '들고 나가서 마시는' 커피 문화를 인식시키기까지는 나름대로 애로사항이 많았습니다. 지금은 어느 정도 익숙해져 테이크 아웃이 하나의 라이프 스타일로 자리잡았지만 당시엔 무척 어색하고 받아들여지기 쉽지 않은 습관이었습니다.

그래서 스타벅스커피 코리아는 전 직원이 출근길에 커피를 한잔씩 들고 다녔습니다. 판매가 마케팅 부서만의 몫이라는 인식을 불식시키고 전사적으로 올인한 것입니다. 에스프레소를 소개하고 커피 문화를 한 차원 업그레이드시키는 선구자적 기업철학은 이렇게 구체화되었습니다.

아울러 점포 입지 선정 시 유동인구와 상권의 주 연령층, 생활 수준을 파악하여 결정하는 과감하고도 공격적인 출점 전략이 주효했습니다. 저희는 전 세계 스타벅스 9천여 개 매장 중 가장 규모가 큰 매장을 명동에 가지고 있습니다.

특히 명동은 스타벅스가 들어서면서 상권의 변화가 있었습니다. 그만큼 문화적 영향력을 끼쳤다는 얘기죠. 커피 전문점 특유의 집객 효과랄까요? 명동 1호점은 공식적으로 최대 규모의 매장으로 약 200평 규모의 5층 건물에서 동시에 200명이 앉아 커피를 즐길 수 있는 초대형 시설입니다. 하루 평균 3천 명 정도가 약속 장소로 활용하고 있는 장소이기도 했고요.

이젠 이 매장은 명동의 랜드마크(land mark)요, 나아가 유동인구 흐름에 영향을 주는 요소가 되었습니다. 명동의 하루 평균 유동인구는 대략 150만에서 200만에 이르는데 스타벅스의 고객점유율도 만만치 않습니다.

또한 보다 많은 고객이 스타벅스 문화를 경험할 수 있도록 명동에 2, 3, 4호점을 차례로 오픈하였고 앞으로도 계속 오픈할 예정입니다.

고객의 특성을 고려해 우리는 명동내 전 점포에 일본어를 자유자재로 구사할 수 있는 직원과 안내판을 설치하였으며, 여행사 가이드를 대상으로 무료 음료를 제공하는 적극적이고도 공격적인 마케팅 활동을 계속하였습니다.

스타벅스커피 코리아의 고도 성장 비결은 커피 비즈니스보다는 고급 커피 문화를 상품화하는 데 있었습니다. 그리고 고객의 문화적인 필요에 적극적으로 대처한 순발력도 한 요소가 되었음을 부인할 수 없습니다.

일례로 테이크 아웃이라는 새로운 라이프 스타일을 소개하는 동시에 고객의 문화적 충격을 최소화하기 위해 좌석 문화를 수용하였으며, 지역적 특성에 따라 공간의 활용을 파격적으로 제공하였습니다.

또한 철저한 상품 및 인원 관리를 통한 브랜드 관리를 빼놓을 수 없습니다. 스타벅스는 프랜차이즈일까요, 아니면 직영일까요? 스타벅스는 직영으로만 매장을 운영합니다. 그 이유는 크게 세 가지로 나뉘는데, 첫째가 최고의 품질을 유지하기 위해서입니다. 커피의 생두를 채취하고 배전(roasting)하는 과정에서부터 고객에게 한잔의 커피를 서비스하는 모든 단계까지 스타벅스 직원들에 의해서 관리될 때만이 처음의 품질을 유지할 수 있다는 믿음 때문입니다. 특히 커피는 보관이나 운송 중 상하기 쉬울 뿐 아니라 기술적인 과정을 거쳐야 하므로 더욱 그렇습니다. 이런 특성을 잘 유지하여 고유의 맛을 유지시키기에 대리점은 역부족이라는 생각이 있었습니다.

둘째는 커피를 서비스하고 매장을 관리하는 사람들 때문입니다. 스타벅스는 바리스타의 역할을 매우 중요하게 생각합니다. 이들은 고객의 신뢰도를 높여주고 전문점의 이미지를 확고히하는 첨병입니다. 고객과 만나서 1:1로 대화하고 서비스하는 사람을 직접 채용하고 교육시켜 매장에서 근무하도록 하는 일은 커피 문화를 보급하고 판매하는 스타벅스로서는 핵심사안이라 해도 과언이 아닙니다. 따라서 스타벅스는 프랜차이즈로서는 한계가 있다고 보는 겁니다.

마지막으로 품질과 서비스를 중시하는 기업문화 창출을 위해서도 직영점

■ ■ ■

기업문화 어떤 기업이 특별하게 지니고 있는 사고와 행동의 규범으로 제전과 의식, 조직구조 관리 시스템, 리더십, 사내 커뮤니케이션 등 모든 기업 활동에 의해 형성된다

을 고집하고 있습니다. 직원들에게 비전과 가치를 심어주는 것도, 고객만족을 위한 서비스 기술도 결국 직영이어야만 가능할 것이란 생각입니다. 이것이 오늘날의 스타벅스 브랜드 파워임을 의심할 여지가 없습니다.

또한 스타벅스의 마케팅 전략 중에서 철저한 입지 선정과 과감한 투자, 아울러 꾸준한 사회활동을 빼놓을 수 없습니다. 스타벅스는 지금까지 매장의 위치를 결정할 때 수익뿐 아니라 이미지 관리 측면의 고려를 고집해왔습니다. 최적의 위치와 상권에 매장을 오픈함으로써 돈으로 환산할 수 없는 브랜드 가치를 확립하려 했습니다. 일례로 김포공항 내에 오픈한 스타벅스는 서울뿐 아니라 지방의 새로운 문화에 대한 변화 욕구를 충족시켜주기 위한 확산 전략의 일환으로 홍보용 매장으로서의 역할을 하고 있습니다. 이는 스타벅스의 전국적인 매장 확산을 목표로 고객에게 친숙하게 다가가려는 의미도 갖고 있습니다. 이밖에 '선택과 집중'의 마케팅 에센스를 위해 테헤란로와 광화문 주변에 매장을 집중적으로 오픈하여 후발업체와는 다른 '집중화'라는 차별화 전략을 구사하고 있습니다.

여러분은 혹 삼성전자나 외환은행, 그리고 영풍문고나 대구 교보문고 안에 입점해 있는 스타벅스를 본 적 있습니까? 이를 '숍인숍' 또는 '복합매장'이라 부르는데, 이를테면 커피 향 속에서 디지털 제품을 고르는 색다르고 차별화된 공동 마케팅인 것이지요. 이는 스타벅스 본사에서 전수받은 방법으로, 스타벅스는 미국의 최대 서점 체인인 '반스앤드노블(Barnes & Noble)'과 제휴해 서점 내 커피 전문점을 운영하고 있으며, 휴렛팩커드와도 손을 잡고 2,500개의 매장에서 무선 인터넷을 제공하는 전례를 선보였습니다. 한마디로 정의하자면 새로운 형태의 점포를 개발한 것입니다.

스타벅스커피 코리아도 다른 업종과 제휴하여 마케팅 부문에서도 새로운 붐을 일으키고 있습니다. SK 멤버십 카드를 소지한 고객에게 무료로 사이즈 업그레이드 및 시럽 추가 서비스를 하는 등 초우량 기업과 전략적 제휴를 맺고 있지요. 물론 LG텔레콤도 마찬가지입니다.

혹 스타벅스에서 재활용지 노트를 받아보신 적이 있나요? 이 노트는 스타벅스커피 코리아가 환경보호와 고객환원 차원에서 사은품으로 제공해드리는 것입니다. 재활용지는 일반 펄프보다 2배 이상 비싸기 때문에 구매하고 싶어도 구매할 수 없는 어떻게 보면 귀한 물건이지요. 우리는 '스타벅스 환경의 날'을 지정하여 커피를 구매한 고객에게 그것을 제공해드렸습니다.

스타벅스커피 코리아는 처음부터 주위의 소외된 이웃과 환경을 위한 사업을 꾸준히 행동으로 실천해왔습니다. 환경 캠페인 2탄으로 〈나만의 작은 정원〉이라는 프로젝트를 실시했습니다. 이는 쓰레기로 버려지는 커피 찌꺼기를 비료화하여 화분, 꽃씨를 고객에게 드리는 행사였습니다. 이 아이디어는 미국의 스타벅스 본사에서 '베스트 프랙티스(Best Practice)'로 선정되어, 이제 전 세계 스타벅스에서도 동일한 행사를 하고 있지요.

스타벅스 매장에는 작은 모금함이 있습니다. 여기 모인 기금은 가정 형편이 어려운 아이들의 수술비 및 동남아 지역의 지진 피해 복구 기금 등으로 쓰이고 있습니다. 우리의 기업정신인 '더불어 사는 가치'를 추구하기 위해 만들어진 것이지요.

이 밖에 지역 공동체에 기여하기 위한 단기 프로그램으로서 도서나 장난감을 모아 각 도시철도 지하철 공사나 녹색 어린이 도서관에 기부하고 있습니다. 이는 지역주민과 자연스럽게 하나가 되기 위한 우리의 노력입니다.

스타벅스는 엄청난 광고비를 투입하여 기업 이미지를 높이지도 않으며, 현란한 이벤트로 한국의 소비자에게 다가가지도 않습니다. 마음 깊게 새기고 있는 것이 있다면 바로 '한국에 스타벅스가 뿌리 내릴 수 있는 것은 고객의 성원 덕택'이라는 것 하나뿐입니다. 그리고 더불어 커피 문화의 전달자로서 소명을 다하자는 것입니다.

기업의 사회적 책임을 강조하는 것도 다 그런 이유입니다. 이런 기업의 가치를 공유하고 전달하는 파트너와 스타벅스를 믿고 지켜봐주는 고객이 늘어나고 있습니다. 따라서 스타벅스의 마케팅 스토리는 이분들에 의해 계속 쓰여져갈 것입니다.

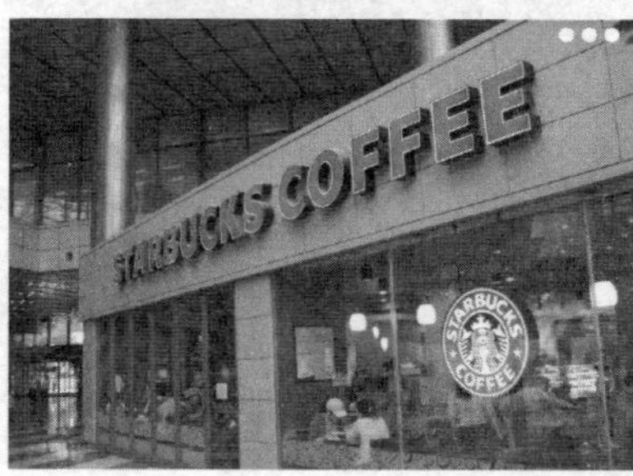

● 삼성리빙프라자 선릉점 내에 입점해 있는 스타벅스 매장
●● 외환은행 올림픽점 내에 입점해 있는 스타벅스 매장
●●● 제일은행 본점 내에 입점해 있는 스타벅스 매장

2 한국에서의 성공 비결-구전 마케팅

"발 없는 말이 천리 간다"라는 속담을 들어보았을 것이다. 소비자와 얼굴을 맞대고 하는 대화에서 발생하는 구전은 그 내용을 인지하고 분석하는 데 많은 시간과 노력이 필요하지 않을 뿐더러 빠른 전파성과 신뢰감마저 가지고 있어 기업의 입장에서 보면 매력적인 커뮤니케이션의 수단이라 아니할 수 없다.

입에서 입으로 전해지는 구전 마케팅. 사람들은 자신의 체험을 다른 사람과 공유하고 싶어한다. 코카콜라 사의 연구에 의하면 만족한 고객은 평균 4~5명, 불만족한 고객은 9~10명에게 자신의 체험을 전한다고 한다.

구전은 개인이 가지고 있는 정보가 다양한 네트워크를 통해 전파되는 현상이다. 또한 앞서 거론한 신뢰감은 대중매체보다 높으며 꼬리에

꼬리를 무는 빠른 전파성 때문에 기업들이 많이 선호하는 커뮤니케이션 도구이다.

그렇다면 구전 마케팅의 방법은 무엇일까? 먼저 혁신 수용자 1인에게 '무엇'에 대한 정보를 유입시킨다. 그리고 그에게 결속되어 있는 집단과 사람에게 그것을 확산시키는 것이다.

구전 마케팅

구전 마케팅은 혁신 수용자 1인에게 정보를 유입시켜
집단과 사람에게 확산시키는 방법을 사용한다.

개인 당 최소한 250명에서 300명까지 구전할 수 있는 주변인이 있다고 한다. 이런 측면에서 보면 그 파급효과는 엄청나다고 할 수 있다.

스타벅스가 광고에 의존하지 않고 구전 마케팅을 선택한 것은 스타벅스 커피를 경험한 사람들의 입소문이 광고 매체보다 훨씬 신뢰감을 주는 홍보라 생각했기 때문이다.

기업은 흔히 경쟁이 치열해서 광고가 별 효과를 못 볼 때나, 차별점을 갖고 있음에도 불구하고 만족한 마케팅 방법을 찾지 못할 때에나 구전 마케팅을 찾는다. 한때 삼성과 싸워 이긴 유일한 사례로 꼽혔던 딤채는 구전 마케팅으로도 유명하다. 그들은 우선 목표 핵심 고객층을 선정하고 이들을 대상으로 구전 즉 입소문 마케팅을 실시하였다. 딤채가 선정한 핵심 고객층은 45세 전후의 중상류층 이상 되는 주부였다. 가족은 2세대 4인 이상, 주거 형태는 아파트나 빌라. 이 같은 기본 조건 아래 지역적으로는 강남의 대형 아파트 단지, 신분상으로는 여성 국회의원이나 여성 교수 등 여론을 선도할 수 있는 층을 선택했다. 판촉 이벤트 행사도 강남 지역의 대형 슈퍼, 주부 문화센터, 수영장, 헬스클럽 등 핵심 고객들이 많이 드나드는 장소를 집중 공략했다.

딤채를 직접 사용해본 사람들의 입소문은 그야말로 대단했다. 시제품 판촉전에서 약 5천 대가 팔렸을 정도이니 말이다. 200여 명의 품질 평가단의 입소문은 대형 백화점이나 주부 문화센터의 판촉전과 맞물려 그 위세가 대단했다고 알려진다.

딤채 핵심 고객들의 입소문을 통해 시장 진입에 성공한 사례이다

우리가 여기서 한 가지 알아두어야 할 것은 구전이라 하여 늘 긍정적인 결과를 가져오지는 않는다는 것이다. 구전은 동전의 양면과 같은 성격을 갖고 있어서 잘 쓰면 약이 되지만 못 쓰면 독이 된다. 제품, 서비스, 회사 중 어느 것에라도 경험이 있는 소비자 중 3명이 긍정적인 만족을 보이면 33명은 부정적인 경험을 전달한다고 한다. 또 부정적인 경험을 상대방에게 전달할 때 그 반응의 강도가 더욱 크다고 한다.

따라서 구전 마케팅을 시도하고자 할 때에는 정확한 정보와 함께 제품에 대한 시장 분석이 철저히 이루어져야 한다. 특히 소비자 만족과 소비자 불만관리(customer complaint handling), A/S 관리 등도 밀접한 관계가 있음을 간과해서는 안 된다. 이들은 피드백 개념으로 볼 수 있는데, A/S의 경우 많은 비용과 노력을 투자하는 시장조사보다 확실한 방법이다. 이는 또한 국제 개방 시대에 국내 기업이 외국 기업에 비해 차별적인 우위를 점할 수 있는 항목이기도 하다.

그렇다면 구전 마케팅의 특성은 무엇이며 그 효과, 장단점은 어디에 있는지 살펴보자.

첫째, 경쟁이 보다 복잡할 때, 이를테면 제품 수가 많고 제품 간 차별화 수준이 약하거나 기술적 이해가 필요한 경우에 소비자는 주변인의 충고, 특히 오피니언 리더의 경험에 의존한다.

둘째, 같은 메시지라도 개개인에 따라 그 수용 강도가 다르다. 따라서 소비자 유형에 따라 접근 방식을 다르게 해야 한다.

마지막으로 그 반응은 어떤 커뮤니케이션보다도 순간적이고 즉각적이다. 이런 측면에서 보면 구전의 가장 큰 핵심은 '말하기 요인(talk factor)'이라 할 수 있다. 자칫하면 '과장'과 '왜곡'이 축을 이룰 수 있는 반면 서로 얼굴을 맞대고 이야기를 나누는 쌍방향 커뮤니케이션이므로 상품 정보를 입수하거나 구매 행동을 촉구할 때 그만큼 강한 호소력을 지니기도 한다. 우리 주위에 히트되는 상품을 꼼꼼히 살펴보면, 그 요인은 구전의 힘과 연동된 매스커뮤니케이션의 양동 작전임을 발견하게 된다.

■ ■ ■

소비자 만족 customer satisfaction, CS 고객이 어느 상품을 구입했을 때 구입한 상품과 서비스에 어느 정도 만족할 수 있는지를 중시하는 기법

오피니언 리더 opinion leader 소집단 내에서 의견 또는 여론을 주도하며 대중의 의견 형성에 강력한 영향을 끼치는 사람

히트 상품을 만드는 것은?

히트 상품 이면에는 구전과 매스커뮤니케이션의 위력이 내포되어 있다.

지금까지는 구전 마케팅이 어떤 커뮤니케이션 툴이며 어떤 장 · 단점을 가졌는지 살펴보았다. 이번에는 구전 마케팅의 유형과 성공 전략은 어디에 있는지 고찰해보자.

다음은 여덟 가지의 구전 마케팅 유형이다.

체험 · 실감형 |

믿을 수 있는 가까운 사람의 경험을 통해 나온 정보를 매스미디어에서 이야기하는 정보보다 더 신뢰하고 중요시하며, 광고만으로 알 수 없는 '진짜' 정보로서 중요시한다.

공유 · 공감형 |

동료 간의 커뮤니케이션과 놀이를 통해 그 즐거움과 편리함이 알려지는 경우이다. 예를 들어 용인 에버랜드를 다녀온 사람이 재미있는 곳이라고 주위 사람에게 알려줌으로써 또 다른 고객이 다시 찾는 것이 그 예이다.

새로운 것을 찾는 유형 |

새로운 것을 가져보고 싶어하는 호기심 많은 사람들 간에 전해지는 소문으로 정보가 교환된다.

불안 · 선정형 |

생활 속에서 불안 요소에 대한 관심이 소문을 유발한다.

새로운 습관 · 가치 제안형 |

지금까지 없었던 스타일이 새로운 가치 · 습관으로 주목받으면서 화제가 된다.

한정 · 품귀현상형 |

상품의 발매 시기나 지역 등이 한정되어 있어 상품 구입이 어려운 상황일 경우 소문을 자극한다.

해외 인기 선행형 |

수입되기도 전에 현지에서의 평판이 먼저 전해져 화제가 된다. 국내에서는 아직 접할 수 없다는 상황이 히트 요인이 된다.

신비 · 수수께끼 풀이형 소문 |

상품의 배경이 되는 일화나 전설 등의 신비성 또는 상품 자체에 숨겨진 수수께끼를 푸는 즐거움, 그리고 이것을 남들에게 가르쳐주는 쾌감이 소문을 낳는다.

앞서 구전 마케팅의 사례로 든 김치 냉장고 딤채 외에 르노 삼성 자동차의 경우도 구전의 효과가 어떠한지 가늠케 한다.

초기에는 회사 간 빅딜이 진행되는 시점이라 단종을 우려하여 삼성 차를 사는 것을 만류하는 분위기였으나 2000년 르노 삼성으로 확실히 자리잡은 이후 주로 개인택시 기사를 중심으로 삼성 차는 피로감을 덜 느끼게 한다는 소문이 나면서 판매고가 올라가기 시작했다. 이 시점을 포착한 르노 삼성은 적극적인 구전 마케팅을 시도했다. 예를 들어 10만 킬로 이상 주행한 차량을 구입해서 영업소에 배치하여 소비자들에게 직접 시승을 권하였다. 결과는 시승 후 현장서 구매한 소비자가 70%에 이르른 것으로 나타났다.

우리는 두 가지 성공 사례를 보면서 구전 마케팅에도 어떤 일정한 법칙이 있음을 직·간접적으로 인지하게 된다. 이름하여 구전 마케팅의 성공전략이다. 우선 구전 마케팅 전략팀을 구성해야 한다. 여기에는 구전 마케팅의 한시성도 고려해야 한다.

신제품의 경우 출시 후 6개월 정도가 경과하면 이미 시장 진입이 이루어짐과 동시에 제품 정보를 파악한 소비자층이 확산되어 공략에 한계가 있다. 따라서 구전 마케팅은 특별한 경우를 제외하고는 출시 2개월 전에서 출시 후 6개월까지가 극대화 시점이라 본다. 아울러 이 기간 동안 구전 마케팅이 효율적으로 진행되기 위해서는 별도의 전략 관리팀이 절대적으로 필요하다.

둘째, 자사 제품의 셀링 포인트를 경쟁 제품과 대비하여 파악하며 나아가 소문 전략을 구사한다. 일단 자사 제품의 차별적 우위점을 파악하고 이를 바탕으로 소문의 소재를 만든다. 물론 매스커뮤니케이션을

■ ■ ■
셀링 포인트 selling point 소비자가 구매하게 만드는 상품의 특성

이용하여 상승효과를 노려야겠다.

여기서 한 가지 짚고 넘어가야 할 것은 '소문'이라 하여 우발적이고 근거 없는 '~더라' 수준이 되어서는 안 된다는 것이다. 무엇보다 중요한 것은 마케팅이라는 기본적이고 전체적인 개념을 바탕으로 상품 기획 단계에서부터 그 전략을 세우고 통합하여 유기적인 연관을 통해 추진해나가는 구체화된 소문 전략이어야 한다.

셋째, 제품의 피라미드를 파악, 구전 전파의 핵심 타깃을 정하라는 것이다. 소비자의 유형에 따라 마케팅 전략이 상이하다는 것은 누차 이야기한 것인데, 이에 앞서 소비자의 충성도와 수용도를 파악할 필요가 있다.

특히 자사 제품에 대한 소비자의 반응 강도와 오피니언 리더 그룹의 두 요소는 구전 마케팅을 성공시키기 위한 필수적인 요건이다. 아울러 자사 제품의 긍정적 인식자, 충성자, 고객, 소비자와 가능자, 의심자 등의 부정적 인식자들에 대한 인구통계학적 · 심리학적 요인 파악 및 접근은 전략적으로 고려해볼 필요가 있다.

마지막으로 구전 마케팅의 성공은 고객 서비스의 질에 달려 있다. 기업은 자사 제품 및 서비스에 대한 소비자의 불만을 확실히 파악해야 한다. '침묵의 96%(silent 96%)'의 진리가 말해주듯 많은 소비자들은 '시간적으로 이야기할 가치가 없다', '실질적으로 자신의 불만이 해결될 것이라 믿지 않는다', '어떻게 무슨 기구를 통해 불만을 전해야 할지 모른다' 등의 이유로 자신의 권리를 포기한다. 따라서 이들의 불만은 제조업자들에게 연결되지 않거나 상당 부분 왜곡되어 전달되므로, 이의 개선을 위한 구전 마케팅은 소비자 만족 차원에서 바라보아야 할 것이다.

결론적으로 말해 하루 1,500여 개씩 쏟아져 나오는 광고를 소비자는 더 이상 믿거나 받아들이지 않으나 친구 · 가족의 조언은 상당 부분 신뢰한다는 사실, 이것이 구전 마케팅의 핵심 키워드이다.

광고 없이 한국에 상륙할 수 있을까

스타벅스에 관심이 있고 알기를 원하는 사람들은 종종 이런 질문을 던집니다.

"스타벅스는 왜 광고를 안 하나요?"

사실 스타벅스처럼 광고 안 하기로 유명한 회사는 드뭅니다. 한 예로 스타벅스가 창업되고 지금까지 집행된 광고비(미국, 인터내셔널 포함)는 SK텔레콤의 1/4분기 광고비에도 못 미칩니다.

지난번 스타벅스커피 코리아 5주년을 기념하여 내한한 CEO 오린 스미스에게 기자들이 이 문제에 대해 질문하였습니다. 그때 그는 이렇게 대답하였습니다.

"고객이 직접 스타벅스 커피를 경험한 뒤 입소문을 내는 것이 훨씬 더 신뢰감을 주는 홍보입니다. 저희는 광고비를 고객을 위한 샘플 테스트 비용과 지역사회 활동 비용으로 씁니다."

물론 이것은 스타벅스의 브랜드 파워가 있기에 가능합니다. 사실 기업이 소비자에게 광고를 통해 상품 정보와 이미지를 전하고 설득하는 것도 의미 있는 행위이고 효율적이리라는 것은 인정합니다. 그러나 스타벅스는 처음부터 기업의 모든 요소를 고객에게 맞추고 어필해온 만큼 광고의 거품이나 간접적인 접근은 적합하지 않다고 생각했습니다. 한국의 소비자를 직접 매장으로 불러내어 체험케 하고 그들과 하나가 될 수 있는 길을 찾아내려 했습니다.

그래서 스타벅스는 광고, 홍보비를 고객을 위한 샘플 테스트 비용과 지역사회 활동 비용으로 사용했습니다. 개점 전날 고객들을 위해 무료로 커피와 빵을 제공하는 이벤트를 수시로 열었지요. 초기에는 기자와 음식 평론가 · 요리사 · 유명 레스토랑 주인 등을 초청하여 시음 행사를 열었으며, 특히 바리스타의 친구와 가족들을 파티에 초청하도록 하였습니다.

그리고 사회적인 책임을 무엇보다 잘 알고 있는 기업으로서 스타벅스커피코리아도 이웃사랑과 환경보호에 앞장섰습니다. 환경을 파괴하는 생활 쓰레기의 발생량을 최소화하기 위해 점포에서 사용하던 일회용 컵과 컵받침, 종이 봉투, 냅킨 등을 재활용품으로 바꾸었습니다. 최근에는 이에 만족하지 않고 머그컵을 매장에 비치해 1회용 용기 사용을 자제하도록 홍보하고 있으며, 자신의 컵을 가져오는 고객에게 300원을 할인하는 등 적극적으로 일회용기 사용을 줄여가도록 유도하고 있습니다.

개점 3주년을 기념하여 전개한 책 나누기 운동, 즉 북 도네이션 행사는 지역 사회의 발전에 기여한 보람 있는 일이었습니다. 책을 가져오는 고객에게 무료로 커피를 증정하고 이렇게 모아진 책은 모두 도시철도공사 지하철역 내에 마련된 도서마당에 기증하여 지하철을 이용하는 시민들이 자유롭게 빌려 보도록 하였는데, 향후에도 이런 행사가 단발성 이벤트로 그치지 않고 발전할 수 있도록 중 · 장기 계획을 세울 예정입니다.

입에서 입으로 전해지는 구전 마케팅의 핵심은 소비자 스스로 산출해내거나 전하는 정보를 말한다는 것입니다. 고객은 과거와 달리 수동적이지 않으며, 정보에 대해 매우 민감할 뿐 아니라 자신이 인지한 정보를 전하기에 주저하지 않습니다. 따라서 우리는 그들이 매장에 와서 직접 체험하거나 여러 정보를 인지하도록 유도하는 방법을 전략적으로 채택하였습니다.

2001년 4월부터 스타벅스커피 코리아는 〈스타벅스 무료 커피교실〉을 꾸준히 진행해 고급 커피 문화 보급을 위해 노력하고 있습니다. 이는 매장에서 이벤트성으로 운영하던 무료 커피교실이 고객에게 매우 높은 호응을 얻었기 때문에 이를 발전시킨 것입니다. 우리는 거기서 고객이 마니아 수준의 전문지식을 얻고 싶어한다는 사실을 알았습니다. 제품에 대한 정보와 이론을 갈망하고 나름대로 모임을 통해 고급 커피 문화를 즐기고 싶어함도 아울러 알게 되었습니다. 이것은 단순한 정보 주입이나 달콤한 이미지로 다가갈 수 없는 한계를 말해주고 있었죠. 무료 커피교실은 고객에 대한 서비스 차원을 넘어서는 활동이었습니다.

각 매장 안내판에 일정을 고지하고 바리스타가 맛있는 커피를 만드는 법, 커피 상식, 커피에 대한 에티켓 등 다양한 내용을 전달하였습니다. 그러자 소비자들은 말하기 시작했습니다. 스타벅스, 스타벅스의 커피, 그리고 이곳의 서비스를 말이지요. 그들이 움직였고, 그 흐름은 계속되었습니다.

고객, 내부 직원, 오피니언 리더들이 말하는 이야기는 광고, 판촉보다 더 두터운 신뢰를 주었으며, 곧 초일류 브랜드로서의 위력을 발휘하게 되었습니다.

스타벅스를 얘기할 때 사람들은 '문화 마케팅'을 거론하곤 합니다. 물론 이것은 스타벅스가 전통적으로 지향해온 정책입니다. 스타벅스는 전략적으로 〈아이 엠 샘〉을 지원하였습니다. 영화의 주인공이 바로 스타벅스 직원이었죠. 7살 지능의 샘을 통해 이루어지는 감동 스토리에 스타벅스는 자연스런 배경이 되어주었습니다. 이런 PPL은 스필버그 감독의 〈ET〉에 등장했던 리스(Reese) 사의 초코볼 같은 경우에도 이용되었지요. 이것은 상호호혜적인 광고 커뮤니케이션 기법입니다. 특히 판매 증진, 이미지 개선에 매우 효과적이어서 광고주의 선호도가 높다고 합니다.

우리는 〈아이 엠 샘〉의 개봉 전에 스타벅스 전 매장에 포스터를 게시하고 1만 장 이상의 시사회 티켓을 고객에게 제공하였으며, 이 영화를 본 티켓 지참 고객에게는 특별히 시럽을 무료로 넣어주는 공동 마케팅을 전개하였습니다.

한 가지 예를 더 들자면, 난타와의 제휴 프로모션을 말할 수 있습니다. 서울 시내 9개 매장에서 총 14일 동안 저녁 7시부터 8시까지 1시간 동안 음료를 구매하는 고객 중 5명에게 난타 티켓 2장씩을 증정하는 게릴라성 행사였습니다.

■ ■ ■

PPL　영화 속의 제품 배치, 즉 광고주가 판매 증진이나 이미지 개선을 목적으로 영화 속에 자사 상품이나 서비스를 삽입시키고 그에 대한 대가로 약정된 대금을 영화사에 지불하는 상호호혜적인 새로운 형태의 광고 커뮤니케이션

이를 두고 난타 측 담당자는 "영화가 아닌 실제 배우들이 하는 공연에 1천 장 이상의 티켓을 협찬하는 것은 사실상 모험이지만 스타벅스에게는 모험이 아닌 투자가 될 수 있었다"고 평가하기도 했습니다.

〈아이 엠 샘〉처럼 해외 시장에서 실패한 영화가 우리 나라에서 수개월간 박스오피스에 오른 사실들을 통해 우리는 스타벅스의 독특한 마케팅, 브랜드 전략이 한국의 소비자에게 어떤 영향력을 미치고 있는지 생생히 보았습니다. 움직이는 소비자, 말하는 소비자….

우리는 한국의 소비자들과 대화를 나눕니다. 가격에 연연해하지 않고 상품의 품질과 그것을 소비함으로써 영위할 수 있는 문화적 우월감을 누리고자 노력하는 혁신적인 소비자들과 말입니다. 그들의 직접적 필요에 호응하고 그들과의 좋은 관계를 맺기 위해 다양한 문화 행사를 진행하고 있습니다.

경제학자 슘페터는 경제 성장의 원동력을 기업가의 혁신이라고 강조했습니다. 우리는 기업가뿐 아니라 전 직원이 혁신적 아이디어를 통해 고객과 함께 가치를 공유하고 문화를 즐길 수 있도록 전력을 다해 노력할 것입니다. 오늘도 스타벅스커피 코리아는 체험을 말하고 문화를 얘기하는 고객에 의해 한걸음 한걸음 발걸음을 내딛고 있습니다.

3 바꿀까, 지킬까?

직영점을 고수하고 무지방 우유에 대해 허용하는 스타벅스의 마케팅 정책을 두고 스타벅스가 언제까지 고수할 것인지, 어떤 부분을 고수하고 어떤 분야에 대해 전환할 것인지 관심을 가지고 지켜보는 사람들이 많다.

일견 일관성이 없는 것 같고 스타벅스 내에서도 여러 사안을 두고 고심하는 눈치가 보이기도 한다. 지역에 따라 흡연구역도 만들고 매장에 따라 판매전략을 바꾸는 파격(?)은 결코 쉬운 일이 아니다.

'스위치(switch)'라는 단어를 사전에서 찾아보면 세 번째 의미에 계획 · 생각 · 설비 따위의 전환이나 바꾸기, 변경이라고 쓰여 있다. 사실 기존의 매뉴얼을 현지화라는 이유로 바꾼다는 것은 스타벅스 경영진들이 고민한 것처럼 정체성과 관련된 사안이므로 쉽게 결정할 수 없는 것이다. 따라서 '장사에 도움이 된다면 원칙도 깬다'는 스타벅스의 전환,

유연성은 평가받을 만하다.

전 세계 매장 중 유일하게 영어 간판이 아닌 한글 간판이 걸린 인사동점이나 주 고객인 애연가 남성 고객을 위해 야외 테라스를 개방한 광화문점, 샐러리맨들이 한꺼번에 몰려 시간적으로 지체할 여건에 놓인 여의도점의 자동 커피 제조기인 '배리스머' 설치는 바로 유연성의 적절한 예이다.

지금부터 현지화 작업을 통해 전환하고 지켜온 기업의 성공 사례와 실패한 사례를 두고 어떤 것은 지키고 어떤 것은 전환하고 바꾸어야 하는지 정의를 내려보자.

네슬레라는 회사가 있다. 세계 최고의 식품 회사로 2005년에 창립 138년을 맞는 네슬레는 스위스 다국적 식품 회사이다. 놀라운 것은 오랜 역사만큼 세계 제일의 식품 회사일 뿐만 아니라 UN이 선정한 현지화 1위 기업이라는 점이다.

우리는 흔히 네슬레라고 하면 커피나 이유식을 만드는 회사로 알고 있지만 실은 연간 68조 매출에 종업원 수 23만 명으로, 유제품 · 커피 · 아이스크림 · 초콜릿 · 생수 · 냉동식품 · 애견용 식품 · 화장품 · 의약품 · 건강식품 등 그야말로 '해가 지지 않는' 광범위한 사업 영역을 보유하고 있다. 아울러 이 기업은 제품의 98%를 스위스가 아닌 다른 나라에서 생산하고 있으며 전체 종업원의 97%인 22만 명이 스위스인이 아닌 현지인으로 구성되어 있어 세계인의 주목을 받고 있는 기업이다.

■ ■ ■

정체성　　특정 기업을 인지시키는 것. 기업은 소비자로부터 신뢰와 호의를 얻기 위해 항상 일관되고 통일된 이미지를 깊게 심어야 한다.

이 세계적 기업이 16년 전 한국에 진출하여 한국 네슬레란 이름으로 보수적인 입맛의 소비자를 공략하였다. 이들은 우선 충청북도 청주시에 그들의 주력 상품인 테이스터스 초이스, 네스카페, 커피메이트, 세레락, 네스퀵, 네스티 등 주요 브랜드를 생산할 공장을 지었다. 그리고 어느 외국 기업보다 적극적으로 국내 기업과 수평적 제휴관계를 맺었다. 기업마다의 장점은 최대로 살리고 각 분야의 최고의 기업과 손잡고 시너지 효과를 올리는 데 주저하지 않았다. 그리고 지역시장의 독특한 상황과 소비자의 기호를 철저히 분석하여 시도하는 '맞춤형 마케팅'은 타 글로벌 브랜드와는 비교할 수 없을 정도였다.

일례로 애완동물용 식품 사료 메이커인 네슬레 퓨리나 팻 케어는 한국의 대표적인 토종 동물인 진돗개만을 위한 사료를 출시하였다. 또한 네슬레가 진출한 전 세계 77개국에서 유례를 찾아보기 힘든 커피 자판기 사업을 추진하였다. 이는 네슬레의 전환 전략의 결정체라 평가하기에 부족하지 않을 정도이다. 이들은 네슬레의 고유색인 빨간색으로 자판기를 도색하는 한편 부드러운 커피를 선호하는 여성들의 입맛을 잡기 위해 카페라떼, 카푸치노 등 고급 커피를 자판기 전용으로 개발, 선보이기도

네슬레 'The world food company'를 지향, '전환과 원칙'의 전략으로 세계 경영에 성공을 거둔 사례이다

하였다.

유럽 소비자가 맛은 씁쓸하지만 향이 풍부한 커피를 좋아하는 반면 한국 소비자는 양립하기 어려운 부드러운 맛과 풍부한 향을 동시에 원했기 때문에 한국 네슬레는 네슬레 본사가 연구한 진공 커피 향 추출법, 일명 백스(VAX) 추출 비율을 조절, 한국인의 입맛에 딱 맞는 테이스터스 초이스를 출시하였다. 아울러 국내 소비자들이 보다 가까이 다가서는 밀착 마케팅에 민감하다는 사실에 착안, 생활에서 자연스럽게 접할 수 있는 접근 전략을 구사하였다.

그 예로 우유 보조식품 네스퀵의 '바니 전국투어 프로그램'을 들 수 있다. 한국에 소개된 지 13년이 된 바니는 한국 어린이들에게 꾸준히 사랑받아온 네스퀵의 캐릭터로 "너무 재밌어, 너무 맛있어"라는 주제로 바니 전국투어 프로그램을 진행한 바 있는데, 이들은 전국을 순회하면서 편식이 심한 어린이에게 올바른 식습관을 교육하거나 색칠공부와 노래 및 율동을 함께 하면서 어린이들에게 다가갔다.

이 같은 현지화 전략에 따른 적응 및 전환 외에 네슬레는 세 가지 원칙을 고수하고 있다.

그 첫 번째가 공유가치이다.

안전과 품질에 대한 헌신, 다양성에 대한 존중과 별도로 네슬레는 일련의 문화적 가치를 충실히 따르고 있으며 이 가치들은 본사가 있는 스위스에 뿌리를 둔 것도 있으며 사업을 운영하면서 도중에 발전시켜온 것도 있다. 어떤 가치가 있는지 살펴보자.

1 강한 직업윤리, 청렴성, 정직성, 그리고 품질에 대한 약속

2 상호 인격적이고 직접적인 업무처리 방법

3 사업에 대한 독단적인 접근보다는 보다 실용적인 접근
4 기본적인 인간의 가치, 태도 그리고 행동을 존중하는 한편 기술의 흐름, 미래의 방향, 소비자 습관의 변화, 새로운 사업 아이디어와 그 속에 있는 기회를 파악하는 열린 마음과 호기심
5 회사의 성과와 명성에 기여한다는 자부심
6 회사에 대한 충성과 일체감

둘째는 일반 가치 원칙이다.

1 네슬레는 제도보다는 사람과 제품 그리고 브랜드를 우선하는 회사이다. 제도가 필요하기는 하지만 결코 그 자체가 목적이 되어서는 안 된다.
2 네슬레는 장기적으로 성공적인 사업 발전을 추구하며 장기적으로 주주들에게 선호받는 회사가 되려고 노력한다. 그러나 네슬레는 성과를 향상시킬 필요성에 대해서도 간과하지 않으며 매년 적정한 이익을 창출해야 할 필요도 인지하고 있다.
3 네슬레는 소비자의 신뢰와 선호를 얻으려고 노력하고 소비자 경향을 따르고 기대하며 네슬레 제품에 대한 수요를 창출하고 이에 부응하려고 노력한다. 따라서 네슬레는 분명한 법의 체계 내에서 자유경쟁의 원칙에 충실하고 이를 선호하며, 성과 결과를 기반으로 사업을 이끌고 있다.
4 네슬레는 네슬레가 갖는 사회적인 책임을 인식하고 있다. 이는 장기적인 성공을 지향하는 기업문화 안에 내재하고 있는 책임이다.
5 네슬레는 탄력적으로 적용되어야 하는 기본 정책과 전략적인 결

정에 의해 주어진 일정한 범위 내에서 최대한 분권화되어 있다. 운영상의 효율성과 그룹 내의 일관성 유지 및 인력 개발에 대한 필요에 따라 분권화에 대한 원칙이 일부 제한될 수 있다.

6 네슬레는 네슬레의 활동이 지속적으로 발전하여야 한다는 생각에 충실하다. 그래서 가능한 한 극적인 갑작스러운 변화는 지양하고 있다.

마지막으로 조직 가치의 원칙이다.

1 네슬레는 실용성을 위하여 관리 단계는 적고 영역은 확대된 수평적이고 유연한 조직체계를 선호한다.
2 관리자와 위계 조직의 책임 내역을 분명히하고 네트워크 형식의 수평적 의사소통을 장려한다.
3 책임 수준과 목표를 분명히 설정하는 것은 매우 중요하며 팀워크와 네트워크 형식의 의사 전달 방식은 관리자의 책임에 영향을 주지 않는다. 그리고 팀에는 항상 책임 있는 리더가 존재한다.
4 결과는 매우 중시하면서 가능한 한 관료주의적인 요소를 줄이고 운영상의 신속성 및 개인의 책임을 보장하는 구조가 네슬레의 조직원칙이다.

이 원칙들은 네슬레의 세계 경영에 적용되어 '전 세계 소비자들에게 최고의 식품을 제공하여 그들의 삶의 질을 높인다'라는 그들의 존재 이유를 구현하고 있다. 전환과 원칙의 고수. 네슬레의 글로벌 브랜드는 이 양 축에 의해 확고히 자리잡고 있다.

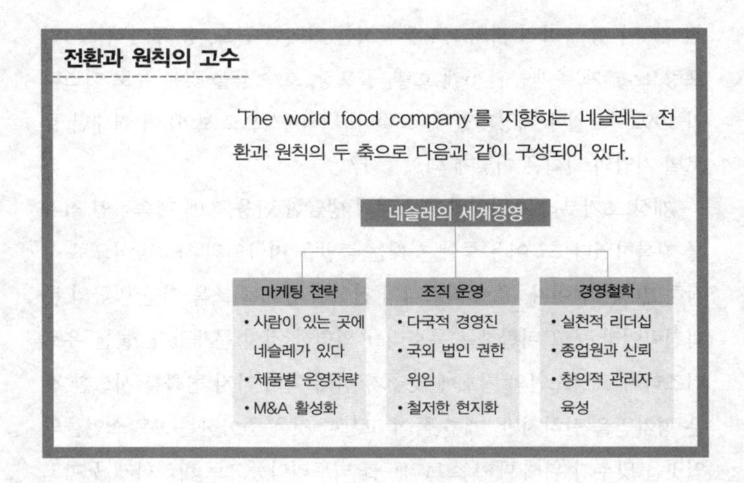

월트 디즈니의 유로 디즈니(Euro Disney)의 진출은 그야말로 전환과 원칙을 지키지 못해 실패한 사례로 손꼽히고 있다. 월트 디즈니는 〈인어공주〉, 〈귀여운 여인〉, 〈미녀와 야수〉, 〈알라딘〉의 성공에 이어 TV · 홈 비디오 제작 및 유통, 유로 디즈니랜드 · 도쿄 디즈니랜드 등의 주제공원, 하키팀(마이티덕), 출판(히페리온), 음악(할리우드레코드), 캐릭터 상품, 호텔, 외식업 등에 진출하여 종합 엔터테이너 그룹이 되었다.

이들이 유럽으로 진출하게 된 것은 83년 문을 연 일본 도쿄 디즈니랜드의 성공 때문이었다. 80년대 유로 디즈니를 기획할 때만 하더라도 이 사업은 거의 보증수표였다. 유럽에는 디즈니가 계획하고 있는 만큼 큰 테마공원도 없었고 게다가 디즈니라는 상표가 유럽의 구석구석까지 잘 알려져 있었기 때문이다.

이런 여건 속에 파리 시 동쪽 32km 거리의 마르느 라 바레에 총 면적 536만 평—파리 시의 1/5에 필적한 거대한 규모, 총 투자액 223억 프랑으로 5개 주제공원, 6개 호텔, 골프장, 호수 등을 갖춘 유로 디즈니가 1992년 4월에 개장되었다. 그렇다면 (외형상으로 보아) 이 거대한 글로벌 기업의 기획은 어떻게 되었을까?

개장 초기부터 유럽인과 매스컴의 냉담한 반응 속에 계속적인 적자를 기록하였다. 그 이유 중에 첫째는 출발을 미국인의 사고방식으로 시작하였다는 점이다. 유로 디즈니의 건설이 발표될 즈음 이를 미국의 문화침략이라 보고 비판하는 목소리를 외면한 것이 문제였다. 물론 유로 디즈니가 프랑스인의 기호에 맞추기 위해 여러 가지 변화를 시도한 것은 평가받을 만하지만, 예를 들어 고상한 것을 좋아하는 프랑스인들의 입맛을 맞추기 위해 메인 스트리트를 빅토리아풍으로 화려하게 꾸미고 유럽의 역사와 프랑스의 문화 · 영화를 상영하는 극장을 개설한다든지 직원을 채용하는 데 서로 다른 언어를 쓰는 유럽의 특징을 고려한 정책은 별다른 호재가 되지 못하였다는 것이다.

그리고 경영진의 전략적인 실수라든가 예산 낭비, 잘못된 수입 책정, 유럽 전체의 경기침체, 부동산 시장 붕괴, 유로 디즈니를 문화적 제국주의의 성향으로 보는 편견 등이 실패의 큰 원인으로 꼽히고 있다. 이런 요인 내부에는 정확하지 못한 현실 파악과 전환 및 원칙 고수의 혼돈도 큰 몫을 차지하고 있다는 사실을 우리는 주목할 필요가 있다.

한 예로 이들은 유럽인들의 여가 성향을 간과하였는데, 유럽 성인들은 놀이공원을 그다지 좋아하지 않는다. 또한 여러 날 머물며 시설을 이용하는 것보다는 여러 곳을 둘러보는 스타일이다. 유로 디즈니는 공원의 크기와 화려함을 강조했지 유럽인들이 중시하는 감성적인 면을 소홀히하였다는 점이 아쉬움으로 남는다. 오히려 '크기와 화려함'이 유럽을 모욕하는 듯한 인상을 주었다는 것.

이밖에 레스토랑에서 술을 취급하지 않음으로써 늘 식탁에서 와인과 맥주를 함께 하는 프랑스 문화에 반감을 일으켰고 놀이공원에서 핫도그나 샌드위치로 식사를 대신하는 미국인들의 라이프 스타일을 적용, 편안한 자리에서 제대로 된 식사를 하고 싶어하는 프랑스인들에게 큰 불편을 겪게 하였다는 점도 실패의 원인으로 꼽힌다. 또한 유로 디즈니사의 경영진은 개인적 성향을 인식치 못하여 종업원들에게 '디즈니 스마일'을 강조하였고 외모에 대한 엄격한 규칙을 적용하였는데, 이런 요소들이 후에 프랑스 법정까지 가야 하는 악재로 작용하기도 하였다.

결론은 엄청난 적자와 손실이었다. 주가는 곤두박질치고 방문객 수는 하향곡선을 그렸다. 뒤늦게 이들은 경영진을 유럽인으로 대거 교체하고 과감한 원가절감에 가격, 제품 등의 마케팅 측면에 변화를 꾀했다. 예를 들면 엄격한 복장 규정을 완화하는 등의 프랑스식 종업원 체계를 마련하고 유럽식 식사습관에 맞추기 위해 아침식사 배달 서비스를 제공하고 레스토랑 시설을 확충하였으며 공원 내 레스토랑에서도 주류 판매를 허가하였다.

더불어 유로 디즈니를 '디즈니랜드 파리'로 비공식적으로 개칭하였으며, 가족 단위로 휴가를 즐기기 위해 가는 곳이 아닌 이스라엘이나 아프리카, 아시아의 장기 유럽 여행객이 유럽 여행에서 꼭 방문해야 하는 명소로 마케팅 전략을 펼쳤다. 이런 노력은 물론 해피엔딩으로 끝이 날 공산이 크다. 이미 1995년 처음으로 이익을 남겼고 계속된 발전으로 유로 디즈니랜드는 현재 유럽 최대의 관광 명소로 부각되고 있다.

우리는 위의 두 사례를 통해 영원한 원칙은 없고 나아가 파격적인 전환의 때를 얻어야 기업이 생존한다는 교훈을 얻을 수 있다. 전환과 원칙의 창과 방패는 향후 기업의 핵심 경영전략으로 부상할 것이란 예측을 어렵지 않게 가져본다.

지역의 특성에 맞게 변화하는 스타벅스

스타벅스를 아끼고 사랑하는 분들은 대개 두 가지 애정 어린 충고를 합니다. 이 충고는 내용상으로 보면 서로 상반된 느낌을 줍니다.
그 첫 번째 충고가 스타벅스의 독단성입니다. 아직도 왜 스타벅스만이 직영점을 고수하느냐는 것입니다. 이 이유는 앞에서도 이야기했지만, 최고의 품질을 유지하기 위한 것과 커피를 서비스하고 매장을 관리하는 바리스타들을 매뉴얼에 의해 훈련시켜 스타벅스의 브랜드 파워를 강화하기 위해서입니다. 그것은 커피의 생두를 채취해서 배전하는 제조 과정부터 고객과 1:1의 대화를 나누며 관계를 지속하는 서비스의 전 과정이 스타벅스의 직원들에 의해 관리될 때 가능합니다. 초기 채용 시부터 사람을 좋아하는 인재를 선발하여 고객에게 올바른 서비스를 할 수 있도록 교육해야 하고, 전 직원이 회사의 비전과 가치를 분명히 숙지해야만 하는 커피 비즈니스 문화의 특성상 이는 어쩔 수 없는 일입니다.
일부 프랜차이즈의 경우 한두 개의 점포가 호황을 누린다는 판단 하에 무리하게 확장하여 파산한 사례가 있으며, 이는 결국 품질과 서비스의 부실이 초래한 결과라고 봅니다. 짧은 기간 내에 점포의 숫자를 늘릴 수 있다는 프랜차이즈의 장점을 외면하고 직영점을 고수하는 우둔함(?)이 바로 여기에 있습니다.

또 한 가지 다양성과 융통성이 어느 선을 넘어 정체감을 상실하지 않을까 하는 우려입니다. 융통성의 문제는 하워드 슐츠 회장에게도 고민거리로 다가왔습니다. 그것은 다름 아닌 무지방 우유를 많은 고객들이 원한다는 사실이었습니다. 그때 그는 이렇게 말했습니다.

"우리는 결코 무지방 우유를 공급하지 않을 겁니다. 그것은 우리가 할 일이 아니에요."

그는 스타벅스의 역사로 보아 무지방 우유를 언급한 것은 배신 행위나 마찬가지였다고 그의 저서에서 밝히고 있습니다. 단지 스타벅스는 순수한 커피를 지향하는 이탈리아 에스프레소 바를 미국으로 가져오는 것이었습니다. 그러나 시장 상황은 스타벅스의 고집대로, 독단대로 이루어지지 않았습니다. 정통 커피가 아닌 우유를 섞은 라떼와 카푸치노가 빠르게 대중음료가 되어가고 있었던 것입니다. 어떤 커피 순수자들은 '데운 우유' 같은 음료라며 비웃었지만 이 음료들은 커피를 마시지 않는 사람들에게 좋은 음료로 인식되었습니다. 무지방 우유의 문제는 스타벅스 임직원 사이에 '뜨거운 감자'로 떠올랐습니다. 몇몇 점장들은 다음과 같은 말로 이를 반대하였습니다.

"우리는 스토어 운영상 그것을 절대 사용할 수 없습니다. 우유를 한 가지 이상 쓰는 것은 불가능합니다. 두 종류 우유를 사용하면 사업을 망칠 것입니다."

전지 우유를 쓸 것인가, 탈지 우유를 쓸 것인가, 아니면 두 가지를 융통성 있게 쓸 것인가가 그들의 고민이었습니다. 그런데 문제는 건강과 체중 문제로 많은 미국인들이 전지 우유를 피하고 있었으며, 탈지 우유는 묽고 맛이 강하여 스타벅스의 커피 맛을 바꾼다는 것이었습니다. A를 선택하자니 B가 울고 B를 선택하려니 A가 우는 꼴이었습니다. 그들은 밤낮없이 이 문제를 토론하였습니다.

그런데 어느 날 시애틀 인근 주택가의 스타벅스 스토어에서 바리스타와 20대 후반의 고객이 이런 대화를 나누었습니다.

"무지방 우유를 넣은 기다란 더블라떼를 주세요."

"죄송합니다. 우리는 무지방은 갖고 있지 않습니다."

바리스타는 정중하지만 단호하게 말했습니다.

"우리는 전지 우유만을 가지고 있습니다."

고객은 실망 섞인 한숨소리를 내며 또 물었습니다.

"왜 없죠? 저는 저쪽 스토어에서는 항상 그것을 마시는데요."

이 말을 마치며 젊은 고객은 경쟁 스토어로 성큼성큼 걸어갔답니다. 그는 이런 말로 탄식했습니다.

"잃어버린 한 명의 고객, 소매업자에게 그 이상 무슨 논쟁이 더 필요하겠는가!"

이들의 독단성이 융통성으로 풀리는 순간이었습니다.

무지방 우유 이외에 고객들은 바닐라 혹은 라스베리 시럽을 에스프레소 음료에 섞어 마실 수 있게 되었습니다. 이를 두고 정통 커피의 배신이라고 규정하는 것부터가 비전략적인 사고라는 것을 인식하기 시작했습니다. 전략적 사고, 그들은 이렇게 융통성과 독단성 사이에서 솔로몬의 재판 같은 지혜를 발휘하였습니다.

"우리 고객은 그들이 원하는 방식으로 커피를 즐길 권리를 갖는다."

우유와 설탕은 항상 카운터에서 이용 가능하며 바리스타는 고객이 요청하면 향이 있는 시럽을 섞어줄 거라고 하워드 슐츠는 말했습니다.

그런데 한 가지 명확한 것은 주 재료의 품질 즉 신선하고 강배전된 향이 깊은 커피를 저해하는 어떤 요소도 섞지 않겠다는 것입니다. 변한 것은 하나도 없었습니다. 그들은 여전히 인공 향과 화학성분을 넣어 고유의 맛을 망가뜨리지는 않았습니다. 강배전은 여전히 계속되고 있습니다. 고객들 또한 커피에 덧씌운 화학성분을 원하지 않았습니다. 우리는 여전히 그들을 커피 순수주의자라 부릅니다.

스타벅스의 사명은 독단성과 융통성 사이에서 더 빛을 발하고 있는 것입니다. 이제 이 융통성은 한국에서도 전략적으로 자리잡아가고 있습니다. 소수의 고객을 위해 옥상, 테라스 등에 흡연구역을 제공하고 오픈 시간도 지리적인 특성에 맞춰 고객의 필요에 따라 운영되고 있습니다. 예를 들면 무교동 매장의 경우 주변의 대부분의 커피숍이 오전 10시경에 문을 여는 데 반해 오전 7시에 문을 열어 조찬 모임의 장소로 활용하게 합니다. 이곳의 샐러리맨들이 자기 개발과 업계의 정보를 얻기 위해 아침 시간을 활용한다는 상황을 판매전략에 반영한 결과입니다.

또한 대중문화의 심장부인 서여의도 매장은 근처 직장인을 위해 회의 장소로 빌려주기도 합니다. 이런 예는 각 매장의 특성상 다양하게 이루어지고 있습니다. 신촌점, 이대점에 가보셨지요? 대학가에 자리잡은 특성을 살려 이 매장에서는 시험기간이나 리포트 시즌에 맞춰 학생들에게 밤샘 시험공부 장소나 조모임 장소를 제공하고 있습니다.

사실 신촌점, 이대점에 가보면 스타벅스를 제3의 장소가 아니라 제1의 장소로 여기고 사용하는 사람들을 종종 만나게 됩니다. 아침에 매장에 들어와 커피와 머핀 등을 들고 2층이나 3층으로 올라가서는 오랜 시간 동안 책을 읽고 커피를 즐기는 분들 말이지요.

이런 융통성은 일찍이 지역화(localization) 전략에 적용되어 시장진입에 성공하는 요인이 되고 있습니다. 우선 '커피' 보다는 '만남의 공간' 을 목적으로 하며 좌식 문화에 익숙한 세대의 수요와 고급 인테리어를 통해 격식 있는 장소를 원하는 젊은 세대의 욕구를 만족시켰습니다. 또한 임대료가 싼 주택가 주위에 위치한 미국과 달리 도시 중심지에 위치하여 광고효과를 극대화하였으며, 차별화된 서비스를 통해 신세대들에게 한 세대 업그레이드된 고급 커피 문화를 제공하였습니다.

융통성의 범위는 제품의 영역에도 적용되어 한국인의 식성에 맞게 커피의 양을 조절하게 하였습니다. 원래 Short, Tall, Grande, Venti, Mega 등 다섯 가지로 구분된 컵 사이즈를 한국으로 도입할 시 큰 사이즈인 Venti 및 Mega를 제외하고 세 종류만 출시하였습니다. 커피를 물처럼 마시지 않고 적은 양의 커피를 마시면서 커피 문화를 만끽하도록 배려한 것이지요.

이외에 식품은 한국인의 입맛에 맞는 담백한 종류의 음식을 출시하였고 시럽 양을 조절하여 한국인의 취향을 맞추기 위한 여러 시도를 시행하였습니다. 인사동의 스타벅스를 기억하세요? 스타벅스 역사상 전무하게 '스타벅스 커피'라는 한글 간판을 달아 화제가 되었습니다. 어떤 분들은 인사동 스타벅스에 오셔서 '가짜 스타벅스' 아니냐고 묻는 분들도 계십니다.

이처럼 스타벅스도 다른 기업처럼 본질을 수정하면서 융통성을 발휘해야 하는 어려움을 겪고 있습니다. 그러나 무지방 우유의 예처럼 지혜로운 전략을 통해 극복해 나가고 있습니다. 지킬 것은 지키되 수용할 것은 수용해야 하는 일류 브랜드의 고민을 풀 수 있는 키워드는 바로 고객입니다.

4 떡을 판매하는 커피점

엘레강스라는 여성만을 위한 자동차가 등장했을 때만 해도 많은 사람들이 "얼마나 호응을 받을 것인가"라는 질문에 과히 긍정적 평가를 내려주지 않았던 기억이 있다.

원래 자동차는 여자와 거리가 먼 상품이라는 고정관념이 팽배해 있었기 때문이다. 사실 강철로 둘러싸인 외관과 엔진, 휘발유 등 구성요소 자체가 여자들의 관심사와 동떨어져 있고 스피드를 즐기는 여성은 별종으로 취급받기 때문에 더욱 그러했을 것이다. 따라서 여성을 하나의 세그먼트로 볼지언정 주 소비 계층으로 보지 않던 자동차 메이커들이 늘어나는 여성 타깃에 눈을 뜨게 된 것이 어찌 보면 '파격적인 발견'이라 보아도 무방할 것 같다.

한마디로 이 제품의 컨셉트는 '여성을 잘 아는, 여성의 마음을 읽는, 여성만의 전용 자동차'라는 것이다. 이를테면 여성 운전자의 운전 습관

현대 엘레강스 여성을 세분화의 대상으로 본 타깃 마케팅의 예

을 고려하거나 편의(benefit)를 최대한 반영한 차라고 할 수 있다. 유려한 곡선의 외관, 밝고 따뜻한 느낌의 크림색 가죽 시트, 아이보리색의 계기판, 핸드백 걸이, 화장용 거울 조명, 운전석 및 조수석의 에어백 측면 확대 등 '자동차와 여성'이 적절하게 조합된 제품이다.

우리는 이를 두고 표적, 타깃 마케팅이라고 말한다. 스타벅스의 경우 주 타깃이 20대 초반에서 30대 중반의 여성 집단으로 시작하여 향후엔 커피를 즐기는 모든 사람으로 그 범주를 넓혀가고 있다. 말하자면 전체 시장 속의 세분화된 특정 시장에서 일반화된 대량 시장으로 포지셔닝되고 있다는 말이다. 어떻게 보면 재미있는 현상이다.

일반적으로는 대중적 마케팅에서 타깃 마케팅으로 이동하는데 스타벅스는 역류현상이라 할 정도로 정반대의 길을 걷고 있기 때문이다.

표적 마케팅을 얘기하기에 앞서 소비자의 욕구가 매우 세분화되어 있다는 사실을 먼저 얘기하고자 한다. 예전에 기업들은 소비자의 욕구가 그처럼 세분화되리라고 미처 생각지 못한 것 같다. 따라서 기업은 소비자와는 동상이몽으로 '규모의 경제', 즉 한 제품을 '모든 소비자를 대상'으로 대량 유통시켜왔다.

■ ■ ■

세분화 segmentation　시장을 공통적인 수요와 구매행동을 가진 층으로 나누고 그 층의 욕구와 필요로 하는 것을 가려 거기에 맞추어서 제품을 디자인하여 제공하는 것

규모의 경제

공장 설비나 기업 규모의 확대에서 비롯된다. 그 요인은 공장 설비 규모의 경제성과 기업 규모(또는 범위)의 경제성 두 가지 타입으로 분류된다.

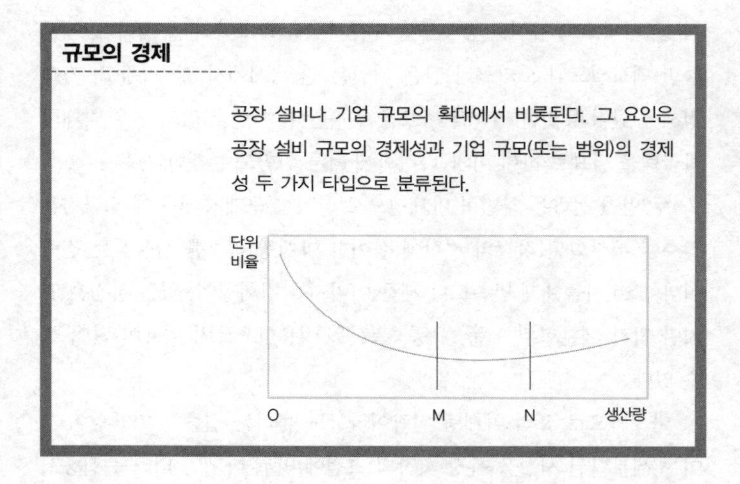

뒤늦게 표적시장의 흐름을 깨달은 기업들은 서둘러 시장을 세분화하고 분석과 예측을 통해 가장 유리한 시장을 선정하고자 노력하였다. 이때 기업은 표적시장의 측정이 가능한지, 최소한의 이윤이 보장될 만큼 크기가 되는지, 접근이 가능할 것인지 분석하여 자사의 능력을 가늠하여 수행할 전략을 짜게 된다.

그 첫 번째 전략이 비(非)차별화 마케팅이다. 이 전략은 구매자의 욕구 차이보다는 공통점에 소구점을 맞춰 동일한 마케팅 믹스(제품/가격/유통/촉진)를 적용시키는 마케팅이다.

이 마케팅을 적용시키는 기업은 앞서 말한 대로 규모의 경제를 통한

■ ■ ■

소구점 광고 캠페인에서 상품이나 서비스의 특징 중 소비자에게 가장 전달하고 싶은 특징

저(低) 가격으로 가격을 중시하는 세분시장을 확보하려 들 것이다. 예를 들면 맥도널드나 코카콜라 같은 기업은 전 세계에서 제품, 광고, 가격 정책에 있어 동일한 전략과 목표를 추구한다. 이런 기업의 경우 막대한 자금력을 필요로 하며 비(非)다각화에 따른 위험도 존재한다.

두 번째 전략은 차별화 마케팅으로 상이한 구매자 욕구에 소구점을 맞추어 세분화된 각각의 시장에 상이한 마케팅 믹스를 사용하는 전략이다. 소비자들에게 만족도나 제품 이미지를 강화할 수 있는 장점은 있지만 각각 세분화된 제품, 유통, 촉진을 이용함으로써 비용이 많이 들 수 있다.

마지막으로 표적 마케팅 전략이라고도 불리는 집중화 마케팅이다. 이는 세분화된 시장을 특정 시장의 초점에 맞춰 마케팅 믹스를 집중시키는 전략으로 비용이 크게 절감되고 마케팅 활동을 전문화하는 장점이 있는 반면 고객 욕구가 변화하거나 경쟁자 진입 시 위험요소를 내포하고 있다. 따라서 기업의 자원이 제한적이거나 추가적인 세분시장의 진출을 위해 교두보를 확보하고자 할 때 사용되는 전략이다.

그렇다면 이런 질문을 던지게 된다. 표적 시장을 선정할 시 어떤 시장 공략이 좋을까? 앞서 언급한 대로 자원이 제한적일 때는 집중 마케팅을 적용하고 생필품은 비차별화 마케팅, 내구재는 차별화 및 집중화 마케팅을 구사한다. 아울러 제품의 수명주기에서 초기 도입 시에는 비차별화 마케팅과 집중화 마케팅을, 성숙기에는 차별화 마케팅으로 공략하는 것이 좋다.

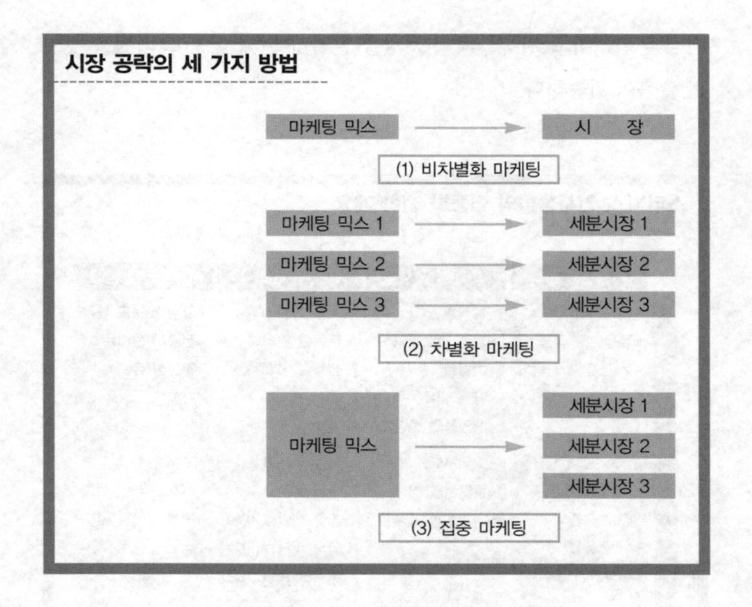

여기서 우리가 한 가지 집중해야 할 것은 표적시장의 선정이다. 먼저 매출액이나 성장률, 수익률 등을 따져 시장의 매력도를 측정하고 성공요인인 경쟁우위가 자사와 적합한지 따져 본다. 그리고 난 후 제품군 내 기업 간 경쟁, 진입장벽, 공급자 및 구매자와의 교섭력 등을 세세하게 살펴보아야 한다.

스타벅스도 위의 체크 리스트에 의해 인사동에 집중적인 마케팅의 일환으로 개점하여 초기부터 화제를 불러 일으켰다. 이렇게 함으로써

■ ■ ■

진입장벽　어떤 산업에의 진입의 난이도를 표시하는 것을 말한다. 예를 들면 어떤 산업이 너무 이익을 내면 신규 진입을 초래하고 그 장벽이 높으면 신규 진입의 위험이 없어진다.

거점을 확보하고 자신들의 전문성을 알리기 위해 더욱 그러했을 것이란 추측이 가능하다.

스타벅스 인사동점의 집중화 전략 개요

	시장환경 분석	마케팅 시사점	영업 전략	향후 진행 방향
장소분석	• 전통문화거리 • 유동인구 급증 • 기존 업체 쇠락화	• 토착화 필요 • 기존 업체와의 차별화 • 상권 점유 상인들의 반발	• 한글 간판 • 독특한 인테리어 • 전통음악과 차	• 고객 호응도 높음 • 전통차 판매는 일관성 유지에 장애
고객분석	• 20~30대 • 지식인, 예술인, 전문 직종의 비율 높음 • 정형화된 고객	• 고급 제품 • 분위기와 맛 • 일관성과 독창성	• 기존 제품의 품질 유지 • 기존 전략을 바탕으로 인사점만의 독특한 분위기 연출	• 고객 만족 • 현재로서는 성공 쪽에 무게감 실림

이 집중화 전략은 장소(입구 위치)와 고객을 알고(정형화된 고객) 시작되어 맛과 서비스의 기본 방침 외에 최초의 자국어 표기를 사용한 수정 전략을 채택하였다. 이밖에 전통 이미지와 부합되는 독특한 인테리어와 전통음악과 차는 물론 떡과 빵을 결합시키는 소위 '동서양의 결합'을 시도하였다. 아울러 동일한 품질 전략과 마케팅 전략도 우리가 간과할 수 없는 그들만의 원칙이었음도 발견하게 된다. 또 한번 스타벅스의 글로벌 전략에 혀를 내두르게 된다.

철저하게 한국화된 인사동 매장

2004년 들어 스타벅스는 스타벅스만이 할 수 있는 큰 승부수를 던졌습니다. 그것은 다름 아닌 '카페의 본고장' 프랑스에 진출한 것입니다. 그것도 프랑스 파리 중심부 오페라 거리에 1호점을 오픈했는데, 이는 유럽에 진출한 지 6년 만의 일입니다. 이로써 스타벅스는 유럽에서 영국, 스위스, 오스트리아 등 7개국에서 점포를 갖게 되는 것으로, 다른 나라보다 프랑스는 험난한 시련을 예고하고 있어 귀추가 주목됩니다.

우선 전통 카페 주인들의 전망은 비관적입니다.

"맛뿐만 아니라 파리 중심부의 비싼 임대료 때문에라도 스타벅스가 수익을 내기는 쉽지 않을 것이다."

이렇게 말하는 내면에는 프랑스인들이 가장 소중하게 여기는 문화적 자존심에 손상을 입지 않겠다는 심리가 숨어 있습니다. 이미 이런 어려움은 예상된 시나리오였습니다. 당초 프랑스 회사와 설립을 추진하였으나 대형 식품 회사에서 모두 거절하여 스페인 그룹 빕스(VIPS)와 합작사를 설립하여 어렵게 프랑스 진출이 이루어졌다고 합니다.

하워드 슐츠 회장도 이런 도전이 쉽지 않았다고 고백하고 있습니다. "다른 나라에서 성공했다고 해서 프랑스 스타벅스의 성공을 장담하기는 어렵다"며 심지어 "프랑스 사람들이 미국 스타일의 커피에 회의적이라는 리서치 결과도 있다"고 말하기도 합니다.

그러나 스타벅스의 지역화 전략은 계속될 것이고 문화적 이질감을 해소하며 그 나라의 또 다른 문화로 자리잡을 것입니다. 최근 스타벅스의 CEO 오린 스미스는 월스트리트 저널에서 '스타벅스 해외 진출 5계명'을 발표하여 주목을 받았습니다. 스타벅스는 1996년 외국에선 처음으로 일본 도쿄에 해외 매장을 열었으며, 현재 9천 개의 매장 중 2천 개의 매장을 해외에 갖고 있습니다. 향후에도 해외 매장을 2만 개까지 늘릴 계획이라고 합니다.

여기에 그가 밝힌 해외 진출 원칙은 다음과 같습니다.

첫째, "영어를 쓰는 나라라고 하더라도 시장이 미국과 같다고 생각지 말라". 이 부분은 스타벅스가 비싼 수업료를 치르고 얻어낸 교훈입니다. 스타벅스 영국의 경우 미국에서 하던 대로 거리에서 가장 좋은 위치를 찾아 점포를 냈지만 비싼 부동산 값 때문에 어려움을 겪고 있습니다.

둘째, "빠르게 성장하는 파트너십을 만들라". 커피 판매점은 노동집약적인 산업이기에 현지 시장에 문외한인 상태로 들어가는 것보다 좋은 현지 파트너를 만나는 것이 중요하다는 말입니다. 그것은 한국의 스타벅스도 예외는 아니었습니다. 신세계 그룹을 최종 합작사로 결정한 이유에는 앞서 언급한 서비스 리더십을 제대로 이행하고 실행에 옮긴 전력을 높게 평가했기 때문입니다. 결론적으로 오랫동안 고객 존중의 정신과 최고의 서비스를 해왔던 신세계 그룹의 기업 이미지를 중시하였기에 오늘의 스타벅

● 인사동 스타벅스 매장
●● 영국의 스타벅스 매장
●●● 홍콩 스타벅스 매장의 직원들
●●●● 일본 스타벅스 매장

스커피 코리아가 탄생하지 않았나 생각됩니다.

셋째, "개점할 때보다 운영할 때 손님이 더 좋다고 생각하도록 하라". 통상 기업들의 속성은 용두사미 격으로 개점할 당시만 반짝하고 운영할 시 자신들의 정체감도 잊은 채 무책임하게 소비자를 대할 경우가 많습니다. 스타벅스는 이 부분을 세심하게 그리고 예민하게 받아들이고 있습니다. 그래서 해외에서 스타벅스 합작 파트너의 선정 기준도 스타벅스가 만들어놓은 문화나 서비스, 품질을 그대로 유지할 수 있는가를 평가의 1순위로 보고 있습니다. 합작사인 스타벅스커피 코리아 직원들도 미국 본사로 불러 서비스와 품질 교육을 받게 하며, 점포 개설 후에도 제대로 실천되고 있는지 수시로 점검하고 있습니다.

넷째, "현지에서 중간 간부급 직원을 채용하라". 일례로 비싼 부동산 임대료 때문에 고전을 겪고 있는 영국에서는 문제 해결을 위해 미국인이었던 매니저를 영국인으로 바꿨습니다.

마지막으로 "현지 문화와 맛에 적응하라". 스타벅스가 프랑스에서 합작 제안을 거절당하면서까지 어리석게(?)도 점포 개설을 강행하는 이유는 몇 가지 기회와 전략이 있기 때문입니다. 기회라 보는 것은 300년간 커피 문화에 익숙한 프랑스에도 테이크 아웃 커피점이 늘고 있다는 반가운 현상이 일어나고 있다는 것입니다. 스타벅스는 프랑스인의 문화적 이질감을 최소화하기 위해 크로와상과 초콜릿을 매장에 배치할 계획이라고 하며, 에스프레소뿐만 아니라 프라푸치노 등 미국식 스타벅스로 승부를 건다고 합니다. 이밖에 대만과 일본에서는 녹차 프라푸치노를 선보이고 있으며 영국에서 인기 있는 딸기나 크림 프라푸치노를 다른 나라에서도 판매할 계획을 세우고 있습니다.

한국의 경우를 자세히 살펴봅시다. 스타벅스가 서울 인사동에 진입한다는 것은 문화적으로 매우 예민한 부분이었습니다. 2001년 출점 당시 지역 주민들이 미국 문화의 상징으로 꼽히는 스타벅스의 출점을 반대하자 우리는 3개월 동안 본사를 설득하여 간판을 한글로 달고 매장을 전통 기와와 창살 무늬로 인테리어 공사를 하도록 허가를 받았습니다. 이런 노력의 결과로 인사동 매장은 전 세계 스타벅스 매장 중 가장 아름다운 곳으로 평가받았고, 인사동 매장을 디자인한 스타벅스커피 코리아의 디자이너는 전 세계 디자이너 중 최고의 디자이너에게 주어지는 상을 수상하기도 했습니다.

전통문화의 거리에 융화하기 위해 한글 간판을 단 지역화 전략은 단순한 외장에 그치지 않았습니다. "철저히 로컬화하자"는 전략에 의해 로컬 메뉴를 개발하였는데, 다름 아닌 '떡 패스트리'입니다. 인사동의 특성을 살리고 타 점포와의 경쟁력을 높이기 위해 한국의 음식을 상징한 떡과 서양의 빵을 조화시킨 퓨전 메뉴입니다. 인사동 점포 개점일에는 점포 인근의 주민과 행인들에게 떡을 나누어주는 오픈행사도 가졌습니다. 인사동 매장에 오면 한국 음식인 호박죽, 단팥죽, 수정과, 식혜 등을 맛볼 수 있습니다. 한국 음식 문화에 뿌리를 내리려는 스타벅스의 눈물겨운 노력이지요.

그래서 "가짜 스타벅스가 아니냐"고 묻는 사람들이 생기는 것일 테지요. '스타벅스 커피'라는 한글 간판에 한국의 기와 무늬, 초가집에서 볼 수 있는 창호 문, 한쪽 벽면을 장식한 황토 흙을 재료로 사용한 옛 고가 풍의 인테리어, 호박죽 · 단팥죽 · 수정과 등의 메뉴까지 다국적 기업의 현지화 전략 치고 매우 '철저하다'는 느낌을 갖게 합니다.

5 스타벅스 매장이 몰려 있는 이유

스타벅스커피 코리아의 '선택과 집중' 전략을 두고 마케팅의 에센스, 텍스트라고 부르는 사람들이 많다. 광화문, 여의도, 테헤란로 등에는 '온통 스타벅스 투성'이라는 불만 아닌 불만도 나온다. 심지어 이를 두고 '스타벅스 밸리'라고 말하는 사람도 있다.

이제 기업들은 과감한 사업 구조 조정을 통해 승부할 사업을 선택하고 이 사업의 핵심 역량을 세계적 수준으로 키우기 위해 집중해야 한다는 것이 선택과 집중의 경영전략이다. IMF 이후 우리 기업이 겪어야만 했던 위기의 요지는 기업이 확보하고 있는 내부 역량 이상으로 많은 일을 추진함으로써 나타난 방만한 경영에 있다고 해도 과언이 아닐 것이다. 핵심 기술을 확보하지도 못한 채, 관리 역량 수준도 충분하지 않은 상태에서 지나치게 많은 사업을 추진하다 보니 관리 운영이나 자원 투자의 과부하가 오게 된 것이다. 이를 통한 교훈은 내부 역량의 강점과 우리가 쌓아온 차별화된 노하우와 전략으로 선택된 사업 부문에 최대 경쟁력을 집중해야 한다는 것이다. 과감한 사업 구조 조정을 통해 승부 사업을 선택하고 선정된 사업의 핵심 역량을 세계적 수준으로 올리는 일이 선택과 집중의 효율성이라는 사실을 통찰력 있게 바라볼 필요가 있다.

지금까지 기업들은 성장의 한계를 자각하거나 수익률, 시장점유율이 하락할 시 이를 타개할 리스트럭처링을 단행하여왔다.

이는 부실 사업 부문을 제거하는 등 비효율적인 요소 제거에 급급한 경향이 있었다. 그러나 리스트럭처링의 결과는 단순하게 인원 감축의 구조조정 차원에서 끝이 나야 했다. 이런 혁신 활동은 일부 비용을 절감하거나 품질 향상의 작은 목적을 이루었지만 미래 시장을 예측하여 대응하거나 경쟁 기업을 앞서갈 핵심 역량 축적에는 미흡하였다는 평가가 나오고 있다.

우리가 잘 알고 있는 전기밥솥 쿠쿠의 이야기이다. IMF 전까지만 해도 한국의 전기밥솥은 삼성과 LG의 2강 구도였으며, 그들의 시장점유율이 70%에 달했다. 그러나 삼성이 이 분야에 집중할 수 없는 틈을 타 쿠쿠는 1998년 도전장을 냈다. 쿠쿠는 IMF 기간 내내 광고를 집중 시행하였다. 그 결과 3년 만에 시장점유율이 40%나 훌쩍 뛰어넘었고 현재 쿠쿠는 밥솥 시장에서 부동의 1위 자리를 지키고 있다. 쿠쿠는 오로지 밥솥만 생각하는 기업이다. 지면 광고 카피를 보면 그들의 열정과

■ ■ ■
리스트럭처링 restructuring　M&A를 적극적으로 활용한 사업 단위의 재구축으로 LBO(인수할 회사 자체를 담보로 금융기관에서 대출받은 자금으로 기업을 인수)나 제휴 전략까지 포괄하는 개념

열의가 어떠했는지 가늠할 수 있다.

"남들이 문어발처럼 사업 다각화를 꾀할 때에도 20년간 1천만 대 이상의 좋은 가전제품만을 만들어 한 우물을 파온 외길 전문회사 – 남들이 몸집 키우기에 급급할 때도 잔 고장이 전혀 없는 더 좋은 제품을 만들기 위해 연구 개발과 품질 혁신에 더 많이 투자해온 곰 같은 회사, 대기업도 부럽지 않은 인증 재무구조가 단단한 옹골찬 회사…"

이렇듯 '선택과 집중'은 결코 분리될 수 없는 개념이다. 운명적인 관계라고 표현해도 좋을 것이다. 물론 쿠쿠의 경우처럼 집중해야 하는 필연성도 있지만 기업이 경쟁우위를 얻기 위해서는 확실하게 선택해야 할 필요도 있다. '우위'라는 뜻은 '좋다'라는 것으로 소비자와 시장의 범위를 명확하게 이해해야 한다는 전제조건이 있다. 만일 어정쩡한 선택을 하면 전략의 방향이 뚜렷하지 않게 되며, 모든 전략을 동시에 추구하면 근본적인 모순점 때문에 어느 하나도 제대로 실행할 수 없다.

과거 공업진흥청에서는 전기밥솥을 평가하면서 일본 제품에 비해 조금도 손색이 없다는 발표를 하곤 하였는데 그럼에도 불구하고 소비자는 여전히 일본의 코끼리 밥솥을 선호하였다. 문제는 제품 자체를 잘 만드는 것도 중요하지만 이를 어떻게 인식(perception)시키느냐이다.

맥도널드의 창업자인 레이 크록(Ray Kroc)은 직원들에게 늘 "우리가 단순히 햄버거를 판다고 생각해서는 안 된다. 우리는

쿠쿠 오로지 밥솥 하나로 업계의 정상을 차지한 사례로, 선택과 집중의 중요성을 깨닫게 한다

쇼 비즈니스를 하고 있는 것이다"라고 이야기했다고 한다.

전략의 기본 유형

		경쟁 우위	
		낮은 원가	차별화
경쟁의 범위	넓은 표적	원가 우위	차별화
	좁은 표적	원가 집중	집중적 차별화

하버드 경영대학원의 마이클 포터는 기업이 추구하는 경쟁우위의 종류와 선택하는 시장의 범위라는 두 차원에 따라 기본 전략을 위와 같이 네 가지로 나눈 바 있다(1990). 이에 앞서 우리가 재삼 알아두어야 할 것은 전략의 핵심이 경쟁우위라는 것과 이를 얻어내기 위해 확실한 선택을 해야 한다는 것이다.

그 대표적인 사례로 스칸디나비아 항공(Scandinavian Airlines System, SAS)을 소개하겠다. SAS는 1년에 약 1천만 명이 이용하는 국제 항공으로 스웨덴, 덴마크, 노르웨이가 합작으로 소유하고 운영한다. 이 항공사는 치열한 경쟁과 할인 요금 등으로 인해 자국 노선과 국제 노선에서 손해를 보고 있었으며, 타 항공사처럼 다양한 소비자 욕구를 어떻게 충족시킬 것인가 고민하고 있었다.

1980년 항공 산업이 최악으로 치닫고 있을 때 얀 칼슨(Jan Carlzon)이 38세라는 젊은 나이에 사장으로 취임했다. 그는 취임 후 고객의 욕구가 무엇인지 직시하였다. 비행기 승객은 비즈니스 여행자와 여가를 즐기려는 여행자로 나뉘는데 이들의 욕구는 매우 달랐다. 그는 오랜 심사

숙고 끝에 전자를 선택하고 이에 집중하기 위해 불필요한 요소는 제거하고 필요한 일에는 투자를 아끼지 않기로 결심했다. 따라서 스칸디나비아 항공의 새 슬로건은 "SAS : the businessman's airline"으로 '자주 여행하는 사업가들에게 세계 최고의 항공 회사가 되는 것'이었다.

사업상의 여행자들은 종종 스케줄을 바꾸어야 하는 돌발 사태의 가능성을 지니고 있어 어느 정도의 융통성이 있어야 했다. 그들은 비행기로 여행하는 동안에 회의 준비 등 업무를 계속하거나 도착했을 때의 업무를 위해 잠을 자기도 한다. 그러니까 그들에게는 여행을 즐겁게 해준다는 서비스가 필요치 않았다. 그들은 가격에 덜 민감한 반면 더 높은 질의 서비스를 요구했다.

그래서 그들은 비즈니스 여행자를 위해 '유로 클래스(Euro Class)'를 고안했다. 가격은 할인하지 않고 이코노미 클래스의 정상 가격으로 받으면서 집중적으로 차별화된 서비스를 실시하는 것이다. 무료로 음료를 제공받을 수 있는 독립된 공항 휴게실과 회의실, 전화, 텔렉스, 팩스 그리고 타자수 등을 무료로 이용할 수 있게 하였으며 제약 없이 예약 시간을 바꿀 수 있게 하였다. 아울러 이를 이용하는 고객에게는 별도의 탑승 절차를 거치게 하여 붐비는 곳에서 부데끼지 않을 수 있게 배려하였다. 이 전략은 10년 연속 적자에 허덕이던 SAS를 1년 만에 흑자로 전환시켰으며 대륙 간을 운행하는 비행기의 약 30%, 유럽 내의 인기 노선엔 60%까지 확장시키는 결과를 가져왔다.

이 사례에서 우리가 얻어낼 수 있는 교훈은 선택과 집중, 그리고 차별적 우위의 상관관계이다.

별다방의 물결

테헤란로나 광화문의 스타벅스 매장에 오신 분들은 왜 유독 이곳에만 길 하나를 두고 마주 볼 정도로 많은 매장이 몰려 있냐고 묻습니다. 우선 프랜차이즈라면 어림없는 일이지요. 마케팅에서 흔히 말하는 선택과 집중의 원리라 설명드리면 이해가 빠를지도 모릅니다. 아무튼 타 기업에서 볼 수 없는 차별화 전략인 것만은 틀림없습니다. 지금부터 이 전략을 하나둘 짚어나가기로 하겠습니다.

첫째, 이렇게 매장이 집중적으로 모여 있게 된 것은 메인 타깃으로 설정한 20대에서 30대까지의 유동인구를 포망 식으로 공략하려는 의도가 있었습니다. 스타벅스커피 코리아는 특정 소비자를 밝혀내기 위해 연령별 세분화를 실시했는데 크게 4단계로 분류했습니다.

먼저 10세에서 19세까지의 연령층이었습니다. 이들은 일반적으로 커피보다 탄산음료를 좋아하며 약속 장소로도 커피숍보다 패스트푸드점을 자주 이용합니다. 중 · 고등학생이 되면 잠을 줄이기 위한 목적으로 커피를 자주 마시기는 하지만 커피숍을 찾기보다는 자판기, 캔커피를 주로 음용합니다.

다음 단계는 우리가 주목하는 사용자층인 20세에서 29세까지의 연령층입니다. 이는 모든 소비 문화를 주도해나가는 황금의 연령층으로서, 이들은 약속을 빈번히 하고 커피숍을 자주 이용하는 층이라 할 수 있지요. 심지어 식사하기 이른 시간에도 커피숍에 들러 샌드위치를 곁들여 간단하게 끼니를 해결하기도 합니다. 이들 중 개인적인 커피 취향이 정해져 있어 꼭 특정 커피숍만 찾는 이도 있지만 대부분 소문을 듣거나 주변 친구들의 이야기를 듣고 찾아오는 사람들이라 보아도 무방할 것 같습니다. 그래서 저희 스타벅스커피 코리아는 이 연령 띠의 여성들에게 광고보다는 구전으로 브랜드 이미지를 다져놓았습니다. 앞선 세대 중 10대를 예비, 즉 잠재 고객이라 설정한다면 그 다음 세대인 20대는 메인 타깃으로 또 그 다음 세대는 중(中)사용자로 타깃을 분리하여 그들에 맞는 마케팅 정책을 펼쳐나가지요.

중간 띠를 형성하고 있는 30대 샐러리맨, 그들은 바쁜 일과 중에도 여유를 찾기 위해 커피숍을 찾습니다. 이를테면 커피 한잔하며 업무를 끝내기도 하고, 사업상 누군가를 만나야 할 때도 부담 없이 커피숍을 찾기도 합니다. 일반적으로 이 연령층은 한 가지 커피 맛에 익숙해져서 자신만의 브랜드를 찾습니다. 전문적으로 말씀드리면 브랜드 충성도가 높은 세대입니다.

다음 세대는 20대나 30대보다 이용 빈도가 낮은 사용자층으로 분류해놓았습니다. 특히 40대의 여성들이 경제적, 시간적 여유를 갖게 되면서 커피

■ ■ ■

충성도　소비자가 상품을 구매할 경우 동일 상표의 상품을 습관적으로 반복 구입하는 정도

숍을 자주 찾게 되었습니다. 이 연령층에겐 커피는 맛을 즐기기 위한 것이 아니라 사람들과 만나 얘기를 나눌 수 있도록 해주는 매개체로서의 역할을 수행합니다. 이에 반해 40대 남성은 커피숍보다 술자리를 찾는 것이 일반적이지요.

40대 이후의 세대를 저희는 경 사용자로 분류해놓았습니다. 50세 이후의 세대는 자신의 건강을 중시하는 연령층으로 커피보다 차를 마실 수 있는 찻집을 선호하기 때문입니다.

이런 분류 작업을 하면서 우리가 알아낸 것은 20대 중반에서 30대까지가 우리의 현실적인 주요 고객층이라는 것과, 이들 젊은이들의 문화 중심과 동선이 집결하는 곳이 어디인지를 유추하여 로드맵을 그려야겠다는 것이었습니다. 따라서 유동인구가 많은 곳에 매장을 집중적으로 열어서 브랜드 이미지를 확실하게 다지는 '선택과 집중'의 전략을 구사하게 된 것이지요. 이것이 특정 지역에 스타벅스가 밀집해 있는 가장 큰 이유입니다.

이러한 이유로 스타벅스는 광화문–종로–명동을 잇는 강북의 다운타운 지역에 많은 점포를 오픈하였고 직장인들이 많이 몰려 있는 여의도 지역, 테헤란로를 중심으로 한 강남의 다운타운 지역에 수많은 점포를 오픈하였던 것입니다.

우리는 또한 중 · 소형 매장, 특히 점포 내 점포, 일명 숍인숍 등의 다양한 점포 개설을 시도해왔습니다. 이런 출점 전략은 주로 백화점, 은행, 병원 업종을 대상으로 하고 있는데, 이럴 경우 별다른 마케팅 없이도 중 · 장년층으로 고객층을 넓힐 수 있는 이점이 있습니다. 복합매장의 경우 제품만 파는 기존 매장에 비해 강한 경쟁력을 지니고 있어 공동 마케팅의 윈윈(win-win) 전략으로 평가받고 있습니다.

최근 스타벅스는 휴렛팩커드와 손을 잡고 미국 내 2,500개 스타벅스 매장에서 무선 인터넷 서비스를 제공하고 세계 최대 서점 체인 인 반스앤드노블과 제휴해 서점 내 커피 전문점을 운영함으로써 어떤 브랜드와도 어떤 업종과도 협력하여 시장을 확장시켜나갈 수 있다는 가능성을 보여주었습니다. 마켓쉐어 증가를 위한 공격적인 전략, 고객과 깊은 유대감과 더불어 편의를 제공하는 고객 관계 마케팅, 다양한 제휴를 통해 지경을 넓혀가는 차별화된 전략과 전술, 문화를 즐기고 감성을 만족시키는 특유의 감성 마케팅 등 오늘도 최적의 선택과 파워풀한 집중 전략을 위해 스타벅스커피 코리아는 많은 노력을 하고 있습니다.

6 스타벅스가 빌딩 1층을 차지하고 있는 이유

사람이 어떤 것을 평가하는 경우에 그 일부분의 우수성이나 열등성만 주목하여 인상을 받은 판단이 전체의 평가에 영향을 주는 것을 통상 후광 효과라 정의한다.

예를 들어 용모가 보기 좋으면 두뇌까지 명석한 것같이 생각한다든가, 같은 상품이라도 그대로 점포에 진열해두는 것보다 아름다운 포장을 하면 좋아 보이는 것 같은 것이다. 즉 사람이나 물건의 일부의 특징이나 평가가 다른 전체에 영향을 미친다.

마케팅에 있어서 기업이나 그 상품, 광고 등으로 이루어지는 이미지가 중요시되는 것은 상호간에 후광효과가 작용하기 때문이다. 적절한 비유일까 다소의 의문이 들지만 후광 효과를 설명하기 위해 예를 들어 보겠다. 페인트 업계에 현대페인트와 고려페인트가 있다. 여러분 중의 다수가 광고를 통해 고려페인트를 알고 있으리라 생각한다.

고려페인트　현대그룹 계열사임에도 불구하고 후광효과를 중소기업인 현대페인트에 빼앗긴 사례이다

그러면 현대 계열의 페인트 회사는 둘 중 어느 곳일까? 아마도 대다수가 "그야 현대페인트겠지"라고 대답할 것이다. 그런데 정답은 '고려페인트'이다. 그렇다면 한 가지 의문이 든다. 왜 현대 그룹에서는 거의 모든 업종에 현대라는 브랜드로 진출하면서 유독 페인트업에는 고려페인트라는 브랜드를 사용할까? 이유는 중소 페인트업체가 먼저 '현대'라는 단어를 상표 등록하여 사용하고 있었기 때문이다. 따라서 현대그룹은 울며 겨자 먹기로 할 수 없이 현대라는 말을 쓰지 못하고 '고려'라는 단어를 사용하게 된 것이다. 에피소드 같은 얘기이지만 중소기업체인 현대페인트는 일반 소비자나 은행, 거래권에서 현대의 계열사 이미지로 받아들여져서 상당한 대우를 받았다고 한다. 막강한 자본력과 기술력이 있는 현대그룹의 이미지가 중소기업인 현대페인트로 옮겨졌다고 할 수 있다. 소비자도 같은 값이면 현대페인트를 선택할 것이고 말이다.

이것이 후광효과의 개요이다. 따라서 '스타벅스가 들어서면 땅값이 오른다'라는 개념은 스타벅스 본원에서 파생되어온 후광효과라 해도 논리상 별 문제가 없어 보인다. 그런데 여기서 후광효과를 논하기 전 전제되어야 하는 것이 있다. 그것은 바로 유목화(categorization) 과정으로 인한 기억 정보의 구성이다.

유목화, 이게 뭘까? 유목화란 사물의 공통점과 차이점을 찾아 분류하고 통합하는 것을 의미한다. 세상을 살아가면서 수많은 정보를 처리하는 방식에 대 원칙이 있는데 그것은 다름 아닌 최소의 노력으로 최대의 효과를 얻으려 한다는 것이다. 이 과정에서 기본적으로 유목화 과정을 통해 모든 정보는 비슷한 것끼리 묶어 머릿속에 저장하려고 한다.

롯데 칠성 사이다는 50여 년간 이어온 장수 히트 상품으로, 콜라와 달리 카페인과 인공색소를 쓰지 않은 '맑고 깨끗함'으로 기억되며, 이를 대신할 자연·환경의 여러 요소들이 카테고리 즉 범주 안에 분류되고 통합된다. 이런 유목화 과정은 본질적으로 자신의 지식 구조를 체계적으로 정돈하고자 하는 본능에서 기인한다고 하는데, 이는 매우 순간적이고 무의식적이라고 볼 수 있다. 그렇다고 하면 롯데 칠성 사이다는 '자연을 닮은 맑고 깨끗한 천연음료'로 유목화의 과정을 밟게 될 것이다. 그리고 난 후 소비자는 임시 기억의 카테고리를 형성하는데 이런 과정 후엔 기억률이 높아지고, 정보 찾기가 용이하며 선호도 또한 상승한다고 한다.

칠성 사이다 '자연을 닮은 맑고 깨끗한 천연음료'로 소비자의 기억 카테고리에 오래 남은 장수 브랜드이다

스타벅스의 경우 소비자는 일반 커피와 달리 '프리미엄 커피'로 분류되었을 것이며 이와 부수적으로 따르는 여러 요소가 통합되어 후광효과의 근간이 되었을 것이라 추정된다. 이런 후광 효과는 스타벅스가 해외로 진출하는 발판이 되었는데 스타벅스의 상하이 진출 사례는 후광효과의 마케팅 전략화로 인한 성공 사례로 손꼽히고 있다.

스타벅스 상하이점 전략 매트릭스

S(strength : 강점), W(weakness : 약점), O(opportunities : 기회), T(threats : 위험)

	S	W
	풍부한 원두커피의 맛 독특한 인테리어 브랜드 파워(명성) 높은 고객 충성도	아직 낮은 중국 내 인지도 높은 시설비 비싼 임대료
O 중국 경제 급성장 서구 문화에 대한 관심 외국인 집중 경쟁업체 진출 미비	**S-O** 미국 고유문화 고수 고급 재료 사용 공격적 점포 확장	**S-W** 외국인 많은 곳에 점포 개설 본사 직영으로 인테리어
T 중국의 차 문화 유명 상표 위조	**T-O** 인테리어에 중국 특성 가미	**T-W** 녹차 향 커피 개발 상표 도용 감시

강점(S) 부분을 주목해보면 브랜드 파워, 명성이라는 단어를 발견하게 될 것이다. 사실 굳이 언급하지 않아서 그렇지 스타벅스는 미국에서의 높은 지명도와 이에 따른 후광효과를 기대하고 있었다. 상하이처럼 미국 문화에 익숙한 도시에서는 오픈한 것만으로도 절반의 성공으로 보았던 것 같다. 이를 입증이라도 해주듯 신티엔디점, 위위엔점, 화이하이로점 등에는 금발에 파란 눈을 가진 외국인들을 매장 여기저기서 찾아볼 수 있었다고 한다.

■ ■ ■
매트릭스 matrix　　두 개 이상 인자(因子)의 상관 및 상관도 따라서 이들은 자신들의 지명도와 후광효과를 위해 상하이에서 우선적으로 외국인이 자주 찾는 사무실 밀집지역을 집중공략하였다. 물론 이런 효과와 전략이 맞아 들어갔던 것은 상하이 자체의 서구 문화 지향적인 컬러도 한몫을 하였을 것이라 여겨진다. 대체로 상하이 사람들은 서구 문화에 매력을 느낄 뿐 아니라 여러모로 서구 지향적인 성향을 나타낸다. 이는 특히 젊은 층에 일종의 트렌드(경향)로 자리잡았는데 외국 기업 및 전문 분야에서 일하며 독신으로 사는 일명 화려한 싱글족 '바이링'이 그들이다.

이들의 특징을 살펴보면 1) 고수입의 화이트 칼라이고 2) 생활의 질을 중시하여 고급 의류와 좋은 아파트 구입에 큰 관심을 보인다. 따라서 스타벅스 등 외국 커피점과 카페들을 선호하며 3) 직업의 유동성이 매우 높고 아울러 교육 수준이나 업무 경험이 많기 때문에 전문직 입사에 대한 수요가 많은 중국에서 일자리 선택의 기회가 많다. 4) 환율과 증시변화 등 금융과 부동산 시장에 관심이 많으며 5) 치열한 경쟁 때문

상하이에 진출한 스타벅스

에 긴장감과 불안감이 높다. 이들은 물질적 이익을 끊임없이 추구함과 동시에 사회적 책임감도 높은 편이다.

그런데 바이링은 어딘가 다른 데서 본 듯한 특징을 보여준다. 그렇다, 바로 여피족이나 전문 직종의 싱글족들의 라이프 스타일과 흡사하다. 결국 스타벅스는 바로 상하이 사람들의 이러한 성향을 후광효과와 더불어 연착륙하였고, 상하이는 커피 소비량과 커피 문화가 가장 높은 도시로 부상하게 된 것이다.

한 가지 재미있는 사실은 중국인들은 커피를 마시러 스타벅스에 가는 것이 아니고 공공장소에서 그들 자신을 현대화된 중국인으로 내보이려고 가는 것이라고 한다. 따라서 스타벅스가 개발하는 것은 커피 맛이 아니고 여유롭고 향기롭다는 그 이미지, 도시 여피족들을 끌어들일 수 있는 이미지를 파는 것이다. 상하이 스타벅스의 어느 단골 고객의 이야기는 스타벅스의 유목화 과정과 후광효과가 어느 정도인지 가늠케 하는 사례라 아니할 수 없다.

"나는 차의 향기를 더 좋아해요. 집에서는 절대 차를 안 마시지요. 하지만 공공장소에 나오면 스타벅스 커피를 마십니다. 스타벅스 커피를 마시면서 나는 편안하고 여유로움이라는 이미지를 마십니다."

후광효과라 해서 늘 긍정적인 결과만 낳지는 않는다. 종종 모델로 기용한 연예인들이 사회적 물의를 일으켜 자신은 물론 상품의 가치도 하락시키는 경우도 어렵지 않게 목격된다. 따라서 최근엔 기업들도 이런 점을 감안하여 복수의 연예인을 기용하여 시리즈 광고를 만들기도 한다.

얼마 전 한국 여중생이 미군 탱크에 치여 사망한 사건도 후광효과의 오류로 기록되는 사례였다. 이는 즉시 반미 운동과 더불어 미국 제품 불매운동으로 연결되었다. 다국적 기업을 인식하는 데에 국가적 이미지에 의한 후광효과가 어떻게 영향을 미치는지 극명하게 보여준 사례이다.

결국엔 아무리 제품과 소비자의 요구가 복합적이라도 접근은 단순해야 한다는 접근 전략도 후광효과를 통해 배우게 된다. 왜냐하면 후광효과의 개념 자체가 하나의 탁월한 특질로 인해 그 제품 전체의 가치가 과대평가되기 때문이다.

유목화의 장점

1 복잡한 환경을 단순화시킨다
2 대상의 재인식이 가능하다
3 계속적인 학습의 필요성을 감소시킨다
4 분류체계를 발달시킨다

스타벅스가 들어서면 땅값이 오른다

기업들은 저마다 독특한 성공 노하우를 가지고 있는데 혹자는 오늘날의 스타벅스커피 코리아가 있기까지 독특하고 특이한 발상의 출점 전략을 성공의 요인으로 꼽기도 합니다. 여러분들이 혹시 눈여겨보았다면, 한국 스타벅스 매장의 상당수가 대형 건물 로비에 위치하고 있음을 발견하게 될 것입니다. 예를 들면 서울 광화문점이나 무교동점 같은 곳이지요.

지금도 그렇지만 스타벅스 입점 당시만 해도 빌딩 1층에 브랜드를 가진 매장이 들어선다는 것은 유례를 찾아보기 힘든 일이었습니다. 빌딩주도 1층에 상업적인 공간이 들어오는 것을 금기시한 때라 어려움은 생각지 못할 정도로 컸습니다. 그러나 우리 입장에서 보면, 1층 공간은 안내 데스크 외엔 빈 공간으로 남겨두어 싼 임대료로 입점할 수 있다는 기회를 놓칠 수가 없었습니다. 점찍어 놓은 유명 빌딩마다 엄청난 권리금을 요구하였으니까요.

결국 우리는 대형 빌딩 1층에 매장을 오픈하였고 보수적인 오피스 빌딩의 주변 분위기를 바꾸어놓았습니다. 아울러 상권이 형성되고 건물과 토지가 상승되는 기폭제의 역할을 스타벅스가 해냄으로 해서 지방 곳곳에서 유치

의사를 표명하는 전화가 쇄도하는 결과를 낳았습니다. 물론 스타벅스는 대형 건물 내 상주 임직원들을 고정 고객으로 확보하여 안정적인 매출을 올렸고 건물주는 예상치 않았던 곳에서 짭짤한 임대 수익을 추가로 올리게 되었죠.

이제 "스타벅스가 들어서면 건물 값이 오른다"라는 말은 현실이 되어버렸습니다. 세계 9천여 개 매장 중 매출과 규모 면에서 최대인 명동 매장은 스타벅스 입점 후 전국에서 가장 비싼 땅이 되었다고 합니다. 평당 1억 3천만 원 이상이 된다는 것입니다.

어느 분야나 초창기엔 어려움이 따르겠지만 스타벅스에게도 예외는 아니었습니다. 국내 굴지의 S병원 로비에 입점 의사를 밝히자 당시 병원 관계자가 이렇게 말한 적이 있습니다.

"보호자나 방문객들이 매장을 엎어버릴지도 모릅니다."

그래도 우린 이에 굴하지 않고 입점 이유를 설명했습니다.

"보호자나 방문객들이 환자보다 더 많은 곳이 병원이다. 우리는 이들에게 쉴 곳을 제공하는 것이다."

그렇다고 저희의 입점 전략이 지나친 자부심이나 뚝심, 그리고 감(感)에 의존하는 것은 아닙니다. 일단은 우리가 타깃으로 삼는 예비 고객이 어디로 움직이는지 그 동선을 연구합니다. 물론 몰리는 장소를 공략하는 거지요. 일례로 영화관에 위치한 매장들은 영화를 보려고 오는 사람들을 초점으로 전략을 짭니다. 사람들은 커피점을 영화가 시작되기 전 약속 장소로 이용하거나 잠시 휴식을 취하는 공간으로 활용하니까요. 그렇다면 이들의 연령대 별, 성별, 시간대 별로 그 스타일에 맞는 구성을 기획하는 겁니다. 이를 전문용어로 머천다이징(merchandising), MD라 부릅니다.

우리는 매장 위치를 결정할 때 철저한 환경 분석을 기반으로 주로 유동인구가 많은 번화가에 우선적으로 입점한다는 정책을 견지하고 있습니다. 이 전략은 다른 나라의 스타벅스와는 다른 양상을 보인다고 평가받고 있습니다. 저희 매장의 위치를 한번 살펴보십시오. 선릉역점이나 보라매점, 용산역점, 고대프라자점, 그리고 기존의 강남역, 명동, 압구정, 코엑스점 등의 특징은 신세대 유동인구가 많은 대학가나 직장인들이 모이는 사무실 밀집지역, 지하철 역세권이나 대형 쇼핑센터 주변이라는 것입니다.

유동인구를 따지자면 명동 매장 외에 신세대 밀집 지역인 코엑스몰도 주목할 장소입니다. 문화, 오락, 쇼핑, 먹거리 등이 한 장소에 모여 있는 대표적인 지하 공간으로 최근 신세대 간에 '코엑스몰 100% 즐기기' 등이 괜찮은 정보로 교환된다고 합니다. 유동인구는 13만여 명, 주말엔 30만을 넘는다고 합니다. 알짜배기 상권인 셈이지요. 이곳에 스타벅스는 2개의 매장을 입점시켰는데 내국인은 물론 외국인까지 문전성시를 이루고 있습니다. 심지어 영업시간 이전에 와서 기다리는 사람도 있습니다.

그러면서 '스타벅스 이펙트' 말하자면 '스타벅스 효과'라는 신조어가 만들어졌습니다. 침체되어 있었던 커피 시장에서 특별한 소비 체험이라는 새로운 방향과 부흥을 이끌어낸 스타벅스 후광효과가 결국 제품 하나가 제품 자체 혹은 제품 외적인 측면에서 혁신을 일으켜 시장 전체를 떠오르게 하는 '스타벅스 효과'라는 경제어를 만들어낸 것입니다.

2000년 강남점을 오픈한 이후 강남역 주변은 100평 이상의 대형 에스프레소 커피 전문점과 3~4평 남짓한 공간의 커피 전문점이 들어서면서 새롭게 커피 문화 붐이 일기 시작하였습니다. 심지어 일반 카페에서도 카페라떼, 카푸치노 등 스페셜 커피 음료를 판매하기 시작했으니까요. 스타벅스가 들어서면 부동산업계의 '스타벅스 효과'가 불기 시작한다는 것은 이제 정설이 되었습니다.

한 가지 예를 더 들까요? 2000년 11월 여의도 서울증권 빌딩 로비에 스타벅스 점포가 들어섰습니다. 대형 빌딩 로비가 주 공략처로 떠오른 것입니다. 이어 역삼역로 담코빌딩, 제일은행 본점 빌딩 등에 속속 입점하였습니다. 그런데 한 가지 재미있는 사실은 근처에 마땅히 갈 곳 없어 방황하던 샐러리맨들이 스타벅스를 중심으로 모이기 시작했고 비즈니스 및 사적인 생활을 즐기려는 새로운 경향이 나타났다는 것입니다. 이들은 더 이상 과거 물 좋다는 신촌이나 강남, 종로 등으로 발길을 돌리지 않습니다. 스타벅스를 위시해 주변에 각종 음식점, 술집, 노래방, 카페 등이 우후죽순으로 생겨났기 때문입니다. 지금 스타벅스는 지역에서 환영받는 존재로 부각되었습니다.

임대료도 정액제가 아니라 매출 이익의 일정 퍼센트를 수수료로 줍니다. 그러다 보니 건물주 스스로 매장을 운영한다는 생각을 하며 스타벅스 PR에 열을 올립니다. 스타벅스의 매출액이 올라가면 임대료도 올라가고, 아울러 건물 가격도 올라가니 일석삼조라고나 할까요.

스타벅스는 2005년까지 140개의 매장 오픈을 목표로 보다 공격적이고 고객 친화적인 마케팅 정책을 펼쳐나가고 있습니다. 아울러 중 · 대형 매장을 중심으로 시장 경쟁력을 높일 점포 개발에 주력할 것입니다.

스타벅스는 한국 상륙 5년 만에 100호점을 넘어 고속질주를 하고 있습니다. 100호점 개점을 기념해 방한한 오린 스미스 스타벅스 본사 사장은 이렇게 말했습니다.

"한국은 전 세계 스타벅스 가운데 가장 성과가 뛰어나며 세계 다른 매장의 모델이 된다."

2부_ 오감을 자극하는 마케팅의 선수

1 변화의 흐름을 정확히 꿰뚫고 있는 스타벅스

나는 우연한 기회에 스타벅스를 처음 방문하게 되었다. 매장에 들어서기 전까지는 '아! 미국의 커피 체인점이구나' 하는 단순한 생각뿐, 특별한 느낌이나 교감 같은 것은 없었다.

녹색 마크와 여자의 그림이 독특하다고 느꼈고 주문과 분위기가 다른 커피숍과 차이가 난다는 것…. 이제 와 생각하니 그곳이 스타벅스였다. 가격이 좀 비싸다는 생각이 들었지만 과거 내가 경험한 우중충한, 이를테면 꽃다방 같은 분위기가 아니어서 좋았다. 음습한 지하, 유치한 인테리어, 경박하다고 느낄 만한 종업원의 태도… 등 내 생각 속에 자리잡은 커피숍의 개념이 일시에 깨져버렸다.

최근 광고를 보다 보면 과거와 다른 독특한 현상 하나를 만나게 된다. 예를 들면 이동통신 광고에 휴대폰이 사라지고 건설 광고에 건물 하나 보이지 않는 이상한 현상…. 물론 프로슈머라 일컬을 정도로 제품에 관한 정보를 기업보다 더 많이 소유하고 있는 소비자에게 비싼 예산을 들여가며 설명할 필요는 없었을 것이다. 이것은 바로, 마케팅의 정의가 다양해지고 변천해가고 있다는 사실을 보여준다.

마케팅의 정의를 보면, "시장에서의 교환을 통해 인간의 필요와 욕구의 충족, 그리고 기업의 생존과 성장이라는 목적을 달성하는 과정"이이라거나 "개인이나 조직의 목표를 만족시키는 교환을 창조하기 위한 아이디어, 상품, 서비스에 대해 개념 정립, 가격 설정, 프로모션, 유통을 계획하여 실행하는 프로세스"라고 설명되어 있다. 그런데 두 정의에서 공통적인 인자를 발견할 수 있다. 무엇일까? 바로 교환이다.

그러면 여기서 하나의 개념이 탄생된다. 마케팅의 본질은 교환이라는 것이다. 그러니까 이 교환을 위해 아이디어와 상품, 서비스가 존재하는 것이다. 얼마전 조간 신문에 실린 어느 외국 보험회사의 광고를 살펴보자. 헤드라인은 다음과 같았다.

"○○실버보험, 가입 이유의 79%는 자식에게 짐이 되기 싫어서였습니다."

저렴한 보험료(실버형)를 통해 폭넓은 보장과 보상을 받는다는 내용인데, 표현 컨셉트가 타 보험처럼 진부하게 '효'를 강조하지 않고 보험대상자 본인에게 어필하고 있는 아이디어가 돋보인다. 이 보험에 가입만 하면 자식들에게 짐이 안 된다는 소비자의 욕구를, 필요를 충족시켜준다는 마케팅의 원리가 정확하게 적용되어 있었다.

■■■

프로슈머 prosumer　생산자(producer)와 소비자(consumer)의 합성 신조어. 신상품을 개발하는 데 있어 생산자인 기업이 일반적으로 제품 개념을 설정하는 것이 아니라 소비자의 제안과 생산자의 개발력을 합쳐 생산하는 공동 생산자의 개념

이렇듯 단순한 기능의 마케팅이 세월이 흐르면서 나름대로 진화하고 있다. 초기엔 제품 및 서비스의 생산과 유통을 강조하여 그 효율성의 개선이 목표였다. 기업들은 소비자가 값싸고 쉽게 구할 수 있는 제품을 좋아한다고 생각하여 생산과 유통을 개선하여 생산능률을 높임으로써 가격을 낮추는 것이 고객 확보의 주요 수단이라 여겼다. 예를 들면 20세기 초 포드 사의 T형 자동차 대량생산 방식이라 말할 수 있는데 이를 두고 생산 지향적 마케팅이라 한다. 물론 '규모의 경제'라는 기반 하에서 가능한 얘기이다. 많이 만들어 싸게 팔자는 인식.

그러나 이후엔 소비자가 싸고 좋은 것을 원하긴 하지만 우수한 품질도 원한다는 사실을 알았다. 따라서 기술 개발에 따른 품질 개선이 주요 사안으로 떠올랐는데 이런 류의 마케팅 개념을 제품 지향적 마케팅이라고 한다. 이렇게 제품을 잘 만들어놓으니까 무슨 문제가 대두됐을까? 파는, 즉 세일의 문제가 발생했다. 판매량 증가를 위한 판매 기술의 개선이 급선무였고 보다 많은 구매 유도와 고객 확보를 위한 강력한 판매 조직이 전 기업의 마케팅 지향점이 된 것이다. 여기까지가 셀즈 마켓이라 하면 1950년대부터 나타난 소비자 지향적 마케팅은 바이 마켓, 즉 구매자 중심의 시장으로 바뀌었다.

고객의 욕구를 이해하고 반응하는 데 초점을 두고 모든 기업 조직의 활동을 고객의 욕구에 부응하도록 통합한 것이다. 특히 고객의 욕구를

■ ■ ■

셀즈 마켓 sell's market 구매자 시장에 대응하는 개념으로 판매자가 주도하는 시장을 말한다. 따라서 수요가 많고 공급이 적을 때, 통제 견제 시 독점 자본주의 시대에 적용된다.

바이 마켓 buy's market 구매자가 판매자보다 더 많은 영향력을 가지는 시장. 공급은 많고 수요가 부족할 때 대개 구매자 시장이 형성된다.

충족시킴으로써 모든 목표를 달성할 수 있다는 점을 강조하고 나아가 고객의 욕구에 부응하는 데 나타나는 사회적 결과에 관심을 가진다. 현재 지향하고 있는 마케팅은 '고객 중심의 마케팅'을 넘어 윤리적 측면까지 포함한 사회 지향적 마케팅 개념이 도입되어 '기업의 사회적 책임'을 거론하기까지 이르렀다.

트롬이란 세탁기를 알고 있을 것이다. 얼마 전까지도 "대한민국 세탁기를 바꾸자"라는 캐치프레이즈를 내걸고 야심차게 런칭한 제품이다. 그들은 시장을 바꾸어야 할 이유를 4가지나 들었다.

1 가격이 비싸다
2 세탁 시간이 길다
3 용량이 적다
4 전기료가 많이 든다

앞서서 마케팅의 정의를 내리면서 소비자의 욕구와 필요에 대해 거론했다. 누구에게나 제품을 구매하기 위해서는 그럴듯한 필요와 욕구를 내세운다. 예를 들어 외제차를 구매하려는 소비자는 엔진이 좋아서, 잔 고장이 없어서, 안전해서라는 이유와 차 안에서 보내는 시간이 많고 장거리 여행이 빈번하여 이에 맞는 외제차를 선호한다고 말을 한다. 그러나 속마음의 욕구는 '외제차를 통해 자신의 권위를 인정받고 차별화'하고 싶어서이다.

이렇듯 소비자 심리를 통한 접근 방식을 연구하던 이들은 제품의 기능으로 세상을 바꾸기가 어렵다는 결론을 내렸다. 이때까지 세탁기의 소비자 소구는 건조 기능, 삶는 기능, 옷감 손상 및 엉킴 방지, 세탁력 등의 제품 퀄리티에 초점을 맞추었다. 그러나 소비자 시각으로 이 제품을 바라보니 2가지 라이프 스타일의 소비자를 발견하게 되었다. 그 첫 번째 스타일이 별다른 생각 없이 빨래를 세탁기에 넣는 소비자요 또 하나는 벗은 옷을 들고 세탁기 앞에 머뭇거리는 소비자이다. 그들은 소비자의 시각으로 다가가 그 이유를 캐냈다. 그랬더니 결론은 누구에게나 비싼 옷, 아끼는 옷, 의미 있는 옷, 자주 입고 싶은 옷이 있다는 것이었다. 처녀 몸매 같이 뽐내게 해주는 청바지, 남편이 유럽 여행 시 사다준 명품 니트, 분위기 있는 란제리, 기분 좋은 일만 생기면 입는 드레스 셔츠 등. 제품을 제품으로만 보지 않고 통찰력 있게 의미를 두고 소비자는 세탁기 앞에 망설이고 있었던 것이다.

그래서 그들이 광고 속에서 표현한 것은 "오래 오래 입고 싶어서"였다. 왜 그런 말이 있지 않은가? 아끼는 옷은 오래오래 입는다는 말…. 이 광고 하나만으로도 마케팅의 진화를 우리는 확연히 정의 내릴 수가 있다.

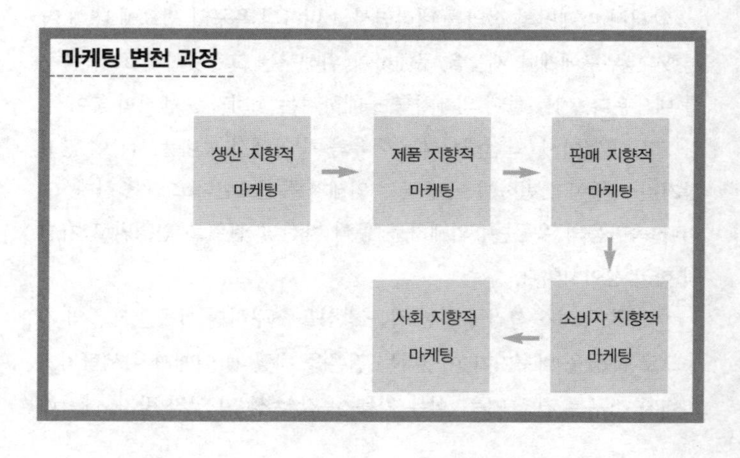

최근에는 웰빙 바람이 불어 여러 기능의 세탁기가 쏟아져 나오고 있다. 이를테면 클라쎄 드럼세탁기는 대한민국 웰빙 가전이라는 제품 슬로건을 내걸고 무려 6가지 기능을 신세대 주부에게 어필하고 있다. 햇살건조, 세탁온도 맞춤 시스템, 공기방울 세탁 등 과거보다 진일보된 고객 지향과 건강과 환경을 주 테마로 한 사회 지향적 마케팅까지 수행하고 있는 것이다. 이런 트렌드는 곧 마케팅이 유기체 같은 존재이고 변화되어간다는 증거이다.

스타벅스로 다시 돌아가보자. 그들은 처음부터 생산 지향적 마케팅을 떠나 소비자 지향적 마케팅, 더 나아가 기업의 사회 지향적 마케팅까지 종합적으로 수행해나가는 마케팅의 기본적인 흐름을 정확하게 꿰뚫어보았다. 단순한 커피보다는 커피 한잔을 매개로 한 사람과 사람, 사람과 사회가 연결되는 문화를 고객에게 판매했다는 사실이…… 무엇보다 놀라운 그들의 마케팅 전략이었다. 물론 제품도 판매도 간과하지 않는 철저한 기업전략도 주효했다. 인스턴트 커피 시장에 식상한 20~30대 젊고 활동적인 타깃을 겨냥하여 그들의 커피에 대한 인식을 바꾼 것도 스타벅스 성공의 중요한 요인이었다.

혹자는 스타벅스의 성공 컨셉트는 새로운 패러다임이라고 단정지어 말하기도 한다. 말하자면 고급 프리미엄 원두 커피 선언과 '제3의 공간'이라 명명된 새로운 개념의 커피숍 문화의 도입이라는 것이다. 미국도 마찬가지지만 스타벅스가 태동할 당시 커피 시장은 침체 일로였고 커피는 값싼 기호 음료로 치부되기 일쑤였다. 더욱이 기업은 비용절감을 위해 향과 질이 무시된 값싼 커피를 도입하였다.

이런 상황에서 최고급 프리미엄 원두커피의 등장과 '기업의 사회적 책임'까지 성실히 수행하는 기업문화, 바리스타라는 전문가에 의한 특별한 커뮤니케이션과 서비스, 이밖에 일관된 이미지의 매장 인테리어, 다양한 상품 아이템은 오늘날 스타벅스의 신화를 창출해낸 요인이다. 맥스웰과 같이 커피 하나로 승부를 두지 않고 고객의 마음에 스타벅스 이미지를 심으려 한 고객접근 전략이 무엇보다 두드러진다.

제품 하나가 혁신을 이뤄 성공하면 해당 제품 카테고리 전체를 프리미엄 급으로 격상시키는 '스타벅스 효과'라는 마케팅 신조어가 등장한 것은 결코 우연이 아니다.

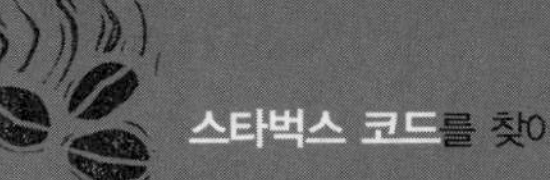

스타벅스는 커피 회사가 아닙니다

커피 좋아하세요? 아침 출근길, 따뜻한 차 한잔과 그 향이 그리울 때가 있죠. 〈유브 갓 메일 *You've Got Mail*〉의 맥 라이언을 기억해보세요. 그녀가 들고 있는 커피잔 스타벅스, 그녀의 하루가 스타벅스로 시작되고 있음을 우리는 느끼게 되죠. 〈아이 엠 샘 *I am Sam*〉의 7살 지능의 주인공. 우린 그 영화에서 스타벅스가 문화로 자리매김하고 있는 것을 발견하게 됩니다. 마치 코카콜라가 미국을 상징하는 문화 코드로 존재하는 것처럼 말입니다. 사실 저흰 PPL 전략을 통해 은연중, 무의식 속에 스타벅스를 인지시키려고 시도한 것이었는데, 너무나 자연스럽게 소비자는 받아들이고 있는 거지요.

나는 가끔 강의 중에 학생이나 참석자들에게 뜬금없이 이런 질문을 던집니다.

"스타벅스가 커피 회사라고 생각하세요?"

질문의 의도는 스타벅스가 맥스웰 같은 부류의 커피 회사냐는 겁니다. 많

은 분들이 이미 알고 있겠지만, 우리는 단순하게 커피만 팔지는 않습니다. 커피 한잔을 매개로 사람과 사람, 사람과 사회가 연결되고 그 안에서 젊은 세대가 요구하는 문화를 팔고 있습니다. 문화 마케팅 기업이란 용어를 들어보았나요? 인간의 감성을 자극하는 문화 마케팅으로, 커피라는 상품을 커피 문화로 승화시킨 기업이 스타벅스라는 거지요.

자, 눈을 감고 스타벅스에서 체험한 경험을 상상해보세요. 매장 문을 열고 들어서면 친숙하게 느껴지는 클래식 음악과 절묘한 조화를 이루는 에스프레소 기계의 커피 가는 소리, 매장을 가득 채우는 커피 향, 숙련된 솜씨로 커피를 만들어주는 바리스타들의 미소띤 얼굴과 내 손에 쥐어주는 세계에서 가장 맛있는 커피, 그리고 입안 가득 머무는 깊은 커피 맛과 내 집과 직장을 떠나 가장 편안한 나만의 장소(제3의 장소)에서 만끽하는 삶의 여유와 대화, 편안함…. 이런 감성적 자극들이 스타벅스 브랜드를 형성하고, 더 나아가 생활의 일부분으로 느끼게 합니다.

한국을 방문한 적 있는 MIT 뉴욕의 레스터 서로 교수 같은 이는 단적으로 21세기를 이끌어갈 기업 유형과 이에 해당하는 기업을 직시해놓았는데, 그 기업이 다름 아닌 마이크로소프트와 스타벅스였습니다. 전자는 지식산업이요, 후자는 문화산업의 상징으로 말입니다.

이뿐입니까? 〈Emotion Branding〉의 저자인 마크 고베는 스타벅스를 "단지 커피만 파는 장소가 아니고, 사람들이 커피를 마시면서 즐겁고 친밀한 분위기를 느낄 수 있는 감성적 경험"이라고 정의해놓았습니다.

스타벅스의 마크를 생각해보세요. 참 요상한 그림이 그려져 있지요? 그것도 남성이 아닌 여성으로 말입니다. 먼저, 스타벅스라는 이름은 멜빌의 소설 〈모비딕〉에 등장하는 고래잡이배의 일등 항해사 이름에서 따온 것이고, 여자 상반신은 여자이고 하반신은 물고기인 인어상 사이렌의 얼굴입니다. 사이렌은 그리스 로마 신화에 나오는, 아름다운 노래로 지나가는 배를 유혹하여 난파시켰다는 세 자매를 가리킵니다. 유럽에서는 무사 항해를 기원하기 위해 목선 난간에 사이렌의 얼굴을 조각했었다고 하는데, 스타벅스커피의 상징인 이 사이렌상은 초창기엔 루벤스 풍의 유혹적인 상반신 누드여서 관심 꽤나 끌었다고 합니다. 여기에 'Starbucks Coffee, Tea and Spice'라는 카피가 심벌을 둘러싸고 있습니다.

스타벅스는 1972년 시애틀에서 대학 동기 세 명이 원두 파는 가게를 오픈하면서 탄생되었습니다. 지금과 달리 초창기에는 불에 볶기 전의 커피 원두를 고객의 주문에 따라 볶아서 파는 소규모 상점에 불과했지요. 혹자는 제게 "왜 그들이 시애틀에서 커피 회사를 오픈했지요?"라고 묻습니다. 그건 한마디로 지리적 여건 때문입니다. TV나 영화에서 보면 미국 사람들처럼 커피를 맛없이, 멋없이 마시는 사람도 드뭅니다. 싸구려 커피를 24시 편의점에서 쓱싹 해치우는…. 지도를 펼쳐보면 시애틀은 지리적으로 캐나다와 가깝습니다. 시애틀에서 한 시간 반이면 밴쿠버입니다. 그곳은 프랑스 사람들의 문화 향기가 아직도 남아 있는 곳이지요. 특히 에스프레소 커피로 대표되는 프랑스 커피문화를 맛볼 수 있습니다. 세 친구가 밴쿠버로 달려가 커피를 마시고 '이 커피를 사다가 팔면 돈을 많이 벌 수 있을 것 같다'라는 일종의 영감(?)을 받아 오픈한 것이 스타벅스입니다.

〈커피 한잔에 담긴 성공신화〉의 저자이기도 한 하워드 슐츠가 오늘날 스타벅스를 있게 한 장본인입니다. 원제는 'Pour Your Heart into It'. 어떤 일을 하든 간에 그 안에 너의 정성과 마음을 다하라는 것인데, 이 제목이 바로 스타벅스의 경영 전략입니다. 스타벅스의 문화 마케팅 운운하게 된 것도 전적으로 하워드 슐츠의 경영철학과 의지 때문이지요.

하워드 슐츠는 뉴욕 빈민가 출신으로 어린 시절을 어렵게 지냈고, 어떻게 보면 눈물겹게 자수성가한 분입니다. 그의 아버지는 기저귀를 수거하고 운반하는 트럭운전사로 공장노동, 택시 운전 등 블루칼라 일을 전전하였기 때문에 저축도 연금도 없는 빈민촌에서 힘든 청소년기를 보내야 했습니다. 그야말로 그의 삶은 입지전적인, 마치 드라마 같은 삶의 연속이었죠.

그도 물론 무능력한 아버지와 비참한 현실에 좌절하고 화를 내기도 하였지만, 속수무책으로 삶을 운명에 맡기지 않았습니다. 체격이 남보다 월등한 그는 운동에 몰두하였습니다. 어떻게 보면 공부보다는 운동을 했다는 표현이 적합한지 모르겠습니다. 미식축구는 그가 대학을 진학하는 좋은 기회요 행운이었습니다. 노던 미시간 대학에서 미식축구 장학생으로 그에게 손짓을 한 것이었습니다. 그의 어머니와 형제가 '행운의 여신이 태양을 비추어준 것'이라 표현한 것처럼 긴 가난과 절망, 슬픔의 터널에서 그는 벗어나고 있었습니다. 어려서부터 여러 인종의 사람들과 부대끼며 살았던 그는 대학에서도 인간관계를 연구하는 커뮤니케이션, 특히 대중연설

과 대인관계 커뮤니케이션을 전공하였습니다.

왜 한 인간에 대해 장황하게, 그것도 자라온 환경에 대해 이야기하느냐 하면, 바로 한 기업인의 경영철학과 리더십에 직접적인 관련이 있기 때문입니다. 후일 그가 스타벅스의 경영철학으로, 마케팅의 새로운 요소로 '사람 people'을 추가한 것은 우연이 아니라는 거지요.

그는 대학을 졸업하고 제록스에 입사하여 프로 세일즈맨이 되기 위한 교육을 받았고, 3년 후 가정용품을 파는 스웨덴 회사로 옮기게 됩니다. 그곳에서 그는 유럽의 고풍스런 역사와 인생을 즐길 줄 아는 감각을 배우게 됩니다. 그의 나이 스물 여덟에 말입니다. 어느덧 그의 삶은 안정 궤도에 이르게 되고, 꿈 같은 삶이 이어집니다. 금발의 미녀를 만나 맨해튼의 고급 아파트에 가정을 꾸리게 됩니다. 주말이면 영화감상을 즐기고, 고급 레스토랑에서 저녁식사를 하며 친구들을 디너파티에 초청하는….

현실에 안주하고도 남을 이런 분위기에서 그의 운명을 뒤바꾼 만남이 있었습니다. 바로 스타벅스와의 만남이었지요. 그는 시애틀의 조그만 소매업체가 수동 드립식 커피추출기를 웬만한 백화점보다 많이 주문하고 있다는 것을 알게 되었습니다. '스타벅스 커피, 티 앤드 스파이스'라는 소매업체였습니다. 대부분 자동기계를 주문하는데 왜 이 업체는 구식 제품을 선호할까? 그는 생애 한번도 가본 적이 없는 시애틀로 달려갑니다. 그리고는 20대 후반의 유럽계 회사의 부회장으로 억대 연봉에 그야말로 잘나가던 사람이 그만 시애틀의 스타벅스 시음회에 홀딱 반해서 그 스스로 '이것이 앞으로 내 일생을 바쳐서 해야 할 일'이라 생각하고 회사를 그만둡니다. 생각해보세요. 억대 연봉에 창창한 미래와 보장된 직장을 버리고 조그만 점포 몇 개 가지고 있는 회사로 간다는 결심, 아마 이해하기 힘들 것입니다.

그는 아내에게 전화를 겁니다.

"내 일생을 바쳐서 해야 할 일을 찾았어."

하워드 슐츠는 행복한 사람일까요, 아니면 망상가일까요? 당시엔 철없는, 현실을 모르는 사람으로 인식되었겠지요. 특히 평생을 가난 속에 찌들어 산 그의 형제, 부모는 더하지 않았을까요? 실제로 그의 어머니는 만류하기도 하였습니다. 그러나 그런 것들은 그의 의지를, 운명을 돌려놓지 못했습니다.

"나는 스타벅스를 보자마자 그 열정과 정통성에 매료되었다. 신선한 커피 원두 맛뿐 아니라 에스프레소 커피를 만드는 이탈리아인의 예술적 낭만, 종교의식과도 같은 커피를 마시는 즐거움…. 세 번째 모금을 마시면서 나는 마치 신대륙이라도 발견한 느낌이었다. 커피는 열정이었다…."

어떻게 보면 그의 도전의식이 발동된 것이라 할 수 있습니다. 인생이란 정말 알다가도 모르는 것입니다. 잘나가던 한 사람의 삶이 이렇게 바뀔 수도 있으니….

그의 입사로 스타벅스는 변하기 시작했습니다. 당시 스타벅스의 경영진은 회사를 크게 키우겠다는 비전보다는 원두 정도 파는 현상유지로 만족하고 있었습니다. 세계적인 추세로도 커피는 석유 다음으로 많이 유통되는 품목이었지만, 당시엔 소프트 드링크류의 인기에 밀려 1960년대 중반 이래 계속적인 감소 추세에 있었고, 커피산업 자체에 회의를 가질 정도였습니다.

그러나 비전이란 다른 사람들이 보지 못하는 것을 먼저 깨닫는 것입니다. 하워드 슐츠가 그랬습니다. 진정으로 삶의 로맨스를 맛보려면 이탈리

아보다 더 나은 곳이 없다는 생각을 갖고 있었던 그는 80년대 초 밀라노로 출장을 가면서, 그곳에서 오늘날의 스타벅스를 꿈꾸게 됩니다. 사업의 영감과 비전을 얻게 된 것입니다.

그는 이렇게 말했습니다. “이탈리아의 영혼 같은 것이 나를 온통 감싸 안는 것 같았다”고. 아마 그가 발견한 에스프레소바는 시설부터, 커피를 서빙하고 손님과 대화를 나누는 종업원, 즉 바리스타까지 인상적이고 감동적이었나 봅니다. 더구나 그런 환경 속에서 마시는 에스프레소의 맛은 관능적이고 따뜻하고 에너지마저 느낄 수 있었습니다….

몇 블록을 거치면서 그가 경험한 에스프레소바의 감동과 체험들, 독특하고 개성적인 분위기와 바리스타와 고객들 사이의 편안하고도 따뜻한 친분관계…, 앞뜰의 연장이요 가족 개념의 연장선상에 서 있는 에스프레소바에서 그는 미래의 스타벅스를 꿈꿉니다.

아! 그렇구나. 굳이 커피를 사랑하는 사람들끼리 꼭 집에 모여서 원두를 갈고 추출해 마실 필요가 없구나. 그리고 원두를 먼저 팔 것이 아니라 이탈리아처럼 커피의 신비와 로맨스를 바로 커피바에서 느끼게 해주어야겠구나. 이탈리아 사람들이 에스프레소를 마시며 개인적 교류를 하듯이 우리도….

그는 이런 영감을 신의 계시로 표현했습니다. 부르르 떨 정도로 흥분하기도 했고요. 커피를 식료품이나 농산물로 취급했던 자신을 되돌아보면서 그는 이런 사업 구상을 하게 됩니다.

“미국에서 이탈리아의 커피 문화를 재현할 수 있다면 미국인들도 정서적인 공감대를 형성할 수 있겠다. 그렇게 하면 스타벅스는 단지 커피 원두를 파는 스토어가 아닌 굉장한 경험을 맛볼 수 있는 장소가 될 수 있을 것이다.”

그는 일주일간 밀라노에 머물면서, 매일 길을 잃어가면서 계속해서 여기저기 돌아다녔다고 합니다. 신념과 의지가 그를 움직였겠죠. 밀라노에서 베로나로 장소를 옮긴 그는 그곳에서도 새로운 경험을 하게 됩니다.

베로나는 〈로미오와 줄리엣〉의 무대가 됐던 곳입니다. 그곳 사람들은 커피를 그냥 마시지 않고 뭘 만들어 넣어 마시더랍니다. 그건 우유를 스티밍하는 장면이었습니다. 하워드 슐츠 회장 눈에는 이런 모습이 예사롭지 않게 비춰졌을 겁니다. 우유나 기껏해야 연유, 커피크림을 넣어 커피를 마시는 미국 사람들에게 이런 행위와 기법은 또 하나의 노하우일 수 있으니까요. 우유 표면에 스팀 봉을 갖다대면 거품이 생기는데 이를 포밍이라고 합니다. 이렇게 커피 에스프레소에 스티밍한 우유와 우유 거품을 넣어 만든 게 바로 카페라떼와 카푸치노입니다. 스타벅스 매장에서는 2월 14일에 카페베로나를 판매합니다. 여기에 초콜릿을 곁들여 먹으면 사랑이 이루어진다고 합니다. 믿거나 말거나긴 하지만요…. 잘못된 만남이라고 반품하시진 마세요.

그는 출장 기간 내내 아내에게 이렇게 말했다고 합니다.

"이 사람들은 커피에 대해 너무도 열정적이어서 커피를 전혀 새로운 차원으로 끌어올린 것 같아!"

콜럼버스의 신대륙 발견처럼, 커피 한잔에 담긴 독특하고 로맨틱한 매력, 이 발견이 시애틀뿐 아니라 전 세계를 사로잡을 것이라 그는 믿었습니다. 그리고 그는 자신의 신념이 이루어질 때까지 다양한 아이디어를 검토하고 실행하는 데 무려 3년이란 세월을 보내야 했습니다. 말이 3년이지 그 기간은 하워드 슐츠 회장에게는 고난의 연속이었는지 모릅니다. 투자를 유치하기 위해 끝없이 설득하고 허망하게, 비감스럽게 돌아오는 결과와 수

모, 주변의 평가들…. 투자할 가치가 있는지 당신 스스로 생각해보라는 비아냥…. 242명에게 투자를 권유했음에도 불구하고 217명이 '노' 했다는 사실….

이런 모든 역경을 딛고 1987년 8월 그는 드디어 스타벅스를 완벽하게 인수합니다. 자본도 시스템도 없는 가운데 한 가지 신념과 열정으로 34살의 하워드 슐츠가 해냈습니다.

스타벅스를 커피 회사라 부를 수 없는 이유가 바로 여기에 있습니다. 그는 말합니다. "우리는 어느 곳에서나 고객들을 위해 최상의 커피를 제공한다"라고. 우리는 모두 그런 사명감을 가지고 있습니다. 또한 언제나 가고 싶은 매장 분위기를 만들어 바쁜 일상에 지친 고객들에게 환상적이고 낭만적인 커피 로맨스를 전달하려는 비전을 가지고 있습니다. 우리는 '성장하는 기업' 보다는 '존경받는 기업' 이 되고자 하는 이상을 가지고 있습니다.

1987년 6개의 매장 100명의 종업원으로 시작한 스타벅스는 17년 만에 8만 명의 종업원과 9천 개 이상의 매장을 가진 미국 내 주목받는 기업으로 성장하였으며 아시아, 유럽 등의 세계적인 기업으로 도약하였습니다. 최근에는 전 세계에서 가장 존경받는 기업 3위, 미국 내 가장 근무하고 싶은 기업 2위에 랭크되었으며 인터 브랜드 조사에 의하면 글로벌 브랜드 파워 4위에 올라섰다고 합니다.

"Pour Your Heart into It."

이 한마디가 스타벅스를 전 세계에서 가장 존경받는 식음료 회사로 만든 것입니다.

2 성공의 키워드는 '오감'이다

21세기는 차갑고 이성적이며 수직적인 이성 관계의 경쟁 우선 시대에서 부드럽고 감성적이며 수평적인 유대관계를 중시하는 관계 우선 시대로 바뀌어가고 있다.

CF를 보아도 여성이 소비생활의 주도계층이라는 걸 알 수 있다. 이미 여성은 마케팅의 한 축으로 그 영향력을 발휘하고 있는데 이들은 감각적, 관계 지향적, 상황 의존적 성향 등 남성과는 근본적으로 다른 여성의 특징인 감성을 대상으로 마케팅 툴을 개발해나가고 있다. 이제 힘의 축도 여성 마케팅과 경험적 브랜딩의 결합으로 남성 위주의 사회에서 여성 위주의 사회로 전이되고 있으며 제품 위주의 마케팅에서 소비

■ ■ ■

마케팅 툴 　마케팅 도구라 하며 마케팅 매니지먼트의 목표를 달성하기 위해 기업이 자유로이 구사할 수 있는 수단, 즉 제품 · 가격 · 유통 · 광고를 지칭한다.

자들이 원하는 경험, 가치, 생활양식이 무엇인지를 파악해서 이를 최대한 활성화시킬 수 있는 제품 개발과 광고, 판촉 활동 등을 전개해나가고 있다.

예를 들면 20~30대 여성 소비 경제력으로 등장한 여성 전용 카드는 '감성 마케팅'의 주체인 여성의 파워가 어느 정도인지 가늠케 한다. LG 헬로 키티 카드의 캐릭터 마케팅, 향기 마케팅이 돋보이는 삼성 지앤미 카드, 여성들이 선호하는 핑크색, 적색, 백색 위주의 컬러 마케팅 등이 그것이다. 이밖에 대우의 푸르지오 아파트, 빨간 색상에 화장품 콤팩트형의 디자인으로 보석함을 연상시키는 삼성전자의 '애니콜 드라마'도 심미적, 상징적, 감성적, 경험적 욕구가 반영된 감성 마케팅의 하나이다.

그렇다면 본질적 문제로 돌아가서, 우리에게 있어 '감성'은 무엇일까? 감성은 개인의 경험과 관계에 의해서 다양하게 일어날 수 있다. 개인의 경험에 의한 감성의 자극은 인간이 지니고 있는 감각의 경험을 자극하는 것으로 청각, 후각, 시각, 미각, 촉각 등을 자극해 고객의 총체적 경험을 상기시키는 것이다.

이를 다시 마케팅과 연결하여 해석하면 '감성 마케팅은 소비자들의 감성에 어울리는 혹은 그들의 감성이 좋아하는 자극이나 정보를 통해 제품에 대한 호의적인 감정 반응을 일으키고 소비 경험을 즐겁게 해줌으로써 소비자를 감동시키는 행위'를 말한다. 즉 물질적인 자극뿐 아니라 한걸음 더 나아가 소비자의 마음을 상대로 하는 감각 정보를 통해 소비자의 감성 욕구에 부응하자는 것이다. 감각 마케팅의 고전적 본보기는 제품의 본질적 혜택 외에 디자인을 통해 차별화하는 것으로서, 감성시대에 디자인의 중요성은 아무리 강조해도 지나치지 않다.

인간의 오감 가운데 정보 인지 능력이 가장 우수한 것이 시각이라고 한다. 시각을 통해서 사물을 인지하고, 인지된 정보들은 개인의 경험이나 느낌을 전달해 구매를 결정짓는 중요한 작용을 하고 있다. 종종 고객은 상품의 품질이나 가격, 기능보다는 제품의 디자인이나 색, 제품 디스플레이(display) 등의 시각적 유혹에 푹 빠질 때가 있다. 따라서 기업은 고객의 시각을 자극하여 구매를 촉진시키기 위해 고객이 선호하는 색을 제품에 적용시키거나, 참신한 스타일과 감각적 패키지 디자인을 개발하여 고객을 환기시킴으로써 구매 행동을 유발하기도 한다.

여기서 잠시 새로운 마케팅 혁명으로 지칭되는 컬러 마케팅에 대해 알아보기로 하자. 우선 컬러 마케팅은 제품 선택에 있어 구매력을 증가시키는 변수가 아니라 구매력 그 자체를 결정짓는 요소라는 것을 기억해두기 바란다. 컬러는 제품 개발 및 계획, 머천다이징 패키징 등의 상품 요소와 그것과 관련된 서비스 믹스, 광고, P.R, POP, 디스플레이, 인테리어의 커뮤니케이션 믹스, 사옥 점포, 창고, 유통센터 수송 기기 등의 물류 믹스 등에서 파생되어 나온 마케팅 믹스 등에 전반적으로 큰 영향을 미치고 있다.

이런 영향력을 발휘한다고 해서 단순한 개념으로 컬러 마케팅 이론에 대입시켜서는 안 된다. 컬러 마케팅을 단순히 색에 대한 감각 정도로 알아서는 안 되며 소비자의 감성과 이미지를 바탕으로 새로운 마케팅 이론을 성립시켜야 한다. 말하자면 컬러 마케팅에 혁명적 사고를 접목시켜야 한다는 말이다.

■ ■ ■

POP(point of purchase) 구매시점광고. 구매 장소에서 실시되는 모든 광고. 소매점의 옥외 광고, 옥외 간판이나 포스터 패널, 상점 내의 천장이나 선반에 부착된 디스플레이류 일체

컬러는 효용가치에서 새로운 상품의 부가가치로 떠오르고 있다. 즉 컬러는 상품 이미지를 구성하는 중요한 요소라는 사실을 주목하라는 말이다. 통상 이미지라고 하면 그림자와 같이 그 실체가 불분명하게 보일지 모르지만, 예를 들어 옷을 산다고 하면 몸의 보호나 보온 기능보다는 이브 생 로랑의 색과 그것이 의미하는 이미지를 산다고 보아야 한다. 이 말은 상품이 완벽한 상품으로 재탄생되기 위해서는 이미지라는 필수요소를 갖춰야 한다는 것이다.

상품의 시각 전달은 조사에 의하면 형태와 컬러에 의해 이루어지는데 대개 후자에 의해 기억되는 확률이 높다고 한다. 형태는 인간의 이성에 소구하지만 색채는 직접 인간의 정서에 다가간다.

구매 결정 요소

소비자는 감정적인 측면이 강한데 그것을 감정적으로 보면 소비자는 '5감' 중에서 주로 시각에 의해 구매 결정을 한다.

1 보고 산다(시각) : 87%
2 듣고 산다(청각) : 7%
3 만져보고 산다(촉각) : 3%
4 냄새를 맡고 산다(후각) : 2%

컬러에는 사람 마음이 반영된다는 사실을 아는가? 컬러는 감성이며 이미지이다. 상품의 컬러를 보면 상품의 이미지나 사람의 기호를 알 수 있고 이런 현상을 집약하면 좀 추상적으로 들릴지 모르지만 시대를 읽을 수가 있다.

소비 주역으로 평가받고 있는 20~30대는 컬러 TV와 영화, 비디오, 패션 잡지 등의 압도적인 영향권 아래 자란 세대이므로 이들과 접근하여 커뮤니케이션하길 원한다면 이들의 컬러 감각을 연구할 필요가 있다. 흔히들 신세대를 '컬러 세대'라고 하는데 이들은 컬러 감각이 뛰어나고 그만큼 색깔에 대한 취향이나 용법이 자유분방하여 개성 세대, 패션 세대라 불러도 부족함이 없다. 이들의 시선을 잡기 위해서는 시각적 측면, 즉 컬러에 대해서는 '핵심 제품(core product)'이라는 인식을 가져야 한다. 컬러는 소비자 커뮤니케이션의 가장 직접적인 기호체계이며 감성의 일차적인 인식 대상일 뿐 아니라 제품의 차별점으로 평가되어야 하기 때문이다.

여기서 다시 컬러에 대한 인식을 강화하기 위해 재미난 연구 결과를 소개하겠다. 미국의 컬러 리서치 연구소(ICR)의 연구 결과에 따르면 사람은 상대방이나 환경, 물건을 처음 접할 때 90초 만에 잠재의식적인 판단을 내린다 하며 판단의 60~92%가 색에 의존한다고 한다. 실제로 M&M 초콜릿은 새로운 색을 사용하고 나서 매출이 3배나 뛰었으며 노란색을 보면서 맥도널드를 연상함과 동시에 햄버거를 먹고 싶다는 욕구가 발생한다고도 한다. 진한 갈색을 보면 톡 쏘는 콜라를 먹고 싶다는 생각을 하는 것은 결코 우연이 아니라는 것이다.

베스킨라빈스 초콜릿과 페퍼민트 향을 매장에 사용하여 매출을 올린 향기 마케팅의 사례

이밖에도 감성 마케팅의 중요한 요소로

향기 마케팅과 음향 마케팅을 꼽을 수 있다. 향기 마케팅의 예로는 베스킨라빈스를 이야기할 수 있다. 매장에 초콜릿 향을, 그리고 페퍼민트 향을 사용해보았더니, 향기 마케팅 도입 후 평균 1일 매상이 40% 증가하였다고 한다.

길거리나 백화점에서 흘러나오는 댄스음악에 자신도 모르게 콧노래를 부르거나 어깨춤을 춘 경험이 있는가? 이렇게 자신도 모르는 행동은 결국 기업이 고객의 심리적으로 느끼는 음악 경험이나 감성에 소구하여 얻은 결과라는 데 주목할 필요가 있다. 고객의 환기를 일으킬 수 있도록 전개한 음악 마케팅 전략의 효과라는 것이다. 이처럼 청각을 활용한 고객의 감성 자극은 고객과의 상호작용에 중점을 두면서 고객의 상황과 기업의 전략에 부합하는 소리나 음악을 활용하여 구매를 유도한다. 추석이나 설 등 명절에는 주로 민요를 틀어 명절 분위기를 돋우고 바겐세일 등 구매를 촉진시켜야 하는 시기에는 약간 빠른 템포의 음악을 틀어놓아 충동구매를 하게끔 만든다. 오디오 등 명품 매장의 경우 첼로나 바이올린, 색소폰 등 고급화의 이미지를 구축할 수 있는 음악을 주로 틀어놓아 편안한 느낌을 주어 매장에 오래 머물도록 한다고도 한다.

백화점의 음향 마케팅 사례가 하나 있다. 슈퍼마켓이나 백화점 이용자들은 대부분 특별한 사전 계획 없이 구매행위에 나서는데 특히 여성의 경우 충동구매를 하는 경우가 많다고 한다. 이들의 구매를 자극하기 위해 음악을 활용한다고 하는데, 연구조사 결과에 의하면 백화점에서 고객이 물건을 구입하는 행위에 가장 큰 영향을 미치는 것은 음악의 빠르기이다.

현대백화점에 가면, 사람들이 가장 많이 붐비는 점심시간과 오후 4시나 5시에는 차분한 음악을 들을 수 있다. 이런 음악의 템포에 따라 물건을 사다 보면 매출이 줄어들 염려가 있지만 실제로 현대백화점 측이 조사한 결과 차분한 음악을 틀 때 고객들이 매장에 더 오랫동안 머물기 때문에 매출액도 더 많아지는 결과를 얻었다고 한다.

한화유통의 실례를 하나 더 들어보겠다. 한화유통은 전국 49개 매장에서 시간대 별로 다양한 음악을 틀어주고 있다. 고객이 적은 시간, 즉 오전에는 클래식 등 느린 템포의 음악을 틀고 정오부터 오후 2시까지는 경쾌한 음악을 내보낸다. 그리고 고객이 제일 많은 오후 4시~6시에는 빠른 템포의 팝송으로 하루 동안 시달린 손님의 스트레스를 풀어주고 있다. 이러한 음악 마케팅 활용으로 한화유통은 10% 정도의 매출 증대 효과를 거두었다.

스타벅스의 '오감 체험, 감성 마케팅' 전략도 커피 문화의 갈증을 해소함과 동시에 문화적 감성을 쓰다듬는 탁월한 해법이다.

오감 만족 시뮬레이션

시뮬레이션의 뜻을 아세요? 사전을 찾아보면 이렇게 정의되어 있습니다.
"여러 가지 현상이 복잡한 과정에 대하여 이와 유사하면서도 간단한 수치적, 물리적 모델을 사용하여 실험하고 그 결과를 계산적으로 처리하는 기법의 총칭"
좀 어렵게 설명되어 있지만 한마디로 말해 '모의 실험'이라는 말로 대치될 수 있지요. 최근엔 온라인 게임, 프로세스, 병원 등 다양한 분야에서 시뮬레이션 기법이 사용되고 있습니다.
이제부터 고객과 스타벅스 파트너(종업원)를 주인공으로 감성 마케팅의 키워드, 오감에 대해 시뮬레이션해보기로 하겠습니다.

고객이 느끼는 오감 시뮬레이션

가을이다. 낙엽이 지천으로 흔하다. 이효석의 〈낙엽을 태우면서〉라는 수필 구절이 나의 감성 끈을 잡는다. 커피 볶는 냄새라 했는가? 어떻게 그 시절에 그는 이런 경험을 했단 말인가….

타서 흩어지는 낙엽의 산더미를 바라보며 향기로운 냄새를 맡노라면 별안간 맹렬한 생활의 의욕을 느끼게 된다. 연기는 몸에 배서 어느 결엔지 옷자락과 손등에서도 냄새가 난다. 그가 느꼈을 갓 볶아낸 커피 냄새를 나는 맡고 싶다. 선잠을 깬 후 고작 내가 한 일은 따뜻한 커피를 위해 물을 데우는 일이었다. 왜 이런 행위가 부질없다고 느껴질까?

모처럼 발품을 팔며 거리를 걸었다. 가을의 무르익음의 생경한 느낌. 거리는 벌써 겨울 맞을 채비를 하고 있다. 정말 따뜻한 한잔의 커피가 그립다. 아니 그 갓 볶아낸 커피 향이 그리웠으리라. 발길은 어느새 찻집 앞에 섰다.

발견이라는 말이 더 어울리는 표현일까? 녹색 로고의 이색적인 여신, 사이렌이라고 했나? 고혹적인 느낌을 준다. 커피의 진한 향이 후각을 자극한다. 갓 볶아낸 커피의 신선함을 느낄 정도로 내 취향도 마니아 수준을 넘은 것 같다. 다소 철학적이지만, 특별한 분위기에 내 자신이 던져지는 충격이다. 하이테크하면서도 고전적인 인테리어가 벌써 나를 압도한다. 집과 직장을 떠난 그 이상의 화평함과 안온함, 갈색 벽과 가벼운 색조를 띤 카운터의 나무, 매끈하게 다듬어진 대리석, 순백색의 컵과 초록색 로고. 조화와 대조가 절묘하게 교차한다. 고급스러움, 현대적인 그 이상의 감성! 머그잔 하나도 예사롭지 않다. 편안한 감촉의 소파, 커피 한잔을 마시기엔 사치스러울 정도로 모든 것이 준비되어 있다. 계획되어 있다는 표현이 더 어울릴까? 언젠가 밀라노에서 맛보았던 에스프레소 향은 내내 입안에 머물며 나에게 새로운 경험을 주었다. 아!

커피 한잔이 이런 행복과 포만감을 줄 수 있구나….
오늘은 특별히 에스프레소에 바닐라 시럽과 우유, 카라멜 드리즐이 들어 있는 카라멜 마키야또를 즐기고 싶다. 취향은 늘 바뀔 수 있으니까. 어떤 음료를 마실지, 어느 정도의 양으로, 좋아하는 향은, 농도는? 나의 입맛에 맞춘 나만의 음료가 탄생하는 것도 꽤나 흥미로운 일이다.
실내엔 올드 팝이 흐르고 있다. 엘튼 존의 감미로운 노래…. 온갖 추억이 파도처럼 밀려온다. 어찌 보면 분주하게도 보일 움직임들, 그리고 정겹다고 느낄 소리…. 두런두런 바리스타와 나누는 고객의 대화, 발걸음 소리, 에스프레소 기계의 '쉬-' 하는 소리….
이곳의 바리스타는 항상 웃는 모습 그대로다. 그녀의 예리한 안테나는 그날그날 이야기의 소재를 찾아내고 있다. "오늘 향수가 매우 인상적이시네요." 그러면서 향수에 대한 자신의 취미, 에피소드, 지식 등을 이야기한다. 어찌 보면 그녀는 이 세상의 살아 움직이는 백과사전일지 모른다. 가끔 자신의 이야기도 비추면서 나에게 역으로 의견을 구할 때가 있다. 비록 짧은 시간이지만 그녀와 나누는 대화가 즐겁다.
통유리 저쪽 너머로 무심코 지나가는 행인의 뒷모습을 보며 생각에 잠긴다. 시간이 흘러도 누구 하나 눈치 주는 이 없다. 벌써 앞자리의 일행은 꽤 많은 시간을 즐기고 있다. 그렇다, 나는 차 한잔을 즐기는 것이 아니라 이 모든 것을 사랑하고 있다. 보고 느끼고 듣고 만지고… 이 모든 오감을 나는 누리고 있다. 이 무슨 호사란 말인가…. 어느덧 나는 에스프레소 향에 취해가고 있다.

바로 이것이 고객이 느끼는 오감 만족의 서비스입니다. 비록 짧은 에피소드 삽화로 그려졌지만 저희 매장에 오시면 느낄 수 있는 풍경입니다. 그렇다면 저희 파트너(직원)가 느끼는 오감 만족은 무엇일까요?

파트너가 느끼는 오감 시뮬레이션

사람들은 종종 나보고 커피 향을 닮았다고 한다. 그럴까? 그렇겠지. 난 거의 대부분의 시간을 커피 향 속에 지내니까. 참으로 신기하다. 매일 반복되는 일상에 권태나 일탈을 꿈꾸지 않으니…. 오늘은 녹색 로고가 새겨진 앞치마가 유난히 기분 좋게 느껴진다. 후후, 이쯤 되면 나의 감성도 알아줄 만하다.

아침 7시 오픈과 동시에 샐러리맨들이 밀려온다. 아침이라는 시간은 나에게 고객과 만나는 뜻 깊은 시간이다. K씨, 그는 늘 모닝 샌드위치에 카페라떼로 아침을 연다. 그가 들어서면 나는 그의 오랜 친구처럼, 연인처럼 그의 필요를 챙겨준다. 커피 향은 이미 우리의 얼어붙은 마음을 녹이고 있다.

오늘 음악은 뉴에이지 음악의 기수인 '야니'의 연주 음반을 트는 것이 제격이라는 생각이 든다. 예전 꽃다방의 DJ 오빠는 어떤 생각으로 곡을 선곡했을까? 별다방인 우리와 같은 마인드였을까?

테이블 건너 한 팀은 열띤 토론을 벌이고 있다. 아침 영어공부를 마친 젊은 이들이 우르르 밀려 들어온다. 그들은 누가 뭐라든 자신의 생각대로 움직이는 경향이 있다. 음료를 선택하고 마시는 동작까지 특이하다. 커피를 마시는 습관만 봐도 그들의 성격을 알 수가 있다. 가끔 에스프레소 머신을 구입하여 집에서 직접 만들어 먹는 '에스프레소 마니아'도 있다. 그들은 매장에 와서 전문적인 지식과 체험을 바탕으로 여러 질문을 던지기도 한다.

간혹 나이 드신 분들은 이런 이질적인 분위기에 당혹해하기도 한다. 그때마다 나는 하나둘 재미를 더해 설명을 한다. "처음이라 그래요. 재밌잖아요. 어르신의 취향대로 커피의 진수를 맛볼 수 있다는 것이…." 이렇게 해서 나의 단골이 되신 나이 지긋한 분들이 많다. 지금은 오히려 젊은이보다 더 적극적으로 에스프레소 커피를 즐긴다.

그날 그날 분위기에 따라 의자나 소파 배치를 바꾸기도 한다. 변화를 고객에게 드리는 것은 나에게 있어 고객중심의 서비스이니까…. 사람들은 나를 바리스타라 부른다. 고객과 대화를 나누고 고객의 취향대로 음료를 만드는 나의 일이 매우 자랑스럽다. 특히 동료인 파트너들과 일 가운데 나누는 대화가 좋다. 우린 우리끼리 애칭을 나눈다. 젊은 내가 이 자리에 서서 전문가로서 일을 한다는 자체가 나에게 강한 자부심을 불러일으킨다.

내일이면 커피 마니아들을 대상으로 하는 첫 강의를 한다. 실수해선 안 되는데…. 오늘 홈페이지에 들어가 그들과 먼저 대화를 나누어야겠다. 점장, 지역 매니저 등 앞으로의 내 삶의 목표도 잘 추스려놓아야겠다. 그러려면 고객에게 최상의 서비스를 다하는 '내'가 되어야겠지. 웃는 모습으로 늘 즐겁게 '예'라고 대답할 줄 아는 고객의 생각과 취향을 존중하는 서비스 기술을 통해….

이제 여러분은 그렇게 말로만 듣던 오감 만족의 서비스를 두 가지 예상 시뮬레이션을 통해 체험하셨습니다. 고객은 고객대로, 파트너는 파트너대로 커피 문화를 즐기는 공감대가 명확하다는 것도 아울러 느끼셨을 겁니다. 이제 감성 마케팅은 한 시대의 마케팅 코드로 자리잡고 있습니다. 이것이 저희의 핵심 경쟁력으로 오늘날의 스타벅스를 만들어왔습니다. 결론적으로, 저는 이것을 한마디로 '스타벅스다움'이라 표현하고 싶습니다.

스타벅스를 이렇게 여기까지 이끈 감성 마케팅 또는 오감 마케팅이란 시각, 청각, 미각, 후각, 촉각 등 오감으로 받아들이는 에스프레소 커피 문화의 체험입니다. 여기에 대해서 하나씩 알아볼까요.

시각

스타벅스 매장의 인테리어는 생두(green bean)가 한잔의 커피가 되기까지 거치는 4단계를 형상화하여 디자인되었습니다. 커피 원두의 생장을 뜻하는 밝은 풀색을 사용하여 나무와 땅 그리고 자연의 숨결을 느끼게 한 그로(grow) 컨셉트의 매장, 뜨거운 불 속에서 구워지는 원두를 빨간색으로 표현한 로스트(roast) 컨셉트의 매장, 파랑색을 사용하여 넓고 시원한 느낌의 도시적이고 이지적인 이미지를 표현한 브루(brew) 컨셉트의 매장, 그리고 노란색을 사용하여 밝고 아늑하고 따뜻한 분위기를 내는 아로마(aroma) 컨셉트의 매장으로 나누었습니다.

또한 매장 전면을 통유리로 하여 매장 안과 밖에서 볼 수 있게 하였는데, 고객들은 탁 트인 통유리를 통해 지나가는 사람들을 구경하기도 하고 커피도 마시면서 잠시 휴식을 취할 수 있습니다.

청각

매장 내 소리도 세심하게 관리하여 고객들의 청각을 자극합니다. 스타벅스 매장에서만 들을 수 있는 음악을 클래식, 재즈, 오페라, 블루스 등으로 다양하게 편성하고 계절 또는 분기별로 바꿔가며 들려줌으로써 마니아들에게 특별함과 친숙함을 주려고 노력하였습니다.

음악 외에 고객이 주문한 음료 이름을 바리스타에게 전달하는 소리, 에스프레소 기계의 '쉬~' 하는 소리, 바리스타가 필터 안의 커피 가루를 빼기 위하여 톡톡 치는 소리, 우유가 금속 피치 안에서 '치~' 하고 부글부글 끓어 오르는 소리 등 커피에 관련된 모든 소리를 최대한 강조하여 고객들이 커피 문화를 느낄 수 있도록 합니다.

후각

스타벅스 매장에서는 담배를 피울 수 없습니다. 이는 담배 연기 때문에 커피 향이 약해지는 것을 방지하기 위함입니다. 고객들의 후각을 자극하고 커피 향을 물씬 느낄 수 있게 하기 위해 매일 아침 매장 오픈 전 원두를 그라인딩해 커피 향이 매장 전체로 퍼질 수 있도록 합니다. 2002년 5월에 오픈한 삼성서울병원점은 병원 입구에 들어선 사람들에게 소독약 대신 향기로운 커피 향을 느낄 수 있는 색다른 경험을 제공해 화제가 되었습니다. 더불어 직원들은 스스로 금연 운동을 하고 있으며, 향수를 쓰는 것도 자제하고 있을 정도로 후각을 중시합니다.

촉각

손 안에 있는 컵이 따뜻하게 느껴질 수 있도록, 그리고 손이 가는 모든 곳에서 편안함을 느낄 수 있도록 의자의 스타일이나 진열대의 모서리, 마루결 구조까지 세밀하게 신경을 쓰고 있습니다. 또한 고객이 뜨거운 커피를 손쉽게 들면서도 컵을 감쌌을 때 부드러운 촉감을 느낄 수 있도록 골판지 재질의 슬리브를 컵에 덧씌웁니다.

미각

스타벅스는 고객의 입맛에 맞는 맞춤 커피를 제공하여 미각을 자극합니다. 고객은 자기의 취향에 맞게 첨가물을 선택, 조절할 수 있도록 되어 있습니다. 여러 가지 향과 저지방 우유, 휘핑크림 등을 첨가해 메뉴에 없는 자신만의 독특한 커피를 찾아 마실 수 있는 것입니다. 스타벅스에서 제공할 수 있는 커피 종류가 1만 9천 가지입니다. 메뉴에 없는 커피를 직접 만들면서 고객들은 자신의 미각 및 커피 지식에 대해 자부심을 느끼게 됩니다.

3 체험이 사람들을 열광시킨다

최근 불황 속에 기업들은 체험 마케팅을 무기로 소비자들의 지갑 열기에 나서고 있다.

이 전략은 제품에 대한 선전과 사용(체험) 후 구전 마케팅이라는 일석이조의 효과를 낳을 뿐 아니라 소비자가 미리 사용해보고 구매를 결정할 수 있으므로 양자가 서로 선호하는 방법론이기도 하다.

더불어 브랜드 이미지 형성에 가장 확실한 방법이므로 '품질'에 자신 있는 기업이 선호하는 경향이 있다. 얼마 전 GM대우가 업계 최초로 1천 명의 고객에게 1년간 무료 시승의 기회를 제공하는 행사를 가진 바 있는데, 이 행사에 45만 명의 사람이 몰려 신차 출시 이벤트로서 재미를 톡톡히 보았다.

이밖에 체험 마케팅 사례는 각 업종별로 그 범주를 넓혀 자동차, 비데, 보일러, 화장품, 가전제품, 이동통신 등 중소기업, 대기업을 막론하고 '불황 탈출'의 전가의 보도로 사용되고 있다. 최근 필자도 대형 쇼핑

몰에 '유비쿼터스'의 개념을 도입하면서 유비쿼터스 체험 이벤트를 구상한 바 있다. 물론 '스타벅스 체험'도 같은 경우이다.

그렇다면 왜 '체험 마케팅'이 시대를 이끌어가는 마케팅 트렌드로 부상하게 되었을까? 먼저 90년대로 거슬러 올라가 보면 소비재 시장이 성숙기에 접어들어 제품 생산 기술이 보편화됨에 따라 고객 만족 경영이 화두로 떠올랐다. 어느 기업이 고객에게 만족할 서비스를 제공하는가, 이것이 기업의 경쟁력이 된 것이다.

서비스? 좋다. 그런데 서비스는 경쟁사가 쉽게 모방해버린다는 단점이 있다. 이렇게 되니 '영원한 고객 만족'은 그림의 떡이 되어버렸다. 서비스만으로는 지속적인 차별화와 우월한 경쟁적 위치를 확보하기 힘들게 되었다. 이때 등장한 것이 체험 마케팅이다.

통상 전통적으로 기업은 제품 위주의 마케팅을 실시해왔다. 제품 위주의 마케팅에서는 제품의 혁신적 특성에 중점을 두고 있는데 여기서 좀 더 발전한 고객 지향적인 마케팅에서는 고객에게 제공되는 편익과 부가서비스를 판매하며, 더 나아가 체험 마케팅은 제품과 서비스를 동시에 소비하는 체험을 제공한다.

■ ■ ■

고객 만족 경영 customer satisfaction management 미국, 유럽, 일본 등 선진국에서 최근 도입된 개념으로 기업이 제공하는 상품과 서비스에 대한 만족도를 정기적으로 조사하여 그 결과에 따라 지속적이고 조직적으로 개선하여 보다 높은 고객의 만족을 구축하는 경영전략

고객 지향적인 마케팅 모든 기업은 고객의 욕구를 충족시킴으로써 기업의 목적을 달성시킬 수 있다고 생각하는 것. 즉 모든 기업은 소비자 또는 시장의 잠재적인 욕구와 필요를 발견하여 이를 적극적으로 제품 계획이나 프로모션 계획에 반영시켜야 한다는 마케팅 이념이다.

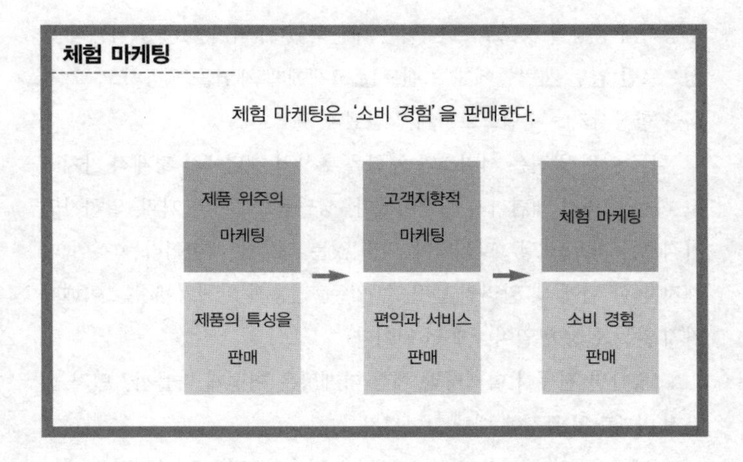

예를 들어 독특한 맛을 자랑하는 음식점의 경우 제품 위주의 마케팅이라면 고객 지향적 마케팅에서는 미각 충족과 더불어 친절한 서비스를 제공하는 형태이겠다. 그리고 최종적으로 체험 마케팅에서는 단순히 맛깔스러운 음식을 제공하는 차원을 넘어 총체적인 감각의 경험, 예를 들면 아름다운 테이블 세팅에서부터 식기, 음악, 조명, 의자와 가구, 인테리어에 이르기까지 최고의 감각적인 경험을 제공하는 것을 지칭한다. 따라서 '스타벅스 경험'도 신선하고 맛있는 커피 한잔에서 아늑하고 포근한 인테리어, 상냥하고 친절한 바리스타의 서비스까지 제품 이상의 체험을 말한다고 보아야 한다.

앞서 얘기한 대로 체험 마케팅은 브랜드, 이미지, 제품의 분위기가 간접적인 요소로 작용하여 홍보와 판매로 연결된다. 그중 브랜드는 1990년대부터 본격화된 마케팅 이슈로 '마케팅은 곧 브랜드 관리'라는 주장까지 등장할 정도로 그 위력은 대단하였다. 과거 상품을 기능적 특성으로만 알던 사람들에게 브랜드는 고객에게 체험을 제공하고 그 체험을 향상시키는 수단으로까지 발전했다.

결국 이런 발전은 서비스와 체험을 추상적 개념에서 경제적 가치라고 하는 구체적 개념까지 이끌어냈다. 생필품으로서의 커피, 말하자면 가격으론 파운드 당 1달러밖에 되지 않는 상품에 체험이라는 것이 더해지자 한 컵에 몇 달러씩 받을 수 있는, 전통적 마케팅에서는 이해가 가지 않는 현상이 일어나게 된 것이다.

그렇다면 전통적 마케팅과 체험 마케팅은 어떻게 다를까? 먼저 전통적 마케팅의 특징에 대해 알아보자.

첫째, 제품의 특징과 편익에 초점을 맞춘다. 전통적 마케팅은 대체로 기능상의 특징과 편익에 초점을 맞추고 소비자의 평가 선택이 이루어진다고 가정했다. 그러나 이것만으로 설명할 수 없는 구매 · 소비 현상이 존재한다.

둘째, 제품 범주와 경쟁을 좁게 정의한다. 전통적 관점에서 코카콜라는 죽으나 사나 펩시콜라가 경쟁 상대요, 맥도널드는 피자헛이나 스타벅스가 아닌 버거킹이나 웬디스가 경쟁 상대였다. 경쟁의 범위를 상당히 좁게 정의하는 경향이 있는데 과연 이것이 정석인지는 생각해볼 문제이다.

셋째, 고객을 합리적 의사 결정자로 가정한다. 20세기 경제학자나 마케터들은 소비자의 의사결정 과정이 욕구를 충족시키기 위한 합리적인 행동이라 간주하며 "욕구 지각→정보 탐색→대안 평가→구매→소비"의 단계를 거친다고 가정하였다. 그러나 실제로 이런 단계를 꼭 거치는 것은 아니다. 때로는 이성보다 감정이 앞서고 합리적이기보다는 충동적인 것이 소비자들일 수도 있다.

그렇다면 21세기 밀레니엄 시대의 새로운 마케팅 이슈인 '체험 마케팅'은 어떠할까? 우선 고객 체험을 중시한다. 고객 체험은 전통적 마케팅에서는 거의 신경을 쓰지 않는 데 반해 체험 마케팅은 구매 후 소비 과정이 브랜드에 막대한 영향을 미치며, 고객의 만족과 브랜드 충성도를 결정하는 중요한 요인으로 간주한다.

둘째로 실제 소비 상황을 철저히 연구한다. 체험 마케팅은 어떠한 제품이 이러한 소비 상황에 맞는지, 어떻게 하면 제품이나 포장이나 광고가 이러한 소비 경험을 더 승화시킬 수 있는지, 소비 상황이 고객들에게 어떠한 의미를 주는지 등을 연구하여 시너지 효과를 발생시키려 한다.

셋째, 고객은 이성적이면서 감성적인 동물이라는 점을 인정한다. 체험 마케팅은 소비자들이 이성적일 뿐 아니라 감정적 존재라고 가정한다. 소비자는 이성적인 선택을 하지만 종종 감정에 이끌려 움직이며 소비 경험을 통해 환상과 느낌, 재미를 추구한다.

이밖에 체험 마케팅은 다양한 방법과 도구를 사용한다. 예를 들면 분석적이고 계량적일 수도 있고 직관적이고 질적인 방법론도 사용될 수 있다. 또한 포커스 그룹, 심층 인터뷰 설문지 등의 전통적 방법도 예외는 아니다. 브랜드 또한 전통적 접근법에서는 제품의 표사물로 취급하지만 체험 마케팅에서는 표시와 식별 기능을 넘어서 경험과 체험의 요인으로 제공한다.

'전략적 체험 모듈'이라는 용어를 접해본 적이 있는가? 말하자면 체험은 서로 다른 유형으로 세분화될 수 있으며 이들 각각은 고유한 구조와 과정을 갖고 있다는 것이다. 이는 〈체험 마케팅〉의 저자인 번트 슈미트(Berndt Schmitt)의 학설로서 체험의 여러 가지 유형들을 마케팅의 전략과 목적을 구성하는 '전략적 체험 모듈'로 간주해야 한다는 것이다.

전략적 체험 모듈

전략적 체험 모듈(기준)은 감각(sense), 감정(feel), 인지(think), 행동(act), 그리고 관계(relate)로 구성되어 있다.

부연하여 전략적 체험의 기준인 요소들을 하나둘 구체적으로 살펴보자.

감각(sense)

감각 마케팅은 감각적 체험을 제공한다. 즉 시각, 청각, 후각, 촉각, 미각의 오감을 자극하여 고객들에게 감각적 체험을 창조하려 한다. 이를 적절히 운영만 하면 기업과 제품을 차별화하고 고객에게 동기를 부여하며 가치를 전달하는 강력한 감각적 경험을 일으킬 수 있는데 스타벅스가 바로 이 경우에 해당된다.

감정(feel)

감성 마케팅은 브랜드와 관련된 다소 긍정적인 감정에서부터 즐거움과 자부심 같은 강한 감정에 이르기까지 감정적 체험을 창출하기 위해 사람의 느낌과 감정에 소구한다. 따라서 이 마케팅을 수행하기 위해서는 어떤 자극이 어떻게 특정 감정을 유발할 수 있는지 이해해야 할 뿐더러 감정의 수용과 이입에 참여하려는 소비자의 자발성을 유도해야 한다. 그 예로는 모토로라와 노키아를 들 수 있는데 전자가 제품의 특징과 편익에 소구하고 있는 반면 후자는 여러 주요 요소들을 이용해 감각기관을 자극하는 마케팅을 활용했다. 커다란 액정화면과 좋은 느낌을 주는 접촉면의 디자인, 다양한 색상 연출로 소비자의 감정을 이끌어낸 것이다.

노키아 감각기관을 자극한 마케팅으로 소비자의 호응이 대단했다

인지(think) |

인지 마케팅은 고객들에게 창조적인 인지력과 문제 해결책 체험을 제공하는 것을 목적으로 지성에 호소한다. 다시 말해 '인지적 체험'이 목적이다. 이를 위해 놀라움, 호기심, 흥미를 통해서 고객이 수렴적 또는 확산적 사고를 갖도록 한다. 이런 류의 캠페인은 주로 신기술 제품에 보편적으로 사용되는데 이는 하이테크 제품에만 국한되지 않는다. 인지 마케팅은 여러 산업의 제품 디자인, 소매업, 그리고 커뮤니케이션 분야에서 사용되고 있다.

행동(act) |

행동 마케팅은 고객의 육체적 체험과 라이프 스타일, 그리고 상호작용에 영향을 미치는 것을 목표로 한다. 이는 영화배우나 유명한 운동선수 같은 역할 모델에 의해 유도될 수 있다.

관계(relate) |

관계적 마케팅은 다른 사람과의 관계 형성을 체험하게 하는 '관계적 체험'을 통해 개인적 체험을 증가시키고 개인으로 하여금 이상적인 자아나 타인 문화 등과 연결시켜줌으로써 고객의 자기 향상 욕구를 자극한다. 관계 캠페인은 자기 발전을 위한 개인적 욕망에 소구하며 다른 사람들에게 긍정적으로 인식되고 싶은 욕구에 소구한다. 또한 사람들을 더 넓은 사회적 시스템과 연관시켜 강력한 브랜드 관계와 브랜드 공동체를 형성하기도 한다.

미국인들의 자유분방함을 표방하는 할리데이비슨(Harley Davidson)을 보면, 주말 교외에서 벌어지는 경주에 수천 명의 모터사이클광이 모인다. 할리는 바이커(biker)들이 팔과 그들의 온몸에 로고로 문신하게 할 만큼 강력한 관계를 맺게 한다.

체험 마케팅은 체험한 후 유통되므로 효과가 크고 반품이 적으며 구전효과가 있어 별도의 광고비 없이 홍보가 이루어진다는 장점이 있다. 물론 소비자 입장에서는 제품 또는 서비스보다는 경험에 초점을 맞춘 다양한 부가가치를 얻을 수 있어 더욱 좋다.

그러나 제품 개발에 대한 사전 예비 조사비와 시간이 많이 소요된다거나 제품 사용 후 구입하지 않을 시 발생되는 제품 이상에 대한 위험부담과 기업 간의 지나친 경쟁으로 피해가 발생할 수 있다는 약점이 있다. 이밖에 환상, 느낌, 재미에 치우쳐 합리적이고 이성적인 구매가 곤란하다거나 충동구매할 가능성이 있는 것도 단점으로 지적되고 있다.

마지막으로 체험 마케팅의 원칙이 무엇인지 알아보기로 하자.

1 '지속성' 있게 실시해야 한다. 우리나라의 브랜드들은 너무나 단기 전략 위주로 관리되어왔고 장기적 체험 전략은 존재하지 않는다.

2 '일관성' 있게 실시되어야 한다. 이 말은 여러 종류의 다양한 수단들이 사용되고 그 수단들이 제공하는 체험에는 통일성이 있어야 한다는 말이다. 예를 들면 1차 마케팅 캠페인에서 전달했던 브랜드 컨셉트와 2차 마케팅 캠페인에서 전달하고자 하는 컨셉트가 일관성이 있어야 한다.

3 '정교'해야 한다. 스타벅스의 경우 로고와 색상, 매장의 전체적인 톤(tone)이나 종이컵 디자인과 커피 봉지, 계산대, 진열된 머그컵 등이 일관성 있고 정교하게 설계되어 매장을 찾은 손님에게 스타벅스만의 미학적 분위기를 체험하게 한다.

이제 제품의 특징과 편익만을 강조해온 전통적 마케팅과 달리 고객에게 총체적 체험을 파는 새로운 마케팅 패러다임 '체험 마케팅'이 핵심 요소로 부상하고 있다. 아울러 이 흐름은 우리에게 '물건을 팔지 말고 체험을 팔라'고 귀띔해주고 있다.

모든 감각을 자극하는 스타벅스 체험

지난날에는 물건만 튼튼하게 잘 만들면 팔렸습니다. 품질만 좋으면 잘 팔리는 시대였죠. 그러나 이제 품질은 더 이상 차별화되는 요인도, 물건이 잘 팔리는 세일즈 포인트도 되지 않습니다. 품질은 기본이고, 남보다 색다른 체험을 고객에게 제공하는 자만이 시장을 이끌어갈 수 있는 시대에 우리는 살고 있습니다.

스타벅스는 이런 체험의 요소를 적절히 잘 배합하고 있습니다. 단 1개의 소매점에서 출발한 스타벅스는 제너럴 푸드, 네슬레 등 쟁쟁한 커피산업의 선두주자를 제치고 오늘날 9천 개의 매장을 거느린 최고의 커피 브랜드로 성장하게 되었는데 이 모두가 상품보다는 경험에 의한 것이라 말할 수 있습니다.

〈감성 디자인, 감성 브랜딩〉의 저자 마크 고베는 감성적 브랜딩을 위한 10계명을 거론하면서 현 시대는 상품보다는 경험을 구매하는 트렌드를 보이고 있다고 설명하였습니다. 그는 특별히 상품과 경험을 구분하여 설명하면서 상품은 필요(needs)를 충족시키지만 경험은 욕구(wants)를 만족시킨다고 했습니다. 필요를 위한 구매는 가격과 편리함에 의해 결정되지만

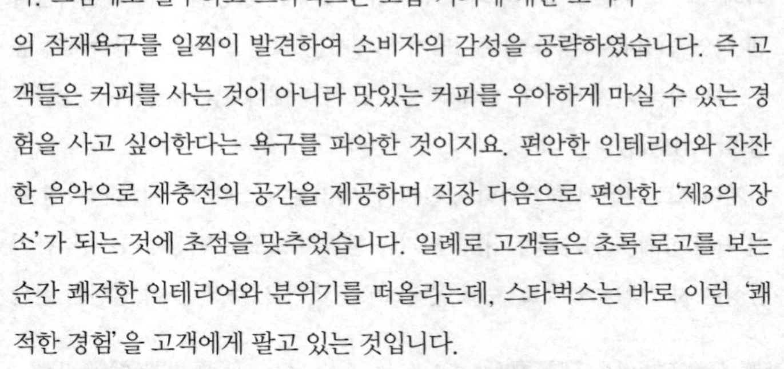

경험은 필요 차원을 넘어 소비자의 감성적 기억에 머문다는 것이었습니다. 그리고 사운드 존이나 암벽등반용 구조물 등을 예로 들면서 감성적 브랜딩의 특성을 보다 구체화하였지요.

스타벅스로 다시 돌아와서, 1970년대 미국의 커피 시장은 소비량이 지속적으로 감소하는 사양산업이었습니다. 그럼에도 불구하고 스타벅스는 고급 커피에 대한 소비자의 잠재욕구를 일찍이 발견하여 소비자의 감성을 공략하였습니다. 즉 고객들은 커피를 사는 것이 아니라 맛있는 커피를 우아하게 마실 수 있는 경험을 사고 싶어한다는 욕구를 파악한 것이지요. 편안한 인테리어와 잔잔한 음악으로 재충전의 공간을 제공하며 직장 다음으로 편안한 '제3의 장소'가 되는 것에 초점을 맞추었습니다. 일례로 고객들은 초록 로고를 보는 순간 쾌적한 인테리어와 분위기를 떠올리는데, 스타벅스는 바로 이런 '쾌적한 경험'을 고객에게 팔고 있는 것입니다.

스타벅스는 고객과 파트너(직원)의 체험을 무엇보다 소중하게 여기고 있습니다. 고객에게는 맛과 서비스 그리고 분위기에 따른 스타벅스만의 경험을 제공합니다. 특히 맛의 경우 스타벅스의 브랜드력을 강화하는 중요한 역할을 하는데, 이를 위해 엄격히 통제된 품질 기준을 갖고 있습니다. 아울러 최고의 원료를 위해 정기적인 세계 탐방여행은 물론 배전, 블랜딩, 진공팩 포장 등의 노하우로 고객에게 맛의 체험을 만끽하게 합니다.

그리고 누누이 설명드렸지만, 바리스타 등의 전 직원에게 스타벅스만의 세밀하고 정교한 서비스 교육을 통해 고객에게 최고의 서비스를 직접 느끼게 합니다. 특히 감성에 따라 제품을 구매하는 20~30대 젊은 층, 즉 자신의 기준에 따라 삶을 살아가고 자유롭고 진보적인 사고를 가진 소비계

층의 눈높이를 맞추기 위해 이들과 동일한 파트너를 채용합니다. 한마디로 말씀드리면 감성은 감성으로 맞이한다는 거지요. 한국 스타벅스가 여대 앞을 1호점으로 선정한 것도 다 감성 마케팅의 주체를 염두에 둔 접근 전략이었습니다.

아울러 직원 채용 시 스타벅스의 경험이 풍부한 사람을 우선적으로 채용하여 직원이 곧 고객이 되는 사이클을 형성하였습니다. 그리고 직원의 복리혜택과 교육을 통해 커피와 브랜드를 대표하는 훌륭한 대사로서 거듭나게 하였습니다. 고객을 만족시키기 위해서는 직원 스스로가 만족하며 높은 자부심을 가지게 하기 위해 최선의 노력을 해야 한다는 것을 경영진은 잘 알고 있었습니다.

마지막으로 분위기를 체험하게 합니다. 여러분이 스타벅스에 들어가면 우선 커피 향에 도취하게 됩니다. 커피와 함께 떠오르는 단상들…. 여러분의 감성은 자극받게 되지요. 보고, 만지고, 듣고, 냄새를 맡는 이 일련의 진한

체험들…. 도발적이라고 표현해야 할까요, 아니면 암시적이라고 해야 할까요. 스타벅스는 커피 향을 지키기 위해 매장 내에 흡연을 금지시키고 인공 향 나는 커피도 일절 판매하지 않습니다. 또한 수프, 훈제고기, 요리된 음식도 물론 판매를 하지 않지요.

맛을 느끼셨다면 여러분의 청각도 소리에 민감하게 반응할 것입니다. 재즈, 오페라, 클래식…. 마음 한편이 편안해져오고 어떤 대화라도 무르익게 됩니다. 추억의 팝송, 클래식, 그곳에 담긴 추억, 그리고 한잔의 커피를 만들기 위해 움직이는 바리스타의 손놀림과 기계음이 묘한 조화를 이룹니다. 마치 어느 응접실에 온 것 같은…. 굳이 제3의 장소라고 강조하지 않아도 고객에겐 편안함 그 자체입니다. 안락한 의자, 진열대 모서리, 갈색 톤의 인테리어….

이렇듯 스타벅스는 고객에게 스타벅스만의 체험과 이야기를 제공하고 있습니다. 이 모든 것이 철저한 관리에 의해 유지되고 있으며 결론적으로 매뉴얼화되고 있습니다. 자칫 체험이나 감성을 얘기할 때 일회성이나 우발성에 의해 발생하는 것으로 생각하기 쉬운데 스타벅스는 고객의 체험도 매뉴얼화하고 있습니다.

물론 이 매뉴얼에는 맛을 표준화하기 위한 다양한 내용이 실려 있지요. 커피 만드는 순서부터 커피를 내리는 시간까지 부 재료에서 원료 배합까지, 그리고 사용하는 기계의 정보 등 커피와 관련된 것들 말이죠. 여기까지는 통상 기업들의 매뉴얼과 크게 다르지 않습니다. 그러나 스타벅스는 그 외에도 서비스의 표준을 만들어 매뉴얼화하여 교육시키고 있습니다. 예를 들면 매장 내 인테리어에서부터 직원들의 복장이나 차림새, 인사하는 법, 대기 중인 손님을 응대하는 요령, 고객의 의견을 처리하는 요령에서 심지어 짜증내는 동료에게 용기를 북돋워주는 기술 등 세세한 항목까지 제시하고 있습니다. 이렇게 매뉴얼화하게 되면 시행착오를 거쳐 합리적인 방향으로 수정되며 고객은 일관된 서비스를 받을 수가 있겠죠.
스타벅스의 프로그램 중에 '스타스킬스'라는 것이 있습니다. 이 프로그램의 목적은 수직 관계가 아닌 수평 관계를 유지하도록 하기 위한 것입니다. 이를테면 부하직원들에게 지시할 때 명령하는 투로 하지 않고 의향을 물으며 그 직원의 상황에 맞게 처리합니다. 아울러 업무 도중 실수를 하더라도 일방적인 문책보다는 융통성 있게 대화로 풀어갑니다. 이런 프로그램에 의해 직원은 자신이 회사의 소모품이 아니라 꼭 필요한 존재라는 느낌과 상사로부터 존중받고 있다는 자부심을 갖게 되고, 이것이 곧 고객에게 이어지고 있다는 거지요.
자신의 일터를 자랑스럽게 생각하고 그 일터를 찾는 고객에게 최고의 경험과 체험을 제공하려는 서비스 정신, 바로 'Just say yes'라는 캐치프레이즈를 내걸고 고객의 마음을 읽으려는 스타벅스 파트너들의 장인정신입니다. 지금도 스타벅스와 고객 간의 잊을 수 없는 체험의 순간들이 계속 이어지고 있습니다. 커피 한잔, 그 이상의 이야기와 가치를….

4 스타벅스는 알고 있었다, 관계 맺기에 목마른 사람들을

〈커피 한잔에 담긴 신화〉의 내용을 보면 하워드 슐츠 회장이 만난 이탈리아 바리스타의 모습이 무척 인상적이었음을 느끼게 하는 구절이 있다.

고객과 즐겁게 대화를 나누고 있음은 물론 에스프레소 커피를 뽑아내고 우유를 데우는 행위까지 특별했으며 그 자체가 고객과의 커뮤니케이션, 나아가 유대감을 강화하는 브랜드로 존재했다.

우리는 여기서 지나칠 수 없는 고객 밀착 관리의 유형을 엿볼 수 있다. 1:1 밀착 관리 말이다. 원투원 마케팅…. 이쯤 하면 고객 밀착 관리에서는 고객과의 교제 관계를 추구할 뿐더러 그들 스스로가 특정 고객임을 확인하는 여러 서비스를 공급받게 한다.

그렇다면 호의적인 고객관계를 구축하기 위해서는 어떤 방법을 동원해야 할까? 지금부터 8가지 방향을 두고 설명드리겠다.

고객 각각에 대해 개별적인 접근 방식을 취한다

이 말은 고정고객에 대해서 가능한 한 많은 정보를 숙지하고 개별적으로 대해야 한다는 것으로, 여기에는 고객 분류에 따른 선별적 관리가 뒤따라야 한다. RFM 즉 최근에 언제 구매하였는가(recency), 얼마나 자주 구매하는가(frequency), 얼마나 많이 구매하는가(monetary base)를 기준으로 분류된다.

고객은 우선 크게 기존 고객과 잠재 고객으로, 기존 고객은 현재 고객과 과거 고객으로 나뉜다. 또한 잠재 고객은 신규 고객과 미래 고객으로 나뉘는데 신규 고객은 처음 구매 후 일정 기간 동안 특별한 관심이 필요한 고객이고 미래 고객이란 아직까지는 거래가 없으나 미래에 타깃이 될 만한 고객을 일컫는다. 물론 여러 기준에 따라 고객의 성향도 세분화되겠지만 고객 정보에 따라 대응하는 방법이 저마다 달라야 한다.

고객접점의 최 일선에 나가 있는 판매원들은 종종 자신의 사고방식이나 행동양식을 고집하는 경향이 있다. 이를테면 고객이 어떤 사람이냐에 관계없이 자기에게 익숙한 방식대로 밀고 가는 식이다. 그러나 판매원이 소비자의 심리 유형별 구매 특성을 잘 이해하면 소비자의 욕구를 더욱 잘 충족시킬 수가 있다.

혹 MBTI(Myers-Briggs Type Indicator)를 아는가? 수십년간 '인간관찰'을 통하여 심리유형을 알아낼 수 있도록 만든 성격검사로, 이를 훈련하다 보면 고객을 마음으로 이해하고 고객의 주파수에 맞추어 깊은 감동까지 이끌어낼 수가 있다.

다음 도표를 참고하자.

MBTI 심리 유형 8가지

1. MBTI에서는 자신의 심리적 에너지를 주로 어느 방향으로 쓰는가에 따라 외향형(Extraversion)과 내향형(Introversion)으로 구분한다.
2. 사람이나 사물을 인식할 때 어떤 방식으로 하는가에 따라 감각형(Sensing)과 직관형(Intuition)으로 구분한다.
3. 판단을 내릴 때 무엇을 근거로 하느냐에 따라 사고형(Thinking)과 감정형(Feeling)으로 구분한다.
4. 어떠한 생활 양식을 더 좋아하느냐에 따라 판단형(Judging)과 인식형(Perceiving)으로 구분한다.

외향형 ↔ 내향형 ; 주의 초점

- 외향형은 주로 외적 세계를 지향하여 폭넓은 대인관계를 유지하며, 정열적이고 활동적일 뿐만 아니라 흥미 분야도 다양하다. 여러 사람과 동시에 대화하기를 좋아한다.
- 내향형은 내면에서 일어나는 생각과 감정 등에서 에너지를 끌어내므로 조용한 시간을 가질 때 기력이 회복된다. 이들은 생각한 다음에 행동하며 소수의 흥미 분야에 몰입하여 깊은 시야를 갖는다. 외향형과 달리 1:1의 대화를 즐긴다.

감각형 ↔ 직관형 ; 인식기능

- 감각형은 오관을 통해 받아들인 것을 더 신뢰하는 경향이 있다. 아울러 실제의 경험이나 사실을 중시하며(현실적, 실용적) 순서에 입각하여 업무를 꼼꼼히 처리한다. 단 결점은 나무를 보되 숲을

보지 못하는 경향이 있다.

- 직관형은 큰 그림을 파악하고 그 안에 내재된 패턴을 이해하려고 애쓴다. 육감에 의존하고 미래의 가능성이나 의미를 두나 세밀한 사항은 종종 간과하는 실수를 범하기도 한다. 새로운 일이나 복잡한 일에 겁없이 뛰어드나 뜬구름 잡는 황당한 일도 시도하곤 한다.

사고형 ↔ 감정형 ; 판단기능

- 사고형은 어떤 선택이나 행동에 대한 논리적인 결과들을 예측하여 의사를 결정한다. 또한 진실과 사실에 관심을 갖고 호 · 불호를 떠나 원리 원칙에 입각하여 생각하며 공평성이 중요한 가치기준이 된다.
- 감정형은 자신과 다른 사람들에게 무엇이 중요한지 관계에 초점을 두고 의사 결정 시 상대방 감정에 어떤 영향을 주는지 깊이 고려한다.

판단형 ↔ 인식형 ; 생활양식

- 판단형은 분명한 목적과 방향이 있으며 불분명한 상태를 힘들어 한다. 또한 일을 마무리 짓는 것을 좋아하고 이를 계획에 따라 추진하고 준비한다.
- 인식형은 상황에 따라 유연하게 적응하고 그때 그때 임기응변 식으로 헤쳐나가는 융통성이 있다.

위의 4가지 지표를 상호 작용시켜 조합하면 16가지 유형으로 나타나는데 이는 소비자와 판매자의 성격 특성을 파악하는 데 큰 도움이 되며 개별적인 접촉 시 유용하게 사용된다.

16가지 성격 유형

		감각형(S)		직관형(N)	
		사고형(T)	감정형(F)	감정형(F)	사고형(T)
내향성 (I)	판단형(J)	ISTJ	ISFJ	INFJ	INTJ
	인식형(P)	ISTP	ISFP	INFP	INTP
외향성 (E)	인식형(P)	ESTP	ESFP	ENFP	ENTP
	판단형(J)	ESTJ	ESFJ	ENFJ	ENTJ

위에서 얻어진 고객 정보를 데이터 베이스에 입력하거나 마케팅 정보 시스템에 반영하여 활용하는 것도 매우 바람직한 방법이다. 일례로 신라호텔이 아시아 최고의 호텔 반열에 오르게 된 것은 직원들이 고객에 대해 충분히 연구하고 노력한 결과라고 한다. 고객의 이름과 취향, 성격 등을 통해 그들은 고객의 감동을 이끌어낸다.

고객의 소리에 귀를 기울인다 |

스타벅스가 오늘날 세계적인 일류 브랜드가 된 것은 소비자의 욕구와 필요에 민감하게 반응했을 뿐더러 이를 충족시킬 서비스를 과감하게 기획, 적용했기 때문이다. 아울러 그 서비스가 만족스러웠는지, 개선할 점은 없는지 묻고 또 물어 반영했다.

고객에 대한 충분한 지식을 갖고 취향과 욕구에 맞춰 서비스를 제공한다

얼핏 보면 첫 번째 사항과 유사하게 느껴질지 모르지만, 고객에 대한 지식을 잘못 오판하여 실패한 기업들의 사례는 너무나 많다.

그중의 한 예가 리바이스가 청바지 외의 다른 바지, 고급 자켓, 스키복 등을 생산한 것이었다. 그들은 리바이스 상표만 붙으면 어떤 종류의 제품이건 불티나게 팔릴 것이라 예상했다. 물론 그럴 만도 한 것이, 미국에서 리바이스 하면 청바지라고 생각하는 것이 통념이었으니까. 그러나 결과는 실패였다. 소비자는 'Levi's=청바지'라는 의식만 있을 뿐 자켓이나 스키복도 좋을 거란 생각은 하지 않았다.

미국에서 쥐덫을 가장 많이 제조 · 판매하는 '울워스'라는 회사는 종래의 나무로 된 쥐덫을 플라스틱으로 바꾸는 일대 제품의 혁신을 시도한 적이 있다. 새로 나온 플라스틱 쥐덫은 모양도 기존 것보다 나았고 쥐도 잘 잡히며 위생적이었다. 값도 종래의 나무 제품과 그리 차이가 나지 않았다. 그러나 플라스틱 쥐덫은 어쩐지 한번 쓰고 버리기가 아깝다는 생각을 소비자에게 심어주었다. 따라서 소비자에겐 잡힌 쥐를 버리고 쥐덫을 깨끗이 세척해야 하는 즐겁지 않은 일이 생기게 되었다. 그러자 고객은 이 귀찮은 일을 하기 싫어하고, 피하기 위해 나무 쥐덫을 더 선호하게 되었다. 고객보다는 제품을 사랑한 결과이다.

리바이스　고객에 대한 지식을 오판하여 실패한 전례가 있는 청바지 브랜드

예의를 갖추고 존경하는 마음을 보인다 |

설령 고객의 의견에 동의하지 않더라도 고객의 관점과 욕구를 이해하도록 노력해야 한다. 이러한 예의는 고객이 재구매하는 결정적인 요소가 될 수 있다.

고객의 마음을 헤아린다 |

항상 고객이 무엇을 바라는지 생각해야 한다. 감정이나 행동을 고객의 입장에서 생각하고 문제가 발생되면 적극적으로 해결책을 찾는 게 좋다. 애플의 창시자 스티브 잡스의 '넥스트'는 탁월한 컴퓨터임에도 불구하고 구매자에게 너무 비싸게 여겨져 시장에서 참담한 실패를 맛보아야 했다.

신속한 대응을 한다 |

고객의 관심이나 요구사항, 욕구 등을 가능한 한 빨리 해결해주도록 노력한다. 만일 실수라고 판단될 때에도 지체 말고 그 대안을 제시해주어야 한다.

고객의 의견을 묻는다 |

고객이 좋아하거나 필요로 하는 것은 고객에게 물으라. 그리고 그 반응을 기초로 서비스를 결정하라.

열성을 보인다 |

간혹 고객이 무리한 요구를 하더라도 힘들어하거나 부정적인 행동을 보여서는 안 된다. 고객의 불평을 고객 유지나 기업 성장의 기회로 삼는 것은 바람직한 전략이다.

결론적으로 말해 정보사회에는 과거 산업사회와 달리 고객을 중심으로 깊이 있고 효율적인 마케팅의 변화가 일어났다. 고객과 가까이 하고(밀착), 고객에게 감동을 주며, 브랜드를 아끼는(충성도) 일들이 기업이 해결해야 할 난제로도 남아 있다. 스타벅스의 5P 중 한 요소인 피플, 즉 사람도 분석해보면 고객관계 마케팅의 전략적인 부분과 접목되어 있음을 발견하게 된다. 우리는 여기서 왜 하워드 슐츠 회장이 스타벅스의 브랜드요 자랑으로 바리스타를 내세웠는지 그 이유를 알 수 있다.

멀티미디어 세계의 마케팅 변화

	산업사회	정보사회
고객에 대한 관점	표적(taget)	동반자(partner)
마케팅 개념	판매/제품 지향적	고객 지향적
마케팅 시스템(패러다임)	거래 마케팅	연결 마케팅
마케팅 전략	매스 마케팅	다이렉트 마케팅(1 : 1)
마케팅 목표	판매 극대화	고객만족 극대화, 장기적 이익 최대화
경쟁력 원천	상표자산	고객자산(고객고정화)
커뮤니케이션의 개념	고객에게 도달, 설득(일방향)	고객과의 대화, 협력(쌍방향)
미디어 개념	Broad Casting	Narrow Casting
활용 매체	대중매체	온라인 매체, 대인매체
주요기반, 도구	재무적 자원, 인력	정보, 데이터베이스

■ ■ ■
내로 캐스팅 narrowcasting 케이블 TV의 발전에 따라 활용된 TV 서비스의 새로운 개념으로, 지역적 또는 계층적으로 한정된 시청자를 대상으로 한다

바리스타

커피 전문가와의 기분 좋은 만남

〈스타벅스, 커피 한잔에 담긴 성공신화〉에 보면 하워드 슐츠 회장이 만난 이탈리아 바리스타에 대한 언급이 있습니다.

나는 도착한 다음날 호텔에서 단지 15분 거리에 있는 트레이드쇼에 가기로 맘을 먹었다. 걷기를 좋아하는 나에게 밀라노는 완벽한 곳이었다. 막 출발했을 때, 나는 작은 에스프레소바를 보았다. 내부를 둘러보기 위해 안으로 들어가자 문 옆에 있던 캐셔가 미소를 지으며 고개를 끄덕였고 카운터 뒤에서는 키가 크고 마른 사람이 "본 조르노" 하고 밝게 인사를 건넸다.
그가 금속 막대를 밑으로 누르는 순간 스팀이 '쉭' 하고 커다란 소리를 내면서 빠져나갔다. 그는 카운터에 서 있는 세 사람 중 한 사람에게 도자기로 만든 데미타세에 에스프레소를 담아 건넸다. 다음에는 완벽한 하얀 거품이 떠

■ ■ ■
데미타세 demitasse　　작은 커피잔

있는, 손으로 만든 카푸치노가 나왔다. 내내 고객과 즐거운 대화를 나누던 바리스타는 너무도 우아하게 움직였기 때문에 마치 커피 원두를 갈고 에스프레소를 뽑아내고 우유를 데우는 일을 동시에 하는 것 같았다. 매우 인상적인 장면이었다.

"에스프레소?"

그는 방금 자신이 만든 에스프레소 잔을 내밀고 검은 두 눈동자를 반짝이며 내게 물었다. 나는 저항할 수 없었다. 손을 내밀어 잔을 잡고는 한 모금 마셨다. 강하고 관능적인 맛이 혀를 스치고 지나갔다. 세 모금째는 그러한 맛은 지나가고 따뜻함과 에너지를 느낄 수 있었다.

스타벅스 매장에 가면 바리스타를 만날 수 있습니다. 먼저 캐셔에게 다가가 주문을 하면 이어 에스프레소 기계의 '쉬~' 하는 소리와 필터 안에 있는 커피 가루를 빼기 위해 톡톡 치는 소리, 우유가 금속 피처 안에서 부글부글 끓어 오르는 소리들이 들리고, 스타벅스만의 정겨운 풍경을 접할 수 있는데 이를 연출해내는 주연은 바로 바리스타입니다.

바리스타는 고객과 1:1 커뮤니케이션을 통해 고객만을 위한 커피를 정성껏 만들 뿐 아니라 일상의 대화를 통해 친밀감을 느끼게 합니다. 스타벅스가 충성도가 높은 마니아를 갖는 것은 다 이런 이유입니다.

이들은 입사하면 철저한 교육을 이수하게 되는데 커피에 대한 교육에서 서비스 교육까지 받습니다. 자체 교육 시설과 프로그램을 통해 신입사원 교육뿐만 아니라 승진할 때마다 재교육을 받으며 직급에 따라 별도 교육을 받습니다. 단시간 근무자(아르바이트)라 할지라도 정해진 교육과정을 이수해야 합니다. 단 하루를 스타벅스에서 근무하더라도 말입니다.

교육센터와 매장에서 이론과 실습 교육을 받는데, 이론 교육은 주로 커피에 대한 지식 · 상품에 대한 지식 · 고객 서비스에 대한 내용으로 구성되어 있습니다. 이러한 교육은 아르바이트부터 최고 경영자까지 전 직원이 다 받는 필수 과정입니다. 매장 실습을 할 때 주문을 받고 카페라떼를 고객에게 만들어드리자 의아한 듯한 눈길로 저를 쳐다보던 것이 기억납니다.

특히 가장 중점을 두고 교육하는 부분은 현장에서의 커피를 만드는 시간 엄수라 할 수 있습니다. 적어도 고객이 커피를 주문하는 순간부터 서빙하는 순간까지 1분 30초를 넘겨서는 안 됩니다. 이런 신속한 서비스와 다정

다감하고 세심한 바리스타의 태도가 스타벅스의 가장 큰 자산이라 할 수 있습니다.

만일 여러분이 초콜릿 케익과 더불어 마실 커피가 어떤 것인지, 손님들에게 과일 대접 후 마실 커피는 또 어떤 것인지 궁금하다면 주저하지 말고 물어보십시오. 커피에 대한 거의 모든 것을 알고 있다고 해도 과언이 아닐 바리스타에게 좋은 조언을 들을 수 있을 것입니다.

그들은 한마디로 커피에 관해서는 최고의 전문가입니다. 솔직히 이렇게 되기까지는 하워드 슐츠 회장의 남다른 경영철학과 정교하게 준비된 프로그램이 있었습니다. 그는 상품의 홍보보다는 직원 교육비로 많은 비용을 지출했습니다. 이는 자신들이 커피를 서빙하는 사업이 아니라 커피를 서빙하는 사람 사업에 종사하고 있다고 믿었던 신념의 결과였습니다.

커피를 서빙하는 사람—바리스타들이 최고의 제품과 서비스를 제공할 수 있도록 교육 · 훈련을 하고 종업원 만족이 고객 만족으로 연결된다는 신념하에 제반 복리후생, 심지어 파트타이머들에게까지 스톡옵션을 부여하는 등 종업원 만족도가 최고가 되도록 해왔습니다.

스타벅스에 대한 열정과 지식을 고객에게 전해주는 파트너, 바리스타에게 주어진 사명감과 기대는 타 기업이 종업원들에게 거는 기대와 비교가 되지 않을 정도로 큽니다. 스타벅스의 브랜드는 바리스타에게 달려 있다 해도 과언이 아니니까요.

내가 접한 그들의 24시간짜리 교육 프로그램은 매우 특별했습니다. 입사 첫날부터 바리스타는 스타벅스의 가치 중심 문화와 고객 존중의 중요성을 깨달아야 하며 현장에서 일어날 수 있는 시나리오를 스스로 해결해야 합니다. 이들을 교육하는 트레이너는 현장경험이 풍부한 스토어 매니저 또는 지역 담당 매니저입니다. 또한 이들로 구성된 '스타팀'의 1:1 교육 시스템도 매우 효율적이었습니다. 지속적인 OJT 과정도 빼먹을 수 없는 것이고요. 스타벅스커피 코리아의 사원 응시율과 이직율을 보면 나름대로 최상의 작업환경을 제공하고 있다고 말할 수 있습니다.

여러분이 더 향긋하고 더 맛있는 커피를 드시기 원한다면 커피의 달인 바리스타를 만나기 바랍니다. 그들은 커피의 진정한 맛을 아는 사람입니다. 커피의 낭만이라고나 할까요? 보통 커피를 '까맣고 쓴 음료'라고 생각하기 쉬우나 실은 그렇지 않습니다. 통상 커피 애호가들은 맛과 향으로 커피의 원산지와 품질을 구분하기도 하지요.

일례로 세계에서 가장 비싼 '블루 마운틴' 커피는 초콜릿 향을 내면서 우아한 신맛이 특징이며 인도네시아 산 '자바'는 풀 향기와 향신료 냄새가 강하면서 쓴맛이 납니다. 커피의 맛은 몇 가지로 나눌 수 있습니다.

첫째, 단맛입니다. 과일, 초콜릿, 캐러멜 냄새와 연관이 있습니다. 기분 나쁜 맛과 반대되는 개념이지요. 두 번째가 산미입니다. 오렌지 등의 과일에서 느껴지는 신맛 같은 것이지요. 날카로우면서 상쾌한 커피를 말하는 것이며 적절한 산미를 가져야 좋은 커피로 평가받습니다. 이밖에 식초와 같이 혀를 찌르는 신맛, 커피를 얼마나 로스트하느냐에 따라 느껴지는 쓴맛, 약간의 소금기가 느껴지는 짠맛 등이 있습니다.

신기하시죠? 우리가 무심코 '쓴맛' 정도로 아는 커피가 이렇게 다양한 맛을 지니고 있을 줄이야….

바리스타의 중요성은 아무리 강조해도 지나침이 없습니다. 스타벅스는 커피에 관한 한 최고가 되기 위해 노력합니다. 왜냐하면 커피의 품질 자체가 스타벅스 브랜드력을 강화하는 데 가장 큰 역할을 하고 있으며 그 가운데 우리의 바리스타들이 서 있기 때문입니다.

스타벅스의 성공의 열쇠는 단연 고객을 최우선시하는 전략인데, 인적 서비스가 가미된 스타벅스의 경우 종업원의 열정, 전문성, 근무환경, 조직문화가 그 핵심요소라 해도 과언이 아닐 것입니다. 특히 직원이 고객을 대하는 태도는 브랜드 이미지 강화에 직결되는 요소로서, 바리스타의 고객과의 커뮤니케이션 행위도 프로덕트(product)의 개념으로 보고 있습니다.

시애틀에서 있었던 한 컨퍼런스에서 하워드 슐츠 회장은 미래의 스타벅스를 그리면서 일관되게 미래를 이끌어갈 원동력은 바로 파트너(스타벅스의 직원)라고 선언하기도 하였습니다. 스타벅스의 직원들은 하워드 슐츠 회장을 만나면 다들 "Thank you"라고 인사한다고 합니다. 젊은 시절부터 스타벅스에서 일하면서 많은 것을 배웠고, 스타벅스에서 받은 급여나 스톡옵션으로 여유로운 생활을 할 수 있어서 고맙다는 뜻입니다. 그러나 하워드 슐츠 회장은 이렇게 이야기합니다.

"감사해야 할 사람은 여러분이 아니고 바로 저입니다. 제가 오늘날 이런 위치에 있게 된 것은 다 직원 여러분들의 땀과 노력 덕분입니다."

또 그는 타 기업, 경쟁 기업이 스타벅스보다 더 좋은 원두를 구매해서 커피를 만들 수도 있고, 스타벅스 매장보다 인테리어를 더 잘해놓을 수도 있지만, 스타벅스의 파트너(직원)들의 열정과 서비스 정신은 절대 모방할 수 없다고 이야기하였습니다.

본론에서 잠깐 벗어난 얘기지만 스타벅스커피 코리아는 고객을 위해 '커피교실'을 정기적으로 운영하고 있습니다. 한국 내에 에스프레소 커피가 보급되면서 커피에 대한 정보나 그 제조법에 관심이 많은 소비자가 늘고 있기 때문입니다. 이런 고객들의 궁금증을 해결해주기 위해 무료로 '커피교실' 프로그램을 운영하고 있는데, 여기서는 커피의 기초 이론과 커피 끓이는 방법 등을 가르치고 시음회를 열고 있습니다. 이는 또 하나의 바리스타로서, 고객의 필요를 충족시키기 위한 나름대로의 노력을 다하고 있다는 반증입니다.

아울러 스타벅스커피 코리아는 서비스의 표준을 만들어 전 직원들에게 몸에 익숙해질 때까지 훈련을 시킴으로써 서비스 기술을 향상시키고 있습니다.

여러분은 어떤 커피 경험을 갖고 계십니까? 커피의 오묘하고 신비한 세계로 이끌어갈 바리스타를 만나면, 그들과 얘기하는 동안 고객은 어느새 커피의 달인이 되어 있습니다. 이것이 바로 고객의 기억에 남을 스타벅스 경험입니다.

5 가치 제안이 마케팅의 핵심이다

커피 제국의 황제, 하워드 슐츠 스타벅스 회장은 최근 "우리는 커피를 팔지 않고 자유와 편안함을 통한 만족을 판다"며 "그렇게 해서 만족을 준 브랜드는 고객의 기억에 강렬하게 남게 되고, 이를 통해 일류 브랜드가 만들어졌을 것"이라고 진단했다.

이들은 시작부터 커피 그 자체에 무게를 두지 않고 '제3의 공간'이라는 스타벅스만의 부가가치를 전략화하였고 이를 어필하는 데 전심전력하였다.

예를 들어 초코파이는 카스텔라와 마시멜로로 만들어진 과자이다. 그러나 그들은 '과자'라는 차원에서 제품을 바라보지 않았다. 각도를 달리하여 사람과 사람의 정을 이어주는 매개체로 간주한 것이다. 그래서 탄생한 것이 '초코파이 정 캠페인'이었다. 초코파이를 '과자'로만 보고 런칭했다면 다른 결과가 나왔을 것이다. 이것은 고정관념을 어떤 각도에서 해석하느냐에 따라 달라지는 마케팅과 브랜딩의 핵심기능을 설명해주고 있는 예이다.

초코파이 '정' 캠페인 고객관념을 어떻게 해석하느냐에 따라 핵심 기능도 달라진다

여기서 주목해야 할 부분은 '가치제안'이라는 것이다. 기업이 표적 시장을 대상으로 경쟁사와 비교해 차별적 가치를 제공하는 것으로, 관건은 어떤 차별적 가치이냐는 것이다. 박카스의 예를 들어볼까? 박카스는 한해 동안만 약 7억 병이 넘게 팔리고 하루 평균 193만 명이 마시는 초일류 브랜드요, 40여 년간 이어온 장수 제품이다.

이들은 이미 제품의 핵심기능을 벗어나 1990년대부터 특별한 가치를 부여한 캠페인을 전개하여왔다. "힘든데 내일부터 나오지 마"라는 유행어를 만든 아버지와 아들에서부터 공장 노동자에서 사장이 서로 격려하는 모습에 이르기까지 박카스는 우리 시대 사람들의 진솔한 모습을 그려나갔다.

그리고 그쯤에서 젊은 소비자로 말을 바꿔 탔다. 장수화된 제품의 이미지를 벗어 던지기 위해 만들어졌던 "젊음은 나약하지 않다"라는 카피가 바로 그것이었다. 새벽 2시, 젊은 두 친구가 경쟁하듯 밤을 새워가며 공부하다가 새벽에 농구 코트로 가서 시합을 벌인다. 격렬한 게임 끝에 바닥에 지쳐 쓰러진 두 젊은이가 세상을 보며 던진 말은 "한 게임 더 해?"였다. 이 광고에는 여느 젊은 세대를 겨냥한 광고처럼 새로운

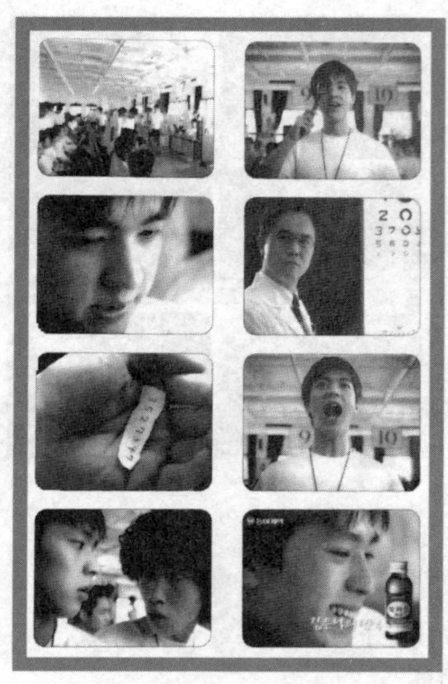

박카스 경쟁사와의 차별적 가치를 통해 이미지를 확고히 포지셔닝한 드링크 시장의 선두 브랜드

트렌드나 젊은 유명 모델, 춤과 현란한 표현, 유행어 등은 눈을 씻고 찾아봐도 발견할 수가 없었다.

이 여세를 몰아 '대학생 국토 대장정'의 사회공익광고로 연결되었으며 이는 IMF로 위축된 젊은 세대들에게 "할 수 있다!"라는 자신감과 자신을 시험할 기회를 부여해주었다. 이후에 전철 안에서 자리를 비워두는 '노약자석' 편과 '줄서기' 편은 우리 사회의 보편적인 예의, 질서, 공경 등의 가치를 간접적으로 표현해주고 있으며 젊은 세대가 중요시하는 '나는 나', '자유' 등의 개인적 가치를 공익적인 차원에서 끌어올렸다는 점으로 주목받았다. 이렇게 시작된 2002년 '젊은 날의 선택' 캠페인은 초기 우정과 사상의 선택, 당당한 남자다움의 선택을 거쳐 "자네가 가서 크게 키워(첫 출근 편)"라는 성숙한 젊음의 선택으로 발전하게 된다.

우리는 이 광고를 보면서 차별화의 대상이 무한하다는 것을 깨닫는다. 제품은 물론이요 서비스, 가격, 유통, 촉진 등의 범위에서 차별화를 생각해낼 수가 있다. "삼성이 만들면 다릅니다"라는 카피는 제품의 우수성을 표현했고, "하이마트 앞에서 헤매지 말자"는 유통에 대한 가치 제안을 했으며, 최고급 승용차 체어맨은 가격의 최고 가치를 제시했다. 이러한 가치 제안은 충분히 차별화된 것으로, 성공한 케이스라 말할 수 있다.

옷값의 거품을 빼야 한다는 논리로 수년간 저가 정장으로 경쟁우위를 달성한 파크랜드도 새로운 가치 제안으로 소비자에게 강하게 각인된 사례이다. 이들은 한국의 대표적인 실용 정장이라는 제품 컨셉트를 가지고 20대 후반에서 30대 중반의 젊은 감각과 합리성을 중시하는 타깃을 집중공략하였다.

파크랜드 젊은 감각과 합리성을 중시하는 타깃을 집중 공략한 예이다.

이렇듯 기업은 경쟁사와 차별화될 수 있는 가치 제안을 확정했으면, 이어 이 가치 제안을 고객의 마음에 인상깊게 각인시켜야 하는데, 이를 포지셔닝이라고 한다.

가치 제안

포지셔닝 마케팅, 브랜드의 핵심 기능

일단 포지셔닝이 되면 고객과 장기적인 관계를 맺게 된다는 차원에서 기업의 경영자나 마케팅 책임자들은 어떤 가치를 제안하여 포지셔닝할까 고민하기도 한다. 장기적인 충성도 뒤에는 기업의 브랜드를 떠나 소비자의 생활이 되어버리므로 더욱 그러하다.

코카콜라를 생각해보자. 누가 뭐래도 코카콜라는 콜라 시장의 독보적인 존재였다. 70년대에 강력한 추격자 펩시콜라는 눈을 가리고 오로지 오감에 의해 상품의 기능을 평가하는 블라인드 테스트(blind test)를 실시해 신세대 입맛이 펩시로 옮겨오도록 '펩시 첼린지' 프로모션을 단행하였다. 결과는, 신세대는 펩시콜라의 맛을 더 선호하는 것으로 나타났다. 여기에 코카콜라는 당황했다. 수십 년간 지켜온 선도 기업의 아성이 무너지지 않을지….

결국 그들은 신세대를 겨냥한 '뉴코크'를 시장에 내놓았다. 일종의 새로운 맛에 대한 가치 제안이었다. 그러나 시장의 반응은 매우 냉담했다. 미국인들에게는 코카콜라가 단순한 청량음료가 아니었던 것이다. 미국인 마음속에 코카콜라의 로고, 병 모양, 병마개 그리고 콜라의 맛은 바로 미국의 역사를 담고 있었다. 물론 코카콜라도 펩시와 같이 20만 건에 달하는 블라인드 테스트를 실험해본 결과 새로운 콜라 뉴코크가 기존의 콜라보다 맛이 월등하다는 확신을 가지고 있었다. 그러나 소비자들은 기존의 콜라를 찾았으며 시애틀의 한 소비자 단체에서는 옛날 콜라 맛을 되돌려달라는 소비자 운동까지 벌어졌다. 이에 코카콜라는 기존 콜라를 'Coke Classic', 새 맛의 콜라를 'New Coke'라 하며 동시에 판매하는 궁여지책을 내놓게 되었다.

맛이 우월하다는 펩시보다, 새 맛의 콜라 뉴코크보다 기존의 콜라가 더 많이 팔리는 이 희한한 현상을 두고 마케팅 전문가들은 "Brand name and image affect taste", 즉 상품명과 이미지가 맛에 영향을 미친다고 표현하고 있다. 이렇듯 가치 제안의 호·불호에 따라 마케팅과 브랜딩의 방향이, 결과가 하늘과 땅만큼 커다란 차이가 난다는 것을 이런 사례를 통해 알 수 있다. 그만큼 고객에게 어떤 가치를 부여하고 그들의 마음에 이정표(포지셔닝)를 세우느냐에 따라 제품의 운명과 기업의 흥망성쇄가 결정되기도 한다.

화학 기업의 제1인자이며 미국에서 10위 안에 드는 듀폰(DuPont)사의 한 사례는 가치의 중요성을 일깨워준다. 셀로판, 나일론을 발명하여 유명해진 이 회사는 또 다시 철보다 5배 강하고 무게는 철의 5분의 1밖에 안 되는 신비의 물질 케블라를 발명해냈다. 이것은 그야말로 듀폰 연구소의 대성공이었다.

문제는 이 물질을 어떤 용도로 파느냐는 것이었다. 여러 조사를 거쳐 이들이 찾아낸 곳은 자동차 타이어 제조업체였다. 케블라는 철보다 강하고 가벼운 데다가 타이어 고무와 잘 접합되었던 것이다. 이에 따라 듀폰은 5억 달러의 설비투자를 하여 케블라를 대량 생산하기에 이르렀다. 결과는 어떻게 되었을까? 성공이었을까, 실패작으로 남았을까?

후자였다. 자동차 소유자들이 '철로 짜여진 레디알(steel-belted radial) 타이어'를 더 선호하면서 타이어 제조 회사는 1년도 채 못 되어 케블라 구입을 중단하고 다시 철을 사용하게 되었다. 안타깝게도 케블라는 듀폰이 설립 이래 가장 많이 투자한 제품이었지만 판매 실적은 지지부진했다. 이 세계적인 기업이 우리에게 남긴 교훈은 구매자만 찾으려 하지 말고 소비자가 무엇을 원하고, 어떤 이미지와 가치를 선호하는지 충분히 연구하라는 것이다.

이온음료 시장에 후발주자로 나온 게토레이의 경우 "물보다 흡수가 빨라야 한다, 달지 않아야 한다"라는 새로운 가치로 경쟁자를 제치고 성공한 케이스이다. 이들은 경쟁자를 '물'로 보았다. 여기에 마케팅과 커뮤니케이션 전략을 총동원해 소비자의 마음을 사로잡았다.

앞에서 정의한 것을 다시 한번 상기하라. 가치 제안이 마케팅과 브랜드의 핵심기능이 된다는 사실을….

휴식을 맛보는 제3의 공간

솔직히 스타벅스는 스페셜티 커피(specialty coffee) 시장이 이렇게 세계를 장악하거나 영향을 미치리라고는 생각하지 않았습니다. 에스프레소가 소수의 기호식품에서, 그렇게 대대적으로 전폭적으로 빠른 시일 안에 많은 사람들의 사랑을 받으리라고는 더더욱 생각하지 않았습니다.
폭발적이라는 표현이 적합하겠지요? 이런 생각은 하워드 슐츠 회장도 동일했나 봅니다. 미국 대도시에서 성공한 스타벅스를 보면서 그는 이런 질문을 자신에게 던졌습니다.

사람들은 도대체 무엇에 호응하는 것인가? 왜 스타벅스는 어디서나 소비자들의 호응을 얻고 있는 것일까? 우리가 그들의 어떤 욕구를 충족시켜주고 있는가? 왜 그렇게도 많은 고객들이 기꺼이 스타벅스 스토어 앞에서 줄을 서서 기다리고 있는가? 왜 그렇게도 많은 사람들이 심지어 커피를 받아 든 다음에도 아쉬운 듯이 서성거리는가? 처음엔 우리는 그것은 단지 커피 때문이라고 생각했다. 그러나 시간이 흘러감에 따라 우리는 우리의 커피 스토어가 커피 그 자체만큼 매력적이며 이에 대하여 많은 사람들 사이에서 공감대가 형성되었음을 깨달았다.

뒤늦게 발견한 화두… 커피 스토어. 뭔가가 있을 거라는 심증. 우리는 우리의 스토어를 제3의 공간이라고 말하기 시작했습니다. 커피 이상의 그 무엇을 고객에게 드리고 싶었습니다. 'The Third Place' 란 단어는 사실 미국의 사회학자 레이 올든 버그가 1989년 그의 저서 〈The Great Good Place〉에서 사용한 뒤로 많은 독자들로부터 공감을 받은 말이지요. 정의하자면 제1공간은 집, 제2공간은 직장, 이들 외의 공간은 제3의 공간이라 부릅니다. 집과 회사를 쳇바퀴 돌 듯 살다가 호젓한 공간에서 나만의 시간을 갖고 싶은 욕망…. 마음에 맞는 사람들과 어울려 시간을 보내거나 여유를 갖고자 하는…. 빨리 나가달라는 패스트푸드점과는 달리 오래 머물도록 포근하게 만든 실내 인테리어와 공간 등의 배려….
여러분도 경험해보았겠지만, 스타벅스에 들어서면 하얀 대리석이 깔린 룸에서 좋은 음악을 들으며 최상의 커피를 친절한 설명과 더불어 마실 수 있습니다. 고객은 맛, 서비스, 매장 분위기를 제공받게 되는 것입니다다. 앞서 '제3의 공간' 을 주장한 레이 올든버그의 논제는 사람들이 모일 수 있고, 직장이나 집에 대한 관심을 잊고 쉬며 이야기할 수 있는 비공식적인 공공 장소가 필요하다는 것이었는데, 스타벅스가 꼭 그랬습니다. 그는 이렇게 말하고 있습니다.
"그러한 곳이 없다면 교외 지역은 도시의 필수요소인 인간 접촉의 다양성과 상호관계에 영향을 주지 못할 것이다. 이러한 것들이 박탈될 때 사람들은 군중 속에서 고독을 느끼게 된다."
물론 스타벅스가 '제3의 공간' 의 효시는 아닙니다. 찾아보면 독일의 '비어가든', 영국의 '펍', 프랑스와 비엔나의 '카페'가 있습니다. 사람들은 일찍이 모든 사람들이 평등하게 대화할 수 있는 중립적인 생활 속의 출구를 찾아내는 데 인색하지 않았습니다.
하워드 슐츠는 제3의 공간으로서 무엇을 고객에게 제공해야 하는지 4가지 정의를 내려놓았습니다. 첫째, 로맨스를 맛보게 한다는 것입니다.
"스타벅스 스토어에서 사람들은 5분 내지 10분간의 휴식을 갖는데 그것은 일상생활의 지루함에서 벗어나게 해준다. 다른 어떤 곳에서 '수마트라', '케냐' 혹은 '코스타리카' 커피를 즐길 수 있겠는가? 어느 곳에서 '에스프레소 마끼아또'와 같이 이국적인 로맨스의 불꽃을 가미하면서 커피를 주문할 기회를 가지며, 다른 어떤 곳에서 '베로나'와 '밀라노'의 맛을 즐길 수 있겠는가?"
두 번째는 저렴한 사치입니다. 어찌 보면 두 단어가 모순 같아 보이지만 그의 설명은 이러했습니다.
"우리의 스토어에서는 부유한 외과의사 앞에 줄서 있는 근로자나 경찰을 볼 수 있다. 블루 칼라는 외과의사가 방금 몰고 온 벤츠 자동차를 살 여유가 없을 것이다. 그러나 그는 똑같은 2달러짜리 카푸치노를 주문할 수 있다. 그들은 세계적인 수준의 똑같은 커피를 즐길 수 있는 것이다."
세 번째는 단적으로 '오아시스'라 말합니다. 도피를 위해 찾은 고객을 적당히 방치한다는 말로서 나름대로 설득력을 갖습니다.
"점점 더 분열되어가는 사회에서 우리 스토어들은 생각을 모으고 정신을 집중시킬 수 있는 조용한 순간을 제공한다. 스타벅스의 직원들은 고객에게 미소짓고 재빨리 서비스하며, 고객을 귀찮게 하지 않는다. 스타벅스를 방문한다는 것은 많은 일들이 힘들게 하는 낮 시간 동안 하나의 작은 도피일 수 있다. 우리는 신선한 한 모금의 공기가 되었다."

마지막으로 '부담 없이 편한 사회적 교류'를 들고 있습니다. 한 광고 회사가 LA 지역의 고객들을 인터뷰했습니다. 그들의 공통된 말은 다음과 같습니다.

"스타벅스는 아주 사교적입니다. 우리는 사교적인 느낌을 얻기 때문에 스타벅스 스토어에 갑니다."

그러나 이상하게도 그 광고 회사는 스타벅스 스토어에서 그들이 관찰한 사람들의 단지 10% 미만만이 실제로 다른 사람들에게 이야기를 거는 것을 발견했습니다. 대부분의 고객들은 조용히 줄을 서서 기다리고 있었고, 단지 마실 것을 주문하기 위해 점원에게 말을 걸 뿐이었습니다. 그들은 단지 스타벅스 스토어 안에 있는 것만으로도 바깥 세상에 나와 있는 것을 만끽했고, 그들이 늘 보아온 낯익은 얼굴들과 멀어져 있지만 편안함을 느낀 것입니다.

그는 그 스스로 제3의 공간의 의미를 깨닫고 무관심하거나 몰랐던 자신의 한계를 반성합니다. 이것은 경영자로서 혁신과 같은 변화였습니다. 그리고 그가 둘러본 스타벅스는 도시나 교외의 주택지에서 빠른 성장을 보였으며 그곳을 찾은 소비자들은 그들이 기대했던 대로 슈퍼마켓에 가는 도중에 반 파운드의 커피를 사기 위해 들르는 것이 아니라 분위기와 우정을 위해 온다는 것을 비로소 깨닫기 시작했습니다. 분위기와 우정, 인간적 교류를 위해 스타벅스를 찾는다는 것입니다.

그곳에 스타벅스는 고객의 숨겨진 감성을 살리려고 노력했습니다. 보고, 만나고, 듣고 그리고 냄새를 맡거나 맛보는 종합적인 체험 서비스를 제공하였습니다. 고객의 입맛에 맞춘 음료를 만들고 개인적인 생활과 관심사 그리고 다양한 원두를 설명하는 친절한 바리스타와 감정을 고무시키는 음악, 응접실을 연상시키는 안락한 의자와 그림까지, 스타벅스는 고객들에겐 없어서는 안 될 '제3의 공간'으로 거듭나게 된 것입니다.

이를 위해 스타벅스는 끊임없이 아이디어를 창출하고 있습니다. 최근 미국의 1천여 개 매장에 초고속 무선 인터넷 서비스를 개시한 것이 바로 그것입니다. PDA나 노트북을 가진 소비자들을 장시간 매장에 머무르게 해 이들로 하여금 자연스럽게 커피를 주문하도록 유도하였습니다. 또한 스타벅스는 인터넷으로 커피를 주문하면 매장에 도착 즉시 커피를 받아갈 수 있는 서비스도 실행하였습니다.

결론적으로 말해 스타벅스를 더 이상 '작은 커피 가게'가 아닌 초 일류 기업으로 성장케 한 것은 커피 이상의 것을 추구한 정신적인 밸류(value)였습니다. 정신적인 여유와 편안함…. 일상에서 벗어난 참 평화였습니다.

3부_

일류 브랜드 창조의 힘

1 무엇이 브랜드 이미지를 만드는가

고객 중심의 일류 브랜드 제품을 접하다 보면 몇 가지 중요한 사실을 발견하게 된다.

그 첫째는 소비자들 스스로 브랜드에 대해 호의적이고 강력하고 독특한 브랜드 연상을 하고 있다는 것이다. 일례로 하이마트의 경우 소비자들에게 "하이마트로 가요!"라는 슬로건을 CM송과 더불어 반복적으로 제시한다. 아울러 신혼부부를 등장시켜 비교하고 믿을 수 있는 전자제품을 사려면 하이마트로 가야 한다는 제품 메시지를 되살리는 단서를 제공한다. 따라서 하이마트라는 브랜드만 떠올려도 소비자는 본인이 체험하거나 제공된 정보를 통해 충성도를 높여가는 것이다.

스타벅스라는 브랜드를 제시하면 소비자들의 연상작용에 따라 저마다 다른 이야기를 한다. 독특한 로고를 기억해내는 이도 있고 매장 문을 열고 들어섰을 때 느꼈던 분위기, 커피 향, 바리스타의 상냥한 접대, 에스프레소 기계의 모습과 '쉿' 하는 소리…. 이들의 기억과 연상은 소비자에게 호의적이고, 브랜드만 접하여도 즉각적으로 떠올리며, 경쟁 브랜드가 차지할 수 없는 견고함이 있다.

둘째, 일류 브랜드의 제품은 컨셉트(concept)가 명확하다는 것이다. 컨셉트는 아이디어보다 상위의 개념으로 광고적 용어로는 '사고방식'이라는 의미로 사용되고 있다. 컨셉트는, 목표로 해야 할 시장을 공략하기 위해 상품은 어떠해야 하는지, 무엇이 타 제품과의 차별점이며 어디가 가장 매력적인가 등을 단적인 언어로 정리한 것이다.

컨셉트는 다음과 같은 요소들로 구성되어 있다.

1 누구를 위한 제품인가

2 어떤 점이 최대 매력인가

3 어떤 것이 명쾌한 차별화 포인트인가

4 제품 사양, 네이밍, 패키지에 구체화될 수 있는 쉬운 표현인가

5 경쟁 제품은 무엇인가

자, 그렇다면 앞에서 예를 들어 설명한 하이마트의 경우를 위의 5가지 요소를 대비해 살펴보자. 우선 하이마트는 신세대 커플, 더 나아가 혼수용품을 선호하는 20대 중반에서 30대 초반의 타깃을 주로 공략한다. 따라서 신세대 커플에게는 영상 가전과 웰빙 가전을 중심으로 할인 판매하며 신혼부부에게 유용한 주방제품을 중심으로 한 사은품도 증정한다. 이 회사는 창업 5년 만에 25%의 마켓 쉐어를 점유한 가전제품 전문점으로 유통가의 '신화'를 기록하였는데, 현재 국내 가전 유통시장의 리더로 급부상하고 있다.

■ ■ ■

마켓 쉐어 시장점유율, 특정 제조업자 또는 판매업자의 매출액이 그 산업 전체의 매출액에서 차지하는 비율

하이마트 소비자는 브랜드에 대해 호의적이고 강력한 이미지를 연상한다

대형 메이커들이 직영점과 대리점을 통해 주도해온 가전제품 유통시장에서 하이마트는 전자 메이커 직영 대리점과 백화점, 전자상가의 장점만 살린 새로운 업태를 선보임으로써 가전, 전자제품 시장의 유통구조를 한 순간에 변화시켰다. 특히 하이마트는 소비자에게 다양한 브랜드를 비교해가면서 싸게 구입할 기회를 제공하였고 24시간 배송 등 고객만족을 통해 타 경쟁업체와의 틈을 벌려가고 있다. 물론 이를 위해 물류와 판매를 직영체제로 구축했다. 허브센터 간에 공유 시스템을 구축하여 재고가 부족하면 인근 허브센터에서 보충하게 함으로써 '물건이 없어 못 판다'는 것은 이들에게 통용되지 않는다.

또한 종업원 지주제와 협력 회사들의 주주 참여 등의 독특한 경영 지배 구조도 제품 컨셉트의 부가가치로 평가받고 있다. 따라서 이들의 성공 전략을 제품 컨셉트 측면에서 바라보면 다음과 같이 정의내릴 수 있다.

1 다양한 브랜드 상품을 저렴하게 공급한다
2 물류와 판매 완전 직영체제로 운영한다
3 경쟁력이 약화된 매장은 포기한다
4 편리한 쇼핑을 위해 매장은 크고 넓게 만든다
5 철저한 사후관리로 단골 고객을 확보한다
6 '전자제품＝하이마트' 식의 공격적 마케팅을 전개한다

명확한 타깃을 중심으로 구성된 제품군, 싸고 다양한 브랜드 상품, 크고 넓어 편리한 대형매장, 빠른 배송과 고객을 위한 특별한 이벤트 등은 하이마트의 제품 컨셉트로 소비자의 구매 행동을 자극하고 있다. 아울러 "하이마트로 가요"라는 단정 형식의 슬로건은 유통 특유의 복잡한 요소를 하나로 통일하는 효과를 나타내고 있다.

비타500　가수 '비'를 등장시켜 공격적인 마케팅으로 드링크 시장의 돌풍을 일으킨 음료

한 가지 예를 더 들어보자. 최근 60년대 이후부터 드링크 시장에서 부동의 위치를 점해왔던 박카스에 도전장을 던진 신규 브랜드가 있다. '마시는 비타민'으로 드링크 시장의 재편을 시도하는 비타500이 그것이다. 그들은 처음부터 철저히 10대를 포함한 활동적인 젊은 층에 제품 컨셉트를 맞추어 20~30대에 선호도가 높은 빅 모델 '비'를 등장시켜 공격적인 마케팅 전략을 구사하였다. 아울러 브랜드 사이트 내 컬러 아이덴티티를 부가하고 다양한 컨텐츠를 구성하여 타 경쟁사와의 브랜드 이미지를 차별화하였으며 싸이월드 미니홈피 오픈 등을 통해 고객 DB 마케팅을 강화해나가고 있다.

특히 이들은 푸짐한 온라인 이벤트를 통해 온라인 유저의 사이트 방문을 유도하고 1:1 실시간 소비자 상담을 실시하여 고객만족의 No.1 브랜드로서의 기틀을 착착 다져가고 있다.

■ ■ ■
고객 DB 마케팅　고객 정보, 산업 정보, 기업 내부 정보, 시장 정보 등 각종 1차 자료를 수집 · 분석해 이를 판매와 직결시키는 기법

마지막으로, 제품 속성과 직접 관련된 연상작용이 타 브랜드와 극명하게 다르다는 것이다. 우리가 흔히 면도기 하면 질레트를 연상하고 화장지는 크리넥스, 진통제는 타이레놀로 생각하듯이 제품의 범주와 브랜드 간의 연결고리가 강한 것이 일류 브랜드 제품의 특성이다. 따라서 이들 제품의 속성은 아예 태생부터 경쟁 브랜드에 의해 무시되고 소홀히 되는 부분을 보강하여 포지셔닝할 수 있도록 기획된다.

여기서 한 가지 덧붙여 기억해야 할 부분은 제품의 구체적 속성도 중요하지만 고객 중심의 일류 브랜드는 추상적인 제품 속성도 간과하지 않는다는 것이다. 스타벅스의 제품전략도 예외는 아니다. 소비자들에게 스타벅스 커피는 그야말로 '프리미엄'의 여러 요소를 떠올리게 하고 그 문화를 즐기는 타 브랜드와 차별화되는 요소가 무엇보다 강하다. 특히 제품과 더불어 느끼는 매장에서의 분위기와 낭만은 커피 이상의 정서적 일체감을 주어 고객을 하나로 묶는 역할을 하기도 한다.

품질과 더불어 가격도 무시할 수 없는 요인으로 작용한다. 하겐다즈를 프리미엄 아이스크림으로 생각하듯 타 브랜드와 가격적인 측면에서 스타벅스는 고가 정책을 유지해왔다. 이는 소비자가 스타벅스의 자각된 품질(perceived quality)과 더불어 수용하는 요소로서 브랜드 애호도에 결정적인 역할을 하기도 한다.

그렇다면 마케팅은 고객에게 무엇을 제공할까? 제품과 더불어 생각해보면 기업은 세 가지 가치를 소비자에게 제공하는데, 이를 전문용어로 마케팅 오퍼링(marketing offering)이라고 한다. 마케팅 오퍼링은 제품의 특성 및 품질, 가치에 근거한 가격, 서비스 수준 및 품질로 구성되어 있으며 고객의 욕구를 만족시키는 가치 제공 세트로 인식되기도 한다. 스타벅스를 이런 가치 제공 세트라는 프리즘으로 비춰보면 스타벅스의 가치 제공 요소가 소비자에게 왜 그렇게 설득력 있게 다가가는지 이해의 폭이 넓어질 것이다.

아울러 제품 서비스의 소비로 생각하던 소비의식이 관계, 경험의 소비로 전이된 대 변화도 우리가 스타벅스를 '일류 브랜드의 선두주자'라고 평가하는 주된 이유이기도 하다. 에스프레소의 향과 맛, 제3의 장소에서 바리스타와 나누는 대화… 이런 것들이 상품화, 즉 머천다이징화(제품계획)되어 있음을 발견하는 것도 마케팅 전문가들에겐 놀라움으로 다가온다.

마케팅 오퍼링

마케팅 오퍼링은 제품의 특성 및 품질, 가치에 근거한 가격, 서비스 수준 및 품질로 구성되어 있다.

한잔의 커피 맛을 만들기 위해 스타벅스가 하는 일

앞에서 말한 대로 스타벅스의 성공비결은 단순한 소비재로서의 커피가 아니라 특별한 질과 서비스, 만남의 공간을 제공하는 브랜드화된 커피 서비스였습니다. 부연하자면 스페셜 커피와 바리스타의 서비스, 매장에서 느낄 수 있는 분위기와 낭만입니다. 커피 이상의 정서적 일체감, 문화적 코드…. 사회 · 문화 생활의 일부 같은 거지요.

그렇다고 해서 스타벅스가 커피 그 자체를 등한시하는 것은 아닙니다. 스타벅스는 라틴 아메리카, 아프리카 그리고 아시아에서 생산된 최상질의 아라비카 원두만을 취급합니다. 커피의 종류는 두 가지인데 하나는 앞서 언급한 아라비카 종과, 그리고 로부스타 종입니다. 아라비카는 해발 1천 미터 이상의 경사진 면에서 햇볕을 잘 받고 자란, 소량 수확되는 아주 고급스런 커피입니다.

여기서 한 가지 흥미로운 사실은 우리가 마시는 커피는 커피나무 열매의 과육은 버리고 씨앗만을 불에 볶아 곱게 갈아서 뜨거운 물을 섞어서 마시

■ ■ ■

커피나무 열매　붉은 빛이 도는 열매로 체리와 비슷함

는 것입니다.

가십 같은 얘기지만, 예전에 이디오피아 커피 밭에서 불이 났더랍니다. 그래서 커피나무 열매의 과육은 다 타서 없어져버렸고 커피 씨앗만이 새까맣게 탄 상태로 남았습니다. 그런데 그곳에 있던 염소들이 밭에 타버린 커피 씨앗을 먹고는 흥분하여 날뛰며 돌아다니더라는 거지요. 이것을 바라본 수도승들이 의아하게 생각했습니다.

'어, 저거 무슨 각성제나 흥분제 아냐?'

그리고 여러번 시도 끝에 커피 씨앗을 갈아서 뜨거운 물을 섞어 마셨는데 이 맛이 제법이었습니다. 마음을 안정시켜주고 향기도 좋았던 거지요. 아라비카 커피는 오랫동안 뜨거운 불에 볶아도 형태가 깨지지 않고 윤기가 흐릅니다. 에스프레소 커피는 바로 이 아라비카 커피로 만듭니다. 보통 슈퍼마켓 브랜드로 판매되는 값싼 로부스타 커피 종은 아라비카처럼 강한 불에 볶을 수 없습니다. 이처럼 뜨거운 불에 오랜 시간 볶는 방법을 강배전이라 하고 살짝 볶는 것을 약배전이라 하는데 스타벅스는 처음부터 강배전을 고수해왔습니다.

여기서 한 가지 질문을 던지겠습니다. 스타벅스가 만들 수 있는 커피의 종류가 얼마인지 아십니까? 놀라지 마십시오. 1만 9천 가지입니다. 〈유브 갓 메일 You've got Mail〉을 보면, 영화 중에 톰 행크스가 매장에 와서 이런 불평을 하지요. 여기 오면 우유를 저지방 우유로 시켜야 되느냐, 일반 우유로 시켜야 되느냐, 골라야 될 게 너무 많다, 사이즈도 골라야 되고 거기다 크림을 넣느냐 휘핑을 넣느냐 빼느냐….

스타벅스 홈페이지에는 '나만의 맞춤 커피' 라는 플래시 게임이 있어 톰 행크스 같이 고민하는 사람들에게 자기 취향에 맞는 커피를 선택하는 데 도움을 줍니다. 파트너 추천 커피도 있지요.
사실 우리 나라의 다방 문화는 단순, 획일적이지 않았습니까? 예전에 다방에 가면 서빙하는 여자분이 이렇게 물었지요.

"커피 드실래요, 쌍화차 드실래요?"

커피는 단연 한 가지 종류지요.
스타벅스커피 코리아 직원 연수에서는 교육 내용 중에 커피를 구분하는 훈련, 실습하는 시간이 있답니다. 대강 60여 종의 커피를 아침부터 저녁까지 혀가 얼얼해지도록 마십니다. 그리고 그 맛에 대해 얘기합니다.
"주스 향이 난다, 흙 냄새가 난다, 무슨 고향의 냄새가 난다."
이런 식의 어찌 보면 시적 표현을 쓰기도 하지요. 물론 쓰다, 시다라는 표현도 하고요.
이탈리아나 스페인에 가보면 그들은 미국 사람들처럼 일회용 용기나 턱없이 큰 컵에 커피를 마시지 않습니다. 슐츠 회장은 이런 모양을 보았던가 봅니다. 작은 용기에 담긴 시커멓게 생겨먹은 커피를 마시는 것을 말이지요. 이 커피를 우리는 에스프레소 커피라 합니다. 에스프레소란 이탈리아어로 'Express' 즉 '빠르다' 라는 뜻입니다. 그 진한 맛과 감칠맛은 마셔보지 않은 사람들은 모릅니다. 맛으로도 다른 커피와 확연히 구분되기도 하지요(커피의 발생지 유럽에서는 '커피의 꽃이며 영혼' 이라고 부를 정도입니다).
에스프레소 로스팅 단계로 볶아진 새카만 원두를 갈아서 뜨거운 스팀을 20초 정도 내려보내면 진액이 나오는데 그 진액을 입에 넣고 마시는 게 꽤

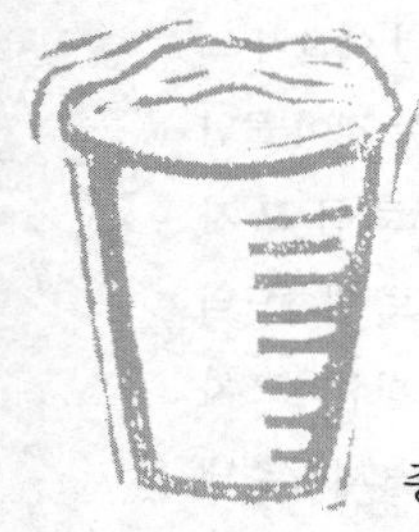

나 낭만적으로 보입니다.

'로스팅(roasting)'이란 용어를 아십니까? 커피 마니아들에게는 익숙한 단어일 것입니다. 볶는다는 의미이지요. 에스프레소의 경우 진하고 달콤한 여운을 내기 위해 커피를 오래 볶게 되는데(강배전이라고 함) 열에 강한 고급 원두, 아라비카 종의 최고급 원두를 사용하게 됩니다. 생두가 가진 최상의 맛을 추출하기 위해 스타벅스는 자체 개발한 기법, 즉 가열하는 시간과 방법을 통해 특유의 향을 만들기도 합니다. 이밖에 매년 15만 잔 이상의 원두를 테스트하여 엄격한 품질 기준을 세워놓을 뿐 아니라 개성과 특징이 뚜렷한 한 종류의 커피를 여러 가지로 섞어서 독특한 맛의 커피를 만드는 예술적인 브랜딩을 우리들만의 노하우로 보유하고 있습니다.

스타벅스의 커피 전문가들은 매년 240일 이상을 여행하며 전 세계 커피 재배 지역을 찾아다니고 있습니다. 이는 한잔의 완벽한 커피를 내리기까지 최상질의 원두가 갖추어져야 한다는 신념이 있기에 가능한 일입니다. 가격과 상관없이 맛을 최우선으로 구매가 결정되며, 구매한 원두는 각각 최고의 향을 낼 수 있을 때까지 볶아지고, 구분되어 신선한 상태에서 판매됩니다.

스타벅스의 신선도와 품질의 기준은 한마디로 전설적이기까지 한데, 엄격한 기준에 맞지 않거나 개봉 후 일주일 이상 경과된 원두는 사용하지 않습니다. 물론 신선도를 유지하기 위하여 특화된 포장기술이 뒤따라야 하는데, 특히 커피의 경우 로스팅이 끝나는 순간부터 산화가 시작되므로 이를 최대한 억제해야 할 필요성이 있습니다. 스타벅스에서는 '포일'이라고 하는 금속성 포장기술을 개발하여 산소와 습기를 막아주고, 커피의 유통기한을 일년 이상으로 연장시켜 세계 여러 나라 소비자들이 소매점에서 최상의 커피를 만나게 되었습니다. 정리해봅시다. 커피와 관련된 예술적 노하우… 로스팅, 블랜딩, 포장기술, 여기에 한 가지 빠질 수 없는 것이 물입니다. 한잔의 커피는 99%의 물로 이루어져 있습니다. 그러므로 물 그 자체가 커피 맛을 결정한다고 보아도 과언이 아니죠. 상식적으로 말씀드리면 깨끗한 연수로 커피를 끓여야 제 맛이 납니다. 스타벅스는 신선하고 차가운 물을 수차례 정수하고 끓입니다. 그리고 이것이 커피 맛을 제대로 낼 수 있는 물인지 미국 본사에서 파견된 직원이 최종 심사 과정을 거칩니다.

스타벅스의 커피 맛과 향은 어떻게 만들었기에 환상적이냐고 물으시는 분이 많습니다. 그럴 때마다 우리는 최고급 아라비카 원두를 사용한다, 숙련된 전문가가 커피 고유의 풍부한 향을 잘 살릴 수 있도록 원두를 로스팅한다. 한해 15만 번 이상 원두를 테스트한다…, 스타벅스의 전력을 다하는 이런 열정이 세계의 커피 맛을 창출해내었다고 자신 있게 말합니다.

스타벅스 커피를 마셔보았습니까? 무엇이 다르던가요?

첫째, 커피 맛의 90%는 후각으로 결정됩니다. 아울러 상쾌한 미각(산도)과 혀에 닿는 무게감, 밀도감(농도) 등은 스타벅스 커피 맛을 결정하는 중요한 요소입니다. 향과 산도, 농도를 합한 총체적인 느낌 즉 풍미(flavor)를 통해 스타벅스는 오늘도 커피 마니아들의 사랑을 받고 있는 겁니다.

자, 그럼 스타벅스의 커피는 어떤 종류가 있으며, 어떤 특징이 있는지 살펴보기로 합시다.

먼저 매장에 들어서시면 여러분들은 여러분 중심으로 구성된 주문 방식에 따라 사이즈, 향, 커피의 농도를 차례로 선택하여 최상의 음료를 마실 권한을 부여받으시게 됩니다. 여기서 간단히, 매장에 들어가서 어떤 주문 방식을 채택해야 하는지 가르쳐드리겠습니다.

음료를 매장 안에서 마실 것인지 아니면 가지고 나갈 것인지 결정하십시

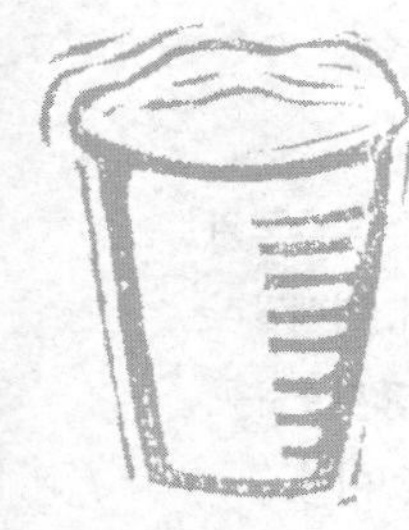

오. 그리고 어느 정도의 양을 마실 것인지에 따라 컵 사이즈(숏, 톨, 그란데)와 원하는 커피의 농도에 따라 에스프레소 샷의 수를 정하고 우유나 기타 여러분의 취향에 맞는 향을 선택하십시오. 여기서 휘핑을 제거하거나 아주 뜨겁게 해달라는 요구를 하시고, 저희가 제공하는 카페라떼 · 카페모카 · 아메리카노 등의 음료를 선택하시면 됩니다.

스타벅스가 오늘날 세계적인 커피 문화 기업으로 도약할 수 있었던 것은 다름 아닌 커피의 전문성과 고급화 전략이었음을 부인할 수 없습니다. 소비자의 다양한 욕구를 10가지 이상의 커피로 세분화한 것도 스타벅스를 연구하는 분이라면 눈여겨볼 대상입니다.

아울러 독창적인 에스프레소 기구와 커피 증류 기구, 커피 원두, 커피와 관련한 액세서리를 포함해 100여 가지 아이템을 공급하고 있습니다. 배전과 블랜딩, 쿨링(cooling)에서 진공백 포장, 개봉 후 사용에 이르기까지 스타벅스의 커피는 세계의 아침을 깨우는 없어서는 안 될 생활 문화로 자리잡고 있습니다.

어떤 커피를 드릴까요?

Mild

스타벅스 커피를 처음 접하시는 분들께는 순한 맛의 커피를 권한다. 독특한 호두 향이 일품인 콜럼비아 나리노 수프리모, 스타벅스를 대표하는 블렌드 커피로 단연 인기인 하우스 블렌드, 코스타 리카, 부드럽고 균형 잡힌 맛과 향으로 하루를 시작하기에 완벽한 브렉퍼스트 블렌드 등이 바로 그것이다.

Smooth

풍부한 향과 풍미를 지닌 부드러운 커피를 권한다. 에스프레소 로스트의 달콤한 뒷맛과 사랑하는 연인과의 키스로 묘사되는 카페 베로나, 과테말라 안티구아, 인도네시아 커피와 라틴 아메리카 커피의 환상적인 조화－유콘 블렌드, 아라비안 모카 자바를 확인하고 선택하면 후회가 없을 것이다.

Bold

스타벅스에서 가장 개성적이고 매력적인 커피이다. 미식가들을 위한 아라비안 모카 사나니, 케냐, 프렌치 로스트, 골드 코스트 블렌드, 수마트라, 이디오피아 시다모 등으로 그 맛과 향이 매력적이다.

decaffein

카페인을 제거한 커피 종류. 스타벅스는 기본적으로 오랜 시간을 뜨거운 불에 원두를 볶으므로 물과 카페인이 날아가버려 카페인으로 인해 잠 못 이루지는 않는다. 이렇게 만든 커피가 고급 커피이다. 디카페인 모카 자바 커피의 경우는 두말할 것 없이 카페인을 특수공정으로 제거한 커피이다.

대표적인 스타벅스 음료

브루드 커피(Brewed Coffee)

가장 신선한 맛을 위해 스타벅스가 직접 볶은 원두(스타벅스 커피원두)를 깨끗하게 정수한 물로 추출한(뽑아낸) 커피 음료로서, 스타벅스 매장에서 특별히 매일 다른 커피 종류를 소개하는 오늘의 커피(Coffee of Day) 메뉴

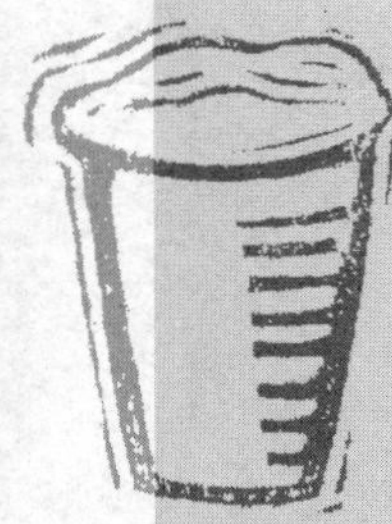

에서 찾을 수 있다.

카페라떼(Cafe Latte)

두터운 스팀밀크 층 위에 밀크거품이 뜨거운 맛을 식지 않게 유지시켜주는 부드러운 커피 음료로서, 카페라떼 한잔은 식사 대용으로 가능할 뿐만 아니라 스타벅스의 빵과 케익을 함께 한다면 잘 조화된 맛을 만끽할 수 있다.

카푸치노(Cappuccino)

신선한 에스프레소 커피에 밀크 반 컵과 스팀거품 반 컵을 함께 한 커피 음료로서, 담백하고 커피 향과 밀크의 맛이 잘 조화된다.

카페모카(Cafe Mocha)

진한 모카 시럽과 에스프레소에 적당한 온도의 신선한 스팀 밀크를 넣고 휘핑크림으로 장식한 커피 음료로서, 진한 초콜릿 모카 시럽 맛과 신선한 스팀밀크의 조화가 색다른 커피의 맛을 낸다. 그 위에 휘핑크림이 멋스럽다.

프라푸치노(Frappuccino)

스타벅스 역사상 가장 성공적인 것으로 평가받는 프라푸치노는 이탈리아 로스트 커피와 프라푸치노 믹스를 혼합하고 얼음을 넣은 후 블렌딩하여 만드는 저지방의 커피 음료이다. 특히 여름철 더위를 물리칠 수 있는 인기 음료이다.

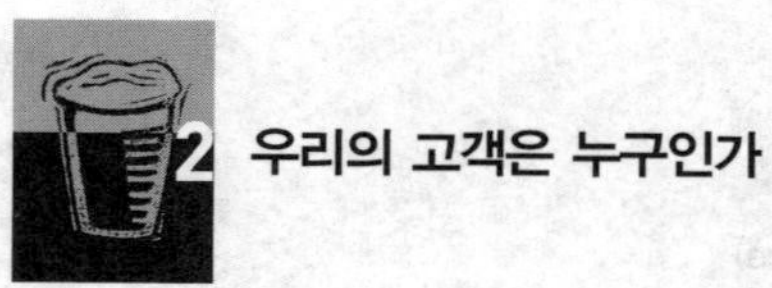

2 우리의 고객은 누구인가

스타벅스는 두 부류의 타깃을 설정했다. 19세에서 25세의 대학생 또는 사회 초년생, 그리고 26세에서 30대 초반의 신세대 직장인의 두 부류이다.

전자를 개방적이고 활동적이며 일상적인 규범에서 벗어나 일탈을 꿈꾸는 부류로, 후자를 브랜드를 중시하고 안정적인 면을 지향하지만 가끔은 좌절하는 세대이며 아울러 재테크에도 관심이 많고 여러 정보에 몰두하는 부류로 나누고 있다는 점은 의미하는 바가 크다.

이렇듯 누구를 타깃으로 삼을 것인가를 결정하기 위해 적절한 기준에 의해 분류하는 것을 시장 세분화(market segmentation)라고 한다.

시장 세분화

서로 다른 욕구를 갖는 시장(소비자)을 몇 개의 그룹으로 구분하는 것을 시장 세분화라고 한다.

시장은 서로 다른 욕구를 갖는 소비자로 구성되어 있으며 이들의 욕구는 지역, 나이, 라이프 스타일, 구매 동기 등 여러 가지 세분 변수에 따라 몇 개의 그룹으로 나뉘어진다. 여기에서 몇 가지 질문을 던질 수 있다. '왜 시장 세분화가 이루어졌는가', '시장 세분화의 기준은 무엇이며 이에 대한 오류는 없는가', '그 과정과 장단점은 또 무엇인가'.

우선 시장 세분화가 이루어지게 된 배경을 살펴보자. 오늘날의 기업은 다수의 경쟁자가 난립하고 제한된 시장 내에서 자사의 점유율을 확장하기 위해 피나는 경쟁을 벌여야 한다. 이런 현상은 곧 생산 지향적인 기업에서 마케팅 지향적(marketing oriented) 내지 소비 지향적(customer oriented)으로 전환됨과 동시에 제품이나 마케팅 활동에 관심이 많은 불특정 다수의 소비자를 적절한 기준에 의해 나눌 수밖에 없는 상황에 처하게 한다. 더욱더 좁아지는 표적시장과 제한적 마케팅이 강조되는 추세로 보면 이런 현상은 어찌 보면 당연한 결과라 아니할 수 없다.

이를 두고 코틀러(P. Kotler)는 "별도의 제품이나 마케팅 믹스를 요구하는 특정 구매자 집단으로 시장을 분할하는 행위"라는 정의로 이해를 더욱 깊게 해주었다. 따라서 시장 세분화는 기업이 마케팅 활동을 함에 있어 1) 수익성이 보장되는 거대한 세분시장을 확인시켜주고, 2)

마케팅 노력에 의해 효율적으로 접근될 수 있는 세분시장을 알게 할 뿐더러 3) 세분화된 사진에 적합한 마케팅 믹스 개발을 가능하게 해주는 기능을 수행하게 해준다.

시장 세분화의 소비자적인 측면에서의 필요성과 기업적인 측면에서의 필요성

소비자적인 측면	기업적인 측면
1 전체적으로 소비자의 생활 수준이 향상(다채로운 디자인이나 혜택/라이프 스타일)	1 다양화된 시장의 보유 및 활용 가능에 한계 인식
2 상품 간 질적 수준 동일시로 가격 및 제품 혜택에 맹목적 반응 안 함	2 업종 간의 경쟁 격화, 제품 동질화로 소비자의 주의나 관심에서 외면
3 일반화된 제품보다 자기만의 독특한 제품을 갖기 위해 탐색, 노력	3 상품기획 만성화로 마케팅 능률 저하, 이윤 급강화→ 환경변화에 민감 반응, 개성시대에 맞는 다양한 프로그램 운영

그럼 시장 세분화의 기준은 무엇이고, 그 오류는 어떠한 것일까? 시장 세분화는 제품이나 시장 상황에 따라 다르게 나타나기도 하지만, 일반적으로 다음과 같은 4가지 기준으로 구분된다.

지역별 세분화 |

지역별 세분화의 경우는 우리나라에서는 주류 시장에서 그 예를 볼 수 있으며 미국의 경우 맥스웰하우스가 전국적인 판매망을 가지고 있으나 지역적인 차이, 즉 강한 커피는 서부 지역으로 동부 지역은 약한 커피를 파는 사례를 통해 이해할 수 있다.

인구통계 상의 세분화 |

인구통계 상의 세분화(demographic segmentation)는 성, 나이, 소득 수준, 직업, 교육 정도, 가족 수, 가정의 라이프 사이클 등에 의해 세분화하는 것이다.

우리나라의 세분화 변수

지리적 특성 별 세분화 변수의 예

변수	전형적인 예
지역	서울, 경기, 경북, 경남, 전남, 전북, 충남, 제주, 기타
도시 규모	5천 명 이하, 5천~2만, 2~5만, 5~10만, 10~30만, 30만 이상
인구밀도	도시, 교외, 시골

인구통계 특성 별 세분화 변수의 예

변수	전형적인 예
나이	6세 이하, 6~11세, 12~19세, 20~34세, 35~49세, 50~64세, 65세 이상
성별	남, 여
가족 수	1~2명, 3~4명, 5명 이상
가족생활 형태	독신, 결혼, 무자녀, 6세 이하 자녀, 18세 이하 자녀, 독신 자녀, 결혼 자녀 등
학력	중졸, 고졸, 대졸
직업	전문직, 기술직, 경영자, 관리직, 사무직, 판매직, 운전직 등
국적	한국, 중국, 일본, 미국, 유럽, 아프리카

인구통계 특성 별 세분화 시 사용되는 변수로는 앞서 언급한 대로 나이, 성별, 소득, 직업 등이 있는데 정리하여 예를 들어보면 다음과 같다.

첫째, 연령과 생활주기 단계이다. 소비자의 욕구와 능력은 연령에 따라 변화하고 이러한 변화는 생활주기에 영향을 주며, 제품을 구입할 때도 영향을 미친다. 신세대 주부층을 겨냥한 동서 컨셉트 가구, 장년층을 겨냥한 사임당 가구 등은 연령에 따른 세분화의 예가 될 것이다. 연령과 결혼 여부에 따른 생활주기 단계에 따라서도 시장이 세분화되는데, 이에 따른 주택 구입 성향이 좋은 예이다. 20대의 독신 남녀는 원룸을 선호하고, 결혼한 젊은 부부들은 아파트를 선호하고, 50대 노부부들은 전원주택을 선호한다. 이처럼 연령과 라이프 사이클의 변화는 신체적 변화, 재정력의 변화, 취향의 변화 등을 대변하기 때문에 이를 조사하는 것은 가장 보편적인 시장 세분화의 단계가 된다.

둘째, 성별이다. 성별 세분화는 의복, 미용, 화장품, 잡지에서 오랫동안 사용되어왔다. 간혹 다른 분야의 마케팅 관리자들도 성별 세분화의 기회를 발견하곤 한다. 담배 시장이 좋은 본보기인데, 대부분의 담배 상표는 남녀 똑같이 소비하고 있다. 그러나 담배의 종류가 너무나 다양하고 흡연에 대한 성차별이 드문 미국에서는 담배의 성별 세분화가 많이 진행되어 있는데, 거친 남성의 표상

사임당 가구 소비자의 욕구와 능력은 연령에 따라 변화하고 생활주기와 구입에 영향을 미친다.

이 되어 있는 말보로 담배도 초기에는 여성용이었으나 판매 부진을 겪은 후 말보로 맨을 등장시켜 고독하고 강한 남자의 이미지를 내세운 후 현재의 위치를 갖게 되었다. 이브나 버지니아 슬림과 같은 여성용 상표는 여성 이미지를 강화시켜주는 적당한 향, 포장, 광고를 사용한다.

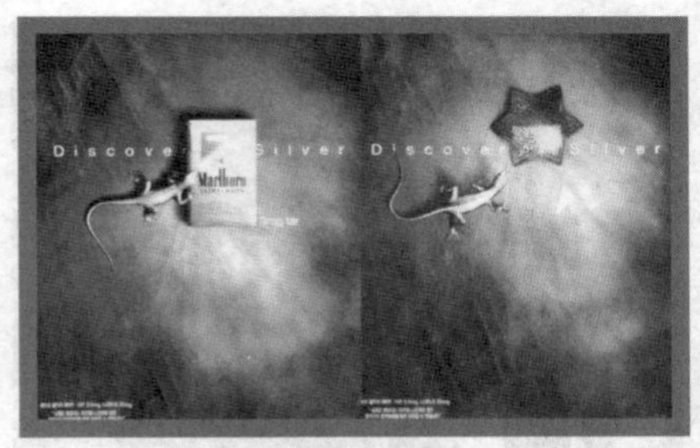

말보로　초기 여성을 염두에 둔 제품이었으나 판매 부진을 겪은 후 고독하고 강한 남성 이미지로 성공한 성별 세분화의 예

성별 세분화를 깨닫기 시작한 또 다른 산업은 자동차 산업으로, 과거 자동차는 기본적으로 남자에게 소구하도록 설계되었다. 그러나 많은 여성들이 자동차를 소유하게 됨에 따라 일부 제조업자들은 특별히 여성들에게 소구할 수 있는 모형의 자동차를 설계하고 있다. 그러나 반대로 너무나 성별 세분화가 진행된 분야에서는 남녀 공동 제품이 오히려 새로운 시장으로 받아들여지는데, 캘빈클라인 의류나 남녀 구분 없는 미용실 등은 그런 특성으로 성공할 수 있었다.

셋째, 소득이다. 소득 세분화는 연령, 성별 다음으로 자주 사용되는 세분화 변수로 자동차, 보트, 의류, 화장품, 여행과 같은 제품 및 서비스 범주에 주로 이용된다. 고소득, 고학력의 젊은 독신 남녀를 지칭하는 여피족은 소득과 연령을 세분화 변수로 이용하는 대표적인 예이다. 때때로 고학력자를 고소득자로 간주하여 시장을 세분화하기도 하지만, 소득계층과 사회계층은 엄연한 차이를 지니고 있음에 유념해야 한다. 또한 소득과 구매력은 다른 문제이므로 위에서처럼 다른 변수와 결합시켜 사용할 때 보다 효과적일 것이다.

캘빈클라인 고품격 이미지를 제공하며 이에 버금가는 기능을 어필한 브랜드 포지셔닝의 대표적인 사례

우리가 앞선 예에서 볼 수 있듯이 인구통계상의 세분화는 고객을 묘사하거나 자료 수집이 용이하고, 고객의 매체 선정 파악이 쉬우므로 종종 세분화의 변수로 사용하고픈 충동이 생긴다. 그러나 이 안에는 간과할 수 없는 자기모순이 있다. 일단 이런 세분화 방식은 실(實) 소비자를 찾아 접근하기가 용이하지 않다는 것이다. 인구 통계적 특징을 가진 소비자를 일일이 찾아내어 선별적으로 접근한다는 것은 정말 불가능한 일이기에 더욱 그러하다.

이런 경우 대량 마케팅(mass marketing)을 수행해야 하는데 그렇다고 하면 세분화의 의미는 퇴색될 수밖에 없다. 그리고 또 하나 소비자의 특징을 왜곡할 수 있거나 제품 구매의 참 이유를 설명하지 못할 수가 있다. 예를 들어 어떤 정년퇴직자는 자산은 많지만 소득이 낮을 수 있고 또 다른 정년퇴직자는 자산은 없지만 소득은 많을 수 있음에도 불구하고 이들을 하나로 묶는 오류를 범할 수가 있다.

또한 인구통계 자료는 소비자가 제품을 구매하는 이유를 설명해주지 못해 일부에서는 '표면적 자료'라 폄하되기도 하며 시장의 특성을 밝히는 데에는 도움이 되지만 이를 토대로 시장을 세분화하는 일엔 한계가 있다고 평가한다.

생활양식에 의한 세분화 |

사회계층, 라이프 스타일, 개인의 성격에 따라 소비 형태가 다르게 나타날 수 있다. 사회계층에 따라서 자동차, 옷, 가전제품, 여가선용 등 소비에서 현저하게 차이가 날 수 있다. 그 이유는 동료들이나 이웃, 즉 준거집단에 대한 체면 때문이다.

라이프 스타일은 개인의 욕구, 동기, 태도, 생각들의 복합체이다. 예를 들어 리복 운동화는 건강하고 날렵한 몸매를 위해 에어로빅하는 여성에 초점을 맞추어 성공하였다.

소비자의 성격은 제품을 개발하는 데 많은 영향을 미친다. 전형적인 예로 여성들의 화장품, 담배, 보석, 술등이 여기에 속한다.

상품으로부터 얻는 이익에 의한 세분화 |

P&G의 페브리즈란 제품을 보자. 이 제품은 음식 냄새는 물론 집 안의 커튼, 소파 같은 섬유에 배어든 냄새를 제거하는 탈취제이다. CF를 보면 커튼, 소파, 카펫, 침대 매트리스, 의류 등 섬유 깊숙이 스며들어 냄새 입자를 없애준다는 카피로 주부들의 인기를 얻고 있는 상품인데 이런 사례가 바로 상품으로부터 얻어내는 이익에 의한 세분화이다. 이는 한마디로 섬유 하나만 선택하여도 승산이 있는 전략이라 아니할 수 없다.

이밖에 분류에 따라 다르겠지만 구매자의 제품에 대한 지식, 태도,

■ ■ ■

준거집단 reference group 개인에 대해 준거의 틀(frame of reference)을 제공하는 집단으로 상품이나 브랜드를 선택할 때 의견의 통일을 구하는 측면에 개인에게 영향을 준다

사용법에 따라 시장을 나누는 경우가 있는데 자이리톨 같이 용도에 의해서, 죽염치약의 예처럼 효익에 의해서, 삼성과 같이 상표 충성도에 의해 세분화가 이루어질 수 있다. 이런 세분화는 소비자의 반응에 초점을 두었다는 점에서 주목할 만하다.

마지막으로 세분화의 과정과 장단점을 살펴보기로 하자. 세분화의 과정은 기업이 제품이나 서비스를 판매할 대상 집단을 선정하기 위해 소비자 간에 존재하는 중요한 차이가 무엇인지 결정하여 이를 토대로 고객의 욕구를 만족시켜주는 목표 시장 선택, 즉 활동 장소를 이르는 말이다. 따라서 이의 3단계는 시장을 서로 다른 제품이나 마케팅 믹스

시장 세분화의 장 · 단점

장 점	단 점
1 보다 수익성이 높은 시장으로 노력을 집중 투입할 수 있다. 2 제품의 디자인을 시장의 필요에 일치하도록 유도한다. 3 기업에 가장 유리한 촉진활동의 소구점을 발견케 한다. 4 최적 광고매체 선택과 합리적인 촉진믹스를 가능케 한다. 5 촉진활동의 시기와 대상조절 및 최적활동시기를 선택 가능케 한다. 6 필요한 시장 자료를 제공한다.	1 구조적으로 대량생산과 시장세분에 의한 다품종 소량생산과의 모순이 생긴다. 2 세분시장은 수요의 특수성에 의존하므로 수요변화나 불황 시 재고과다의 위험이 크다. 3 다종의 세분화를 위해 끊임없는 연구비 · 촉진비용의 증가와 세분시장의 마케팅믹스를 위해 비용이 급증한다. 4 성공적인 시장 세분화 전략 실시로 독점초과 이윤을 발생시키면 또 다른 세분화 시장의 출현으로 인한 과도기적 성격의 모순이 생긴다. 5 시장 세분화에 의한 독점적 초과이윤은 기존 제품의 폐기화로 기업 및 소비자의 낭비의 원인이 된다.

를 원하는 소비자 선택과 표적 선정 및 침투, 목표 시장의 자리잡기가 그것이다.

종합적으로 요약해보자.

1 뛰어난 시장 분석력
2 우수한 제품 개발 기술
3 독창적인 판매촉진 활동

이러한 것들이 요구될 때 시장에서 성공할 수 있다. 따라서 시장 세분화 전략은 유일한 해결책으로 그 중요성이 날로 가중되고 있다. 이에 비춰볼 때 스타벅스의 마케팅 믹스와 커뮤니케이션 전략은 세분화의 관점에서 의심의 여지없이 성공의 요소를 두루 갖추고 있다고 보아도 무방하다. 광고 없이 구전에 의지하는 판촉 활동도 아울러 챙겨보아야 할 요소이다.

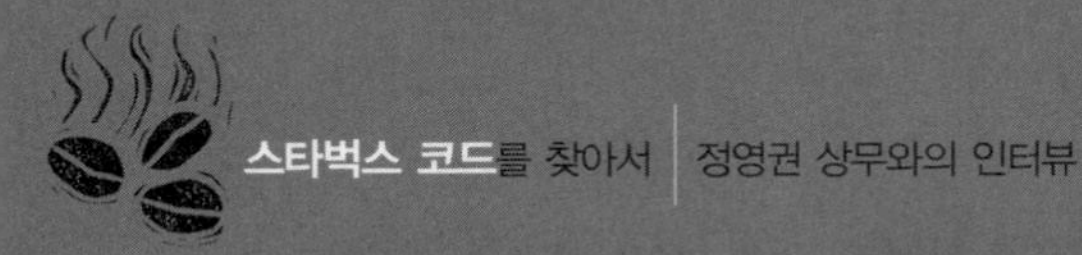

단순하지 않은 고객층 파악하기

초기에 스타벅스커피 코리아의 1호점이 이대 앞에서 오픈한 것을 두고 말들이 많았습니다. 여의도나 광화문, 아니면 테헤란로 등등의 후보지를 제쳐두고 왜 여대 앞일까 하는 궁금증 말입니다.

일단 우리는 스타벅스를 외국에서 경험했거나 알고 있는 잠재고객이 필요했습니다. 미국이나 캐나다에 살았던 사람들, 역 이민되어 들어와 사는 분들이나 해외유학 경험이 있는 사람들이 모여 있는 곳, 그리고 이왕이면 여성이면 좋겠다고 생각했지요. 경기가 나쁠 때도 여성용품은 그래도 팔린다는 통계들이 있으니까요. 그리하여 20~30대를 타깃으로 잡았고 여대 앞이 적절하다고 판단했습니다.

문제는 테이크 아웃이라는 새로운 스타일을 접목시키기가 쉽지 않다는 것이었습니다. 당시 한국엔 2만 5천 개 정도의 다방이 있었는데 '차를 들고 다닌다'는 것은 우리 문화엔 매우 생소한 행동이었습니다. 앞서 거론된 바 있지만 스타벅스커피 코리아 전 임직원들은 테이크 아웃을 몸소 보여주는 발로 뛰는 마케팅을 실천

하였습니다. 그랬더니 가장 어려울 것이라 보였던 이 문제가 서서히 유행이라는 바람을 타기 시작했습니다. 처음엔 10% 정도, 찻잔 속의 태풍이더니 시간이 흐를수록 20%, 30%로 확산되기 시작했고 지금은 30~40대까지 자연스럽게 테이크 아웃하는 경향을 보이고 있습니다.

이후에는 여의도, 테헤란로, 종로, 광화문 등 오피스 타운으로 시장을 넓혀가게 되었습니다. 이런 경험을 하다 보니 초창기에 우리의 타깃이 크게 두 부류로 나누어져 있음을 우리는 알게 되었습니다.

첫 번째 부류는 19세에서 25세 정도의 대학생이거나 사회 초년생들이었습니다. 이 세대의 특징이 재미있습니다. 개방적이고 활동적이며 일상적인 규범에서 벗어나 일탈을 꿈꾸는 신 자유 세대입니다. 도전 의식도 강하고요. 자기계발이나 발전에 꽤 적극적인 면도 보입니다. 아름다워지기를 소망하고 감성적 소비에는 으뜸이지요.

또 다른 부류가 26세에서 30대 초반의 신세대 직장인입니다. 이들은 브랜드를 중시하고 안정적인 면을 지향하지만 가끔은 좌절하는 그런 세대입니다. 재테크에도 관심이 많고 여러 정보에 몰두하는 경향도 보이지요.

이들의 소비 패턴과 라이프 스타일이 저희에겐 좋은 연구 자료가 되고 있습니다. 일종의 핵심고객이라고 말할 수 있는데요, 이들의 입맛과 욕구에 어떻게 해야 맞출 수 있는지 상당 기간 고민했습니다. 타깃을 연구하다가 그야말로 암초에 걸린 사례가 있었습니다. 결정을 내리기에 난해한 사안이었지요.

스타벅스는 여러분도 아시다시피 커피 향을 즐기는 공간 아닙니까? 담배 향은 커피 향을 가리기 때문에 직원들도 자진해서 담배를 끊었습니다. 그런데 우리나라 사람들의 통념은 다방에서 커피와 함께 담배를 즐기는 것이 일반적입니다. 이 부분이 장벽으로 다가온 것입니다.

그래서 스타벅스커피 코리아는 결단을 내렸습니다. 한국적 디자인의 스모킹 룸을 만들기로 했습니다. 전 세계 매장 어디에서도 볼 수 없는 획기적인 결정이었습니다.

훌륭하고 지속적인 일류 브랜드를 창출해내는 것은 매력적인 상품 외에 고객 친화적인 서비스를 갖추는 일이라는 것을 우리는 알았습니다. 그렇게 하기 위해서는 고객의 소리를 귀 기울여 들어야 한다는 사실도 아울러 사명감으로 받아들였습니다. 따라서 스타벅스 매장에 오시면 아시겠지만 '고객의 소리' 전단을 비치하여 이곳에 적힌 고객의 의견이 최고 경영자에게 전달되도록 하였습니다. 제시된 문제는 물론 시정하도록 노력했고요. 만족하지 않는 고객에게는 무료 쿠폰도 증정했습니다.

고객과의 채널은 이것뿐 아니라 홈페이지 고객 의견 등의 다양한 채널도 가동되고 있습니다. 스타벅스 홈페이지 회원으로 가입하면 스타벅스커피 코리아의 일주일간의 모든 행사를 한눈에 알아볼 수 있는 '사이렌 테일(Siren's Tale)'이라는 스타벅스 소식지를 받아볼 수 있습니다. 우리 스타벅스는 고객만족엔 한계가 없다는 생각으로 끊임없이 고객과 대화하고 그 필요를 탐색하며 정책에 반영하려고 노력하고 있습니다.

〈커피 한잔에 담긴 성공신화〉에 보면 새로운 고객을 확보하기 위해 회사가 모험할 가치가 있느냐는 고민의 사례가 나오고 있습니다. 있느냐, 없느냐? 유나이티드 항공사의 비행기 내에서 커피를 공급하는 사례를 두고 스타벅스 내에서 격렬한 논쟁을 벌였나 봅니다. 자칫하면 스타벅스의 명성과 브랜드 가치를 손상시킬 수도 있는 사안이었기에 쉽사리 결정할 수 없었다고 합니다. 과연 새로운 고객을 얻을 수 있을까? 실패하면 어떤 손실을 입게 될까? 결론은 여러 가지 제약을 극복하고 시행착오를 거쳐가며 또 하나의 성공을 거둔 것입니다.

고객이 원하면 어떠한 아이디어도 모험도 감행합니다. 때론 잘못된 선택으로 회사의 정체감을 흔들지 모른다는 불안감도 있지만 도전하고, 고정관념을 깬 새로운 아이디어로 고객에게 고급 커피 문화를 제공합니다. 〈우리의 사명〉 중에 "고객들이 항상 만족할 수 있도록 적극적으로 노력한다"는 원칙을 마음속 깊이 새기며 말입니다.

3 어떤 상품을 만들 것인가

마케팅 플래너의 가장 큰 고민은 무엇일까? '어떤 제품을 만들어 팔아야 경쟁사 제품을 따돌릴까?' 라거나 '어떤 제품이 고객의 필요와 만족을 충족시킬까?' 라는 생각 아닐까.

그렇다고 하면 우리는 '제품'에 대한 정의를 확실히 짚고 넘어가야 할 것이다. 통상 우리는 제품을 프로덕트(product), 즉 4P 중의 한 요소로 국한시키려 한다. 눈에 보이는 가시적 상품에 한정 지으려는 경향이 있는 것이다. 그러나 마케팅에서는 '욕구와 충족의 능력을 보유하는 모든 것'이라는 포괄적 정의가 중시되고 있다. 왜냐하면 인간의 욕구는 제품의 소비를 통해 충족되기 때문이다.

그렇다면 잘 팔리는 소비자가 찾는 제품을 만들기 위해서는 어떻게 해야 할까? 우선 시장성이 있는지를 철저히 검토해야 한다. 예를 들어 실버 마켓에 어필할 제품이 런칭되었다치자. 피상적으로 보아도 '고령

제품의 정의

마케팅에서 제품이란 '욕구 충족의 능력을 보유하는 모든 것'이다.

화 사회'라는 호재가 있고 이 시장의 빠른 변화도 생산자를 흥분시키기에 충분하다. 그러나 성장하는 시장이라 해서 나이 먹은 모든 어르신이 타깃이라 보면 곤란하다. 요즘 실버 세대가 연금, 보험 등 노후대책을 마련하고 상당한 재산을 소유한다 하지만 이 자체가 마케팅 확장 전략의 중요 요소가 되지는 않는다.

여기엔 몇 가지 고려할 요소가 있다. 그들은 누구인가? 어떤 제품과 서비스를 제공해야 할 것인가? 고객이 요구하는 제품의 특성은 무엇인가? 경쟁 제품과 차별화할 매력적인 요소는 무엇인가? 시장 진입은 물론 확장시킬 제품의 본원적인 특성과 부가가치는 무엇인가? 아무리 뛰어난 제품이라 해도 시장성이 미흡하다면 인큐베이터의 미숙아처럼 특단의 조치나 리모델링에 의존해야 하므로 단명하게 되는 결과를 가져올 것이다.

둘째는 기술력이다. 타 업체가 스타벅스 커피를 벤치마킹할 수 없는 가장 큰 이유는 바리스타의 예술적인 브랜딩이다. 물론 최고의 품질을 자랑하는 원두 및 제품과 관련된 여러 요소가 작용하겠지만 가장 큰 요소는 독특하고 차별적인 제품을 만드는 바리스타 손끝에서 만들어지는 기술이다. 스타벅스는 이를 위해 많은 시간과 노력, 아낌없는 투자를 계속해나갈 것이다.

마지막으로 제품을 사 갈 소비자를 분석해야 한다. 앞서 말한 실버 마켓을 위해 조지아 주립 대학의 '장년층 소비자 연구센터'에서는 여러 제안과 연구를 해왔는데 그중 가장 특별한 것은 소비자를 네 가지 유형으로 분석한 것이다.

그 첫째가 '건강한 수도자'이다. 이는 신체적 건강은 비교적 좋으나 심리적으로는 사회에서 격리되어 있다고 느끼는 노인들을 말한다. 이들은 집안 청소, 식사 준비, 쇼핑 등에 비중을 두며 화초 키우기, 비디오 관람 등 집안에서 할 수 있는 오락활동을 즐긴다고 한다.

둘째는 '병약한 외출자'라고 분류되는 부류이다. 건강은 좋지 않지만 사회적으로 활발한 노인들이다. 그들은 의료 및 건강 서비스, 방문형 건강 유지 서비스, 레저, 여행, 위락 서비스에 관심이 많다. 이를테면 즉각 병원에 연락할 수 있는 전화기라든지, 자가 진단형 건강 체크 기계, 그밖에 비상시 도움을 청하는 시스템 등을 필요로 한다.

셋째는 '연약한 은둔자'이다. 건강도 별로 좋지 않고 사회로부터도 멀어져 있는 노인들이다. 건강 유지를 위해 대부분의 돈을 쓰고, 집안에서 즐길 수 있는 위락시설, 취미 활동 등을 필요로 하는 이들이다.

마지막으로 '건강한 도락가'가 있다. 이는 건강이 좋고 사회적으로도 활발하며 비교적 부유한 노인들을 가르키는 말이다. 이 노인들은 의복과 금융상품 등에 깊은 관심을 가지며 레저, 여행, 위락 등이 그들에겐 중요한 상품으로 부각되기도 한다.

'건강한 수도자', '병약한 외출자', '연약한 은둔자', '건강한 도락가'는 각각 다른 필요와 욕구를 가지고 있다. 그렇다고 하면 그들이 요구하는 제품의 성격이나 서비스도 저마다 다를 것이다.

최근에는 'TONK(Two Only, No Kids)'족이라 하여 은퇴한 후 자

녀들을 독립시키고 부부들만의 생활을 즐기려 하는 뉴실버가 마케터들의 관심을 모으고 있다. 이들은 '하면 된다'는 성취 지향적 행동양식을 취하는 일벌레 등으로 레저, 여행, 건강에 대해서도 전문가 뺨치는 정보와 식견을 갖추고 있다. 은행들은 이러한 뉴실버의 왕성한 경제력을 끌어들이기 위한 전략을 세우고 보험사에서는 연금, 건강보험 등의 상품 개발에 힘쓰고 있다고 한다. 백화점도 질세라 40대 이상 여성의 의류 브랜드 매장 설치 등 다양한 유인책을 만들어내고 있는 실정이다. 여기서 한번 정리하고 넘어가자.

제품의 요소를 충족하기 위해서는

1. 시장성이 있는지 철저히 검토한다
2. 제품의 기술력을 체크한다
3. 제품을 살 소비자를 분석한다

스타벅스 제품은 단연 탁월하다. 그런데 어떤 제품의 경우 억지 춘향 격으로 '좋다'만 남발하는, 그러나 소비자에게는 허망한 짝사랑(?)으로 비춰지는 경우를 종종 목격하게 된다. 그러나 여기서 소비자가 인지하는 제품의 가치, 즉 밸류(value)는 그 제품 존재의 핵심이다. 따라서 생산자는 생산된 제품, 아니 생산하려는 제품이 소비자가 중시하는 밸류와 일치하는지 먼저 파악해야 한다. 그 다음 경쟁사와 확연히 비교되는 전략상품을 등장시켜야 한다. 그러고 난 후 '이 전략상품은 기존 상품과 속성이 다르고 그 위치도 절대적으로 우위다'라는 한계를 설정하고 제품의 물리적인 특성과 소비자의 지각을 고려한 포지셔닝 맵을 그리는 것이다.

여기서 한 가지 알아두어야 할 사실은 우수하다는 것과 인기 있다는 것은 다르다는 것이다. 생산자적인 마인드, 즉 '좋은 상품은 꼭 팔릴 것이다' 라든지 '품질이 뛰어나면 각광을 받을 것이다' 라는 개념은 더이상 시장의 현실에서는 통용되지 않는다. 기업은 이런 과정을 거친 후 사업 포트폴리오 분석을 통해 전략상품의 경쟁우위 전략을 수립하는데 그 방법은 두 가지로 나눌 수 있다.

그 첫째가 비용 우위(cost advantage)이다. 이 방법은 동일한 품질의 제품을 경쟁사보다 낮은 비용에 생산하여 저렴하게 판매하는 것이다. 80년대 일본의 도요타나 혼다 등의 자동차 회사들이 미국 자동차 회사와 치열하게 경쟁할 때 대표적으로 사용하던 전략으로, 이들은 운영의 효율성을 통해 원가절감 등으로 확고한 시장 지위를 확보하였다.

둘째 차별화 우위(differentiation advantage) 전략이다. 산업 내 전체 소비자들에게 경쟁사들이 제공하지 못한 독특한 가치를 제공함으로써 경쟁우위를 확보하려는 것으로 최근 유행되고 있는 전략의 하나이다. 굳이 여기서 지적하고자 하면 스타벅스를 들 수 있는데 이들은 절대적, 압도적 차별화를 통해 기업은 시장을 석권하려 든다.

미샤라는 화장품 브랜드를 알고 있는가? 공중파 CF를 통해서, 이제 제법 알려진 후발업체다. 이들은 거품을 줄여 싸게 유통시킨다는 컨셉트를 가지고 출발했다. 기존 화장품 경쟁업체에겐 '눈엣가시' 와 같은

포지셔닝 맵 광고하려는 상품이나 기업을 사람들 마음 속에 어떻게 위치할 것인지 결정하는 요소를 한눈에 볼 수 있는 맵(지도)

존재라 할 수 있다. 여기서 주목하고 싶은 것은 앞서 우리가 공부한 비용 우위와 차별화 우위 전략을 미샤는 적절히, 때론 강력하게 사용하고 있다는 것이다. 화장품 브랜드들의 거품을 줄여서 저가로 판매하고 주 타깃을 10대 후반에서 20대 초반으로 잡았는데, 놀랍게도 대학생들이 선호하는 제품 중 화장품 분야에서 1위를 기록했고, 2004 의류 · 화장품 분야에서 대상을 수상했다. 이들은 이미 소비자들에게 '합리적인 여성들의 정직한 화장품'이라는 제품 이미지를 몇몇 전략상품을 통해 설정해놓았으며 기존 경쟁업체들이 소홀히 하기 쉬운 온라인 사이트를 강화시켜 국내 화장품 업계에서 유일하게 온 · 오프라인 통합 마케팅 성공 사례로 남게 되었다.

이들은 처음부터 온라인 제품 사이트를 통해 화장품을 무료로 보내는 등 출발이 예사롭지 않았다. 기존 경쟁업체들이 제품 포장, 유통, 마케팅 등에 엄청난 비용을 쏟아 부어 소비자들의 불만이 극에 달했다는 정보도 적절히 전략 상품의 컨셉트로 활용했다고 한다. 권장소비자 가격에서 화장품에 들어가는 원재료의 비중은 10%에 불과하다는 현실을 거품으로 설정, 소비자에게 저렴하면서도 질 높은 제품을 공급한다는 두 마리 토끼를 다 쫓은, 어떻게 보면 다윗과 골리앗의

미샤 '합리적인 여성들의 정직한 화장품'이라는 슬로건으로 소비자에게 어필한 저가 화장품 브랜드

싸움을 시작한 것이다.

문제는 미샤의 비용 우위의 전략이 절대적으로 존재하지 않는다는 사실이다. 벌써 메이저 업체들은 방어 전략으로 중저가 제품을 출시하고 자사 제품을 전문적으로 취급하는 브랜드 숍을 오픈하는 등 반격에 나서고 있다. 여기에 미샤의 고민이 있다. 이런 현실을 외면할 수 없을 뿐 아니라 기업이 성장하고 포지셔닝해야 하는 필요에 따라 광고를 집행하다 보면 이들이 모토로 내건 '비용의 최소화'는 지켜질 수 없다. 기업은 현실과 상황에 따라 자꾸 진화되어야 하는데 여건이 못 따르는 경우, 딜레마에 봉착하게 된다.

이를 극복하기 위한 전략상품의 설정 요건, 즉 시장 매력도는 어느 기업이든 투자라는 관건에서 주춤대게 하는 요인이 되게 한다. 소위 '커피에 대해서', '커피 문화에 관한 한' 천재라 자부하는 스타벅스도 끊임없는 '자기진화'와 발전을 추구해나가야 할 것이다. 때론 정체감에 시달리거나 시장 역전의 아픈 경험도 겪어가며 이전보다 더 탄탄히 더 폭넓게 소비자들의 마음에 자리잡을 때까지.

비용 우위와 차별화 우위

한 기업이 경쟁사들보다 높은 수익을 얻는 방법은 크게 비용 우위를 추구하거나 차별화우위를 추구하는 두 가지 방법이 있다.

에스프레소 모험

여기서는 왜 스타벅스가 에스프레소라는 스페셜 커피 시장에 뛰어들어 모험을 자초하였는지, 또 그 전략상품 개발을 위해 어떤 노력을 하였는지 살펴봅시다.

우리나라 최초로 커피와 사랑에 빠진 임금님을 아십니까? 고종황제가 아관파천 당시 세자와 함께 커피를 마셨다는 기록이 있습니다. 그리고 개화기와 일제시대에는 명동과 충무로, 소공동, 종로 등에 커피점이 생겼다고 합니다. 이것이 우리의 커피 역사입니다.

그러나 그들이 어떤 커피를 마셨는지, 무엇을 제조해 마셨는지는 언급되어 있지 않습니다. 아마 줄곧 인스턴트 커피를 마셨겠지요. 1990년대 초반 인스턴트 커피의 시장점유율은 82%에 달했습니다. 제 기억에도 생생하지만 얼마 전까지만 해도 커피 둘, 설탕 둘, 크림 하나가 온 국민의 커피였으니까요.

그러던 것이 1990년대 접어들면서 서구적인 음식 문화와 라이프 스타일의 변화 등으로 원두커피, 그중에 에스프레소와 커피를 즐기는 사람들이 하나둘 눈에 띄기 시작했습니다. 더 이상 뜨거운 물만 부으면 마실 수 있는 인스턴트로는 이들의 입맛을 맞출 수는 없었던 것이지요. '싸고 빠르고 간편한 것'은 커피의 미덕이 될 수 없었습니다. 기꺼이 원두를 갈아 커피를 내리는 수고를 아끼지 않으며 '품질'을 따져가며 커피를 마시게 된 겁니다. 아울러 좋은 원두를 구입하는 것이 훌륭한 커피 맛을 위한 첫걸음인 것을 알게 되었습니다.

척박하기 이를 데 없는 한국 커피 시장에 스타벅스가 프리미엄 커피 시대의 도래를 알리는 신고식을 한 겁니다. 당시 이런 필요는 소수 유학생을 중심으로 미미하게 일고 있었지만 이를 전략상품으로 삼고 시장에 런칭한 것은 당시로서는 모험이라 아니할 수 없었습니다. 그래서 스타벅스커피 코리아의 1999년 이대 1호점 오픈을 잊을 수가 없습니다. 소수가 즐기던 스페셜티 고급 커피 문화를 대중이 누릴 수 있는 문화로 전이시키는, 우리나라 커피사에 한 족적을 남긴 것입니다.

문제는 에스프레소라는 컨셉트를 인스턴트 커피나 소위 다방커피와 차별화시켜 소비자에게 어떻게 인식시키느냐 하는 것이었습니다. 다행스럽게도 한국 내에 에스프레소업계에 경쟁자가 전무하여 빠른 속도로, 리더 브랜드로 자리잡을 수 있게 되었습니다.

스타벅스커피 코리아는 한 종류의 커피, 그것도 인스턴트 커피가 판을 치는 국내 커피 시장에 에스프레소라는 전략상품을 내놓았습니다. 그것은 당시로서는 계란으로 바위 치는 행위였는지 모릅니다.

사실 6.25 사변 당시 미군들의 군용 식량으로 개발된 인스턴트 커피는 간편성을 내세워 휴전 후 40여 년간 국내 커피 시장에서 굳건한 아성을 지켜왔습니다. '커피 후진국'이라는 비아냥을 들을 정도로 90%가 넘는 인스턴트 커피의 국내 시장점유율은 세계적으로 유례를 찾아볼 수 없는 사례로 꼽혀왔습니다.

따라서 스타벅스커피는 기존의 사례도 없고 소비자의 필요도 미미했으며 반드시 성공하리라는 보장도 없었습니다. 그러나 하워드 슐츠 회장의 경영철학에 따라 남보다 앞서 생각하고 깨닫는 비전을 향해 달려갔습니다. 하워드 슐츠 회장이 베로나에서 발견한 프로덕트 개념, 즉 커피에 덥혀진 우유와 우유 거품을 넣어 만들어 마시는 그 개념부터 착실히 이행해나갔습니다. 그가 인스턴트 커피를 마시는 미국인들에게 이탈리안 고급 커피를 맛보여야겠다는 사명감을 가졌던 것처럼, 스타벅스커피 코리아도 그런 심정으로 소비자 앞에 섰습니다.

'에스프레소 전도사!'

이제는 한국에서도 스팀 밀크에 풍부하고 진한 카페라떼를 마실 수 있으며 에스프레소샷, 카푸치노, 에스프레소 마끼야또, 카라멜 마끼야또 등을 즐길 수 있게 되었습니다. 그야말로 커피의 신비와 로맨스를 커피바에서 바로 느낄 수 있게 된 것입니다. 마케팅에서, 전략상품을 선정하여 컨셉트와 아미지를 알리고 설득하는 일은 그리 쉬운 일이 아니라는 것을 우리도 잘 알고 있습니다. 그리고 소수만 향유하던 커피 문화를 대중의 거리에 내놓는 일 자체가 우리나라의 환경에서는 커다란 모험이요, 힘겨운 싸움이었습니다. 그것은 항상 최고 품질의 신선한 원두커피를 팔아야만 한다는 원칙 이외에 사업상의 거의 모든 것을 고치고 혁신할 수 있는 스타벅스의 유산이 있었기에 가능했을지 모릅니다.

그야말로 커피 한잔에 성공신화를 담기 위해 노력한 스타벅스커피 코리아의 노력이 헛되지 않았음을 감히 공언합니다. 전략상품인 에스프레소를 우리는 그렇게 시작했습니다.

에스프레소 한잔 드실래요?

커피의 어원은 아랍어인 카파(caffa)로서 '힘'을 뜻한다. 에디오피아에서는 커피나무가 야생하는 곳을 가리키기도 하고, 유럽에서는 초기에 아라비아의 와인이라고 하다가, 1600년 경부터 커피라고 부르며 오늘날의 커피라는 개념이 성립되었다.

커피는 보통 북위 25도와 남위 25도 사이의 열대, 아열대성 기후에서 재배되는데 이곳을 커피존(coffee zone) 또는 커피벨트(coffee belt)라고 부른다.

'브라질에 비 내리면 스타벅스 주식을 사라'는 말을 들어본 적 있는가? 국내에 책으로 소개된 적이 있는데 이는 다름 아닌 가뭄에 시달리던 브라질에 비가 내리면 커피 원두가 풍작을 이루고 원두 가격이 떨어지며, 원두 가격이 떨어지면 스타벅스 이익이 늘어나 주가가 오른다는 뜻이다.

커피를 만드는 과정에서 한 가지 신비한 사실은 커피는 열매를 볶는 것이 아니라 그 열매 안에 있는 푸른 빛을 띠는 일명 '그린 빈'이라 불리는 씨앗을 볶아 가루를 내어 사용한다는 것이다. 맛은 쓴맛, 신맛, 단맛, 떫은맛 등 다양하다. 쓴맛은 카페인, 떫은맛은 타닌, 신맛은 지방산, 단맛은 당질에서 비롯된 것이고 커피 생산국에서는 생산된 커피의 질에 따라 등급을 붙여 값의 차등을 둔다.

흔히 사람들은 에스프레소를 커피의 영혼을 기술로 이끌어낸 커피의 에센스, 커피의 결정체라 말한다. 일단 에스프레소는 이탈리아어로 '빠르다'라는 뜻의 'express'로서 중력 대신 높은 압력을 사용하여 빠르게 커피를 뽑아내는 방식을 말한다. 말하자면 커피 원두의 화학적 특성과 기계라는 물리적 도구가 이상적으로 조화를 이룰 때 비로소 한잔의 에스프레소 커피가 완성된다.

참고로 이야기하자면, 현대적 개념의 가압추출 방식의 에스프레소 머신은 '아킬레 가자'에 의해 발명되었다. 처음엔 에스프레소 커피가 인스턴트 커피와 양과 질에서 조금 다를 뿐이라고 생각할지 모르겠지만 조금씩 가까이 접근해가면 왜 특별한가, 왜 프리미엄이라는 정의를 내리는가 알 수 있다.

에스프레소란 에스프레소 기계에 맞게 특별히 로스팅된 원두를 말하는데, 스타벅스의 에스프레소는 라틴 아메리카와 인도네시아의 최고급 원두를 블렌드한 커피로서 세련된 맛의 과테말라 안티구아부터 이국적인 이디오피아 시다모까지 에스프레소의 정수를 맛볼 수 있다.

스타벅스 매장에 들어가 바리스타에게 에스프레소에 대한 지식 및 정보 등 여러 가지를 물으면 상세하게 설명해줄 것이다. 이상적인 원두의 굵기, 커피 분량 결정하기, 커피 가루가 필터로 눌러지는 힘의 양을 말하는 탬핑, 추출 속도, 추출 기계, 볶은 원두 빛깔, 음료 등 에스프레소와 관련된 많은 이야기를 들을 수 있다. 그리고 이 자리를 빌어 맛있는 에스프레소 커피를 만드는 스타벅스의 비법을 살짝 공개한다.

최상의 에스프레소 커피 만드는 법

1 원두의 굵기에 세심한 주의를 기울이라. 원두의 굵기가 적당하면(이상적) 에스프레소는 천천히, 그리고 꾸준히 잔으로 떨어진다. 너무 굵거나 고와도 추출물이 만족스럽지 못하다.

2 커피 분량은 약간의 여분만 남기고 가득 채울 정도로 넣는 것이 정확한 양이다. 커피를 너무 적게 넣으면 고르게 내려오지 않아 쏟아져 내릴 수 있다.

3 커피 가루가 포터필터로 눌려지는 양을 탬핑이라 하는데 커피가 단단하게 눌리면 물이 더 천천히 내려오고 그만큼 향이 충분하게 우러난다.

4 에스프레소 한잔은 약 20초 동안 300ml가 떨어지는 것이 이상적이다.

5 에스프레소는 소량일수록 좋다. 너무 많은 양의 커피를 뽑을 경우 묽고 쓴 커피(진한 드립커피)를 마시게 될지도 모른다.

6 매일 아침 진한 에스프레소 커피를 마시고 싶다면 가정용 기계나 글라인더를 장만하자.

4 마케팅 플래너가 해야 할 일

스타벅스를 들어서면서 나는 젊은 점장과 바리스타 등 소위 '파트너'들의 행동을 주의 깊게 살펴본다. 어떤 행동과 어떤 말로 고객을 맞이하는지, 주문을 받은 후 고객에게 어떤 서비스로 만족을 끌어내는지.

정말 스타벅스 매장에 들어서면 연구할 소재가 너무나 많다. 우선 신선하게 느껴지는 것은 젊은 점장들이다. 고객만족을 위해 눈높이를 맞추려고 젊은 점장을 배치하고, 이들을 통해 순발력 있게 고객 서비스를 실시하고 있다. 마케팅 플래너들에게 스타벅스는 한 번쯤 연구해볼 만한 기업이라 생각된다.

그렇다면 마케팅 플래너의 필요 요건은 무엇인지, 그리고 이들이 어떤 방식으로 고객에게 다가서는지 여러 사례를 통해 알아보기로 하자.

첫째, 마케팅 플래너는 미래를 내다보는 능력이 있어야 한다. 깊은 관찰을 통해 사물의 특성이나 다른 사물과의 차이점을 추출하여 통찰력과 이해 등 미래를 예측하는 능력을 갖추어야 한다.

이는 스타벅스가 커피보다 커피 문화를 즐기게 했던 통찰력과 일맥상통한 이야기라고 말해도 무방할 것 같다. 그것은 앞서 언급한 대로 하워드 슐츠 회장의 1인 통찰력이 시발점이 되었지만 그들은 끊임없이 타 기업과 차별화된 트렌드로 유행을 이끌어낸 전략을 멈추지 않았다. '제3의 공간'이나 '바리스타'를 회사의 주요 전략이요 브랜드로 내세운 것도 사물을 예사롭게 보지 않고 통찰력 있게 본 결과였다. 한마디로 '보는 능력'이 탁월하다는 것이다.

스타벅스커피 코리아가 첫 마케팅의 시발지를 '변화에 민감하고 수용 속도가 빠른' 패션 리더들이 모이는 대학가를 염두에 둔 것도 미래를 예측하는 능력이 아니고서는 불가능한 일이었다. 이들의 로드맵은 타인과의 차별화를 원하고 자신만의 개성을 추구하는 소비자의 동선을 쫓고 있는데, 이는 마케팅 플래너의 예측 능력이 그 만큼 객관적이라는 사실을 뒷받침해주고 있다.

한 가지 사례를 들어보자. "여보, 아버님 댁에 보일러 놓아드려야겠어요…"라는 경동 보일러의 카피를 기억하는가? 이 카피는 많은 사람들의 감성을 자극하였다. 그러나 보일러 전문 회사라는 차별성은 별로 없어 보였다. 광고 한 귀퉁이의 "열효율이 높은 제품을 선택합시다"라는 캐치프레이즈가 전부였

경동 보일러　소비자는 무엇을 원하는가에 따라 컨셉트와 소구점이 달라진다

다. 가슴으로는 와닿는데 머리로 오기까지는 너무 많은 시간이 걸렸다.

그래서 그들은 기술 쪽으로 눈을 돌렸다. 소비자는 무엇을 원하는가? 어떤 메시지로 소비자에게 자사의 특 · 장점을 호소해야 하는가? 결론은 가스비 절감이었다. 그래서 소비자의 피부에 직접 와닿는 컨셉트형 광고로 과감한 변신을 시도했다. 거듭났다는 표현이 맞을 것이다. 바로 "돈 버는 보일러"라는 광고였다. 이는 열 흡수가 두 개라는 논리를 가지고 소비자, 특히 주부에게 강하게 어필하였다. 기술의 승리에 도취하기보다는 이를 고객의 입장에서 커뮤니케이션화한 노력이 경동 보일러의 성공 신화를 만든 것이다.

"물보다 흡수가 빨라야 한다"라는 캐치프레이즈로 이온 음료 시장의 후발 주자로 나선 게토레이가 당시 막강한 선두주자인 포카리스웨트를 앞서게 된 것도 경쟁자를 통찰력 있게 재해석한 결과였다. "게토레이의 경쟁자는 더 이상 포카리스웨트가 아니라 바로 물이다"라는 플래너의 통찰력이었다. 따라서 이들은 "물보다 흡수가 빨라야 한다. 달지 않아야 한다"라는 새로운 개념을 내놓았다. 통찰력은 이렇게 후발주자라는 약점을 강점으로 만들기도 하고 경쟁자의 장점을 단점으로 바꾸기도 한다.

마케팅 플래너의 능력 · 1

마케팅 플래너는 미래를 예견하고 이 통찰력으로 소비자에게 다가서야 한다.

앞에서 '보는 능력'에 대해 말했다. 그렇다면 무엇을 어떻게 보아야 할까? 많이 본 사람들이 많은 아이디어를 낸다. 가능한 한 세상의 많은 것을 보라!

예를 들어 여성을 타깃으로 패션을 구상한다면 책상에 앉아 있지 말고 직접 그 유행의 현장으로 뛰어들어 소비자의 생각을 읽고 행동의 흐름을 예의 주시하라고 말하고 싶다. 하워드 슐츠 회장이 이탈리아에서 받았던 통찰력이 오늘날의 스타벅스를 만들었던 사실을 우리는 잊어서는 안 된다.

최근 요구르트 아이스크림 업계의 다크호스로 떠오른 레드 망고를 아시는가? '살찔 염려가 없는 다이어트 아이스크림'을 내세우며 대학가로 진입한 이 상품은 기업 이념부터 브랜드, 매장 인테리어까지 예사롭지 않다. 유산균으로 직접 만들어주는 신선한 요구르트, 소프트 아이스크림과 계절과일, 시리얼 등을 골라 넣어 먹을 수 있는 다양한 매뉴얼이 20대 여성을 사로잡았다. 또한 일반 아이스크림은 보통 100g에 20%를 지방으로 채우고 있지만 레드 망고의 요구르트에 들어 있는 지방은 2%에 불과하다는 사실이 고객의 불안심리를 희석시켜주고 있다. 이들은 '저지방 내추럴 요구르트'라는 제품 컨셉트로 철저하게 아이스크림과 차별화하고 있다.

레드 망고 　수집된 정보와 의미를 해석하여 시대 흐름에 적합한 브랜드를 창출한 사례다

미용에 좋고 건강에 좋은 '저지방 과일 요구르트 전문점' 레드 망고는 변화를 읽어내는 마케팅 플래너의 능력이 낳은 산물이

다. 이들은 수집된 정보를 추출하고 그 데이터가 내포하고 있는 의미를 해석하여 시대 흐름에 맞는 브랜드를 창출함으로써 불황기에 그만큼 선전할 수 있었다. 출범 후 1년 만에 130개로 늘어난 매장 수가 그 결과를 입증해주고 있다.

마케팅 플래너의 능력 · 2

마케팅 플래너는 정보를 추출하고 그 데이터가 의미하는 것을 해석하는 능력을 배양해야 한다.

재미난 CF를 하나 소개하겠다. 일식집에서 요리사와 대화하는 광경이다. 내용은 30년 무사고 요리사의 넋두리이다.

"내 차는 가만 있는데 지가 와서 철커덕 박아놓고는 무조건 쌍방 과실이래…. 법대로 하래…. 경찰서로 오세요. ~가세요. ~자네도 이런 경우 당해봤나?"

젊은이가 자신 있게 말한다.

"저야 당할 틈이 없죠. 하이카가 다 알아서 해주니까요."

그렇다. 키워드는 사고 뒤처리까지 마무리가 확실한 자동차 보험의 이야기이

하이카 마케터의 정보 추출과 '읽는 능력'의 중요성을 느끼게 한 광고

다. 두 번째 CF도 비슷한 내용이다. 서점에서 직장 동료의 전화는 계속 울리고 똑같은 얘기를 반복한다. 교통사고의 정황 말이다. 누구나 한번쯤 겪어봤을 상황이 그대로 재현되어 있다. 소비자가 느끼는 것을 그대로 상품에 연결한 예이다.

'논리의 구성력'도 빛난다. 고개가 절로 끄덕여진다. 이렇게 정리해보자.

마케팅 플래너의 능력 · 3

마케팅 플래너는 아이디어를 구체화시켜 고객의 눈길을 사로잡아야 한다.

스타벅스커피 코리아가 '사랑의 전령사'로 나서 고객의 사연이 담긴 편지를 전달해주었다는 아이디어가 바로 이런 경우이다.

마지막으로 마케팅 플래너는 새로운 것을 가능케 하는, 유연한 발상으로 고객의 편의를 돕는다. 외국의 예이지만 마케팅 플래너의 생각, 즉 스폰지처럼 유연한 발상이 어떻게 소비자에게 다가가며 시장을 바꾸었는지 이야기해보자.

오렌지 주스는 설탕이 든 음료보다 칼로리도 낮고 천연식품이라 건강에 좋다고 인식되어왔다. 그러나 과거에는 한 계절에만 구할 수 있는 값비싼 종류의 과일이었는데 50년대 말 냉동농축의 기술을 기초로 60년대에 들어서면서 아침에 마시는 음료로 자리잡게 되었다. 맛있고 천연식품이며 순수하여 건강에 좋을 뿐더러 칼로리가 낮으면서 가격까지

적당한 음료로 인식되어진 오렌지 주스.

그런데 문제는 아침식사의 음료로 굳어진 음용 습관이었다. 미국인들은 아침에 오렌지 주스를 마시면서 그날의 비타민 C를 섭취한다고 믿었다. 오렌지 주스 사업을 성장 후 궤도에 올려놓기 위해서는 아침이 아니라 언제나 마실 수 있는 음료로 대중에게 어필해야 했다. 이에 고심한 플로리다 오렌지 주스 협회는 "오렌지 주스는 더 이상 아침식사만을 위한 것이 아닙니다"라는 유명한 슬로건을 도입했다. 즉, 예전과 같이 아침에 마셔도 괜찮지만 다른 때에 마셔도 좋다고 말하려는 것이다.

첫 번째 광고는 젊은이들이 운동하는 모습을 담았다. 젊은 여성이 테니스 시합 뒤에 큰 컵에 든 오렌지 주스를 마시며 다시 활기를 찾는 모습, 젊은 남성이 조깅 후에 오렌지 주스를 마시며 즐거워하는 모습 등이 그것이었다. 컨셉트는 맥주나 청량음료처럼 운동 후 마시기에 적당한 음료가 오렌지 주스라는 것.

이후 광고는 사용 범위를 더 확장하여 소비자에게 다가갔다. 초등학생이 등장하고, 중년의 남녀도 타깃이 되었으며, 더 나아가 활동적인 노인에게까지 확대되었다. 핵심 전략은 누구나 오렌지 주스의 소비자가 될 수 있고 어느 때 마셔도 상관없다는 것이었다. 일과 중 쉬는 시간에, 레크리에이션 도중에 이들은 큰 컵에 든 오렌지 주스를 마셨다. 특히 청량음료로 마실 때는 300cc 정도의 큰 컵이 적절한 용량으로 보여졌다.

나는 스타벅스의 한 직원의 아이디어로 프라푸치노가 개발되어 한여름에 가장 인기 있는 품목이 된 스토리를 잘 알고 있다. 결정을 내리기까지 얼마나 큰 아픔과 고뇌가 있었는지, 고정관념을 깨는 과정에서 발생되는 혼돈과 특히 정체감에 대한, 불확실성에 대한 불안감을 어떻게 극복했는지 그 과정에 주목하며 다음 글을 읽어보기 바란다.

앞선 여러 사례를 통해 마케팅 플래너의 역할과 전략을 이야기했는데, 결론은 이들의 역량이 궁극적으로 고객과 밀착하는 데 쓰이는 중요한 도구가 되어야 한다는 사실이다. 아울러 오늘날의 마케팅 플래너의 고민은 고객의 생각을 바꾸고 부드럽게 그리고 강력하게 다가가는 방법 찾기에 있다고 해도 과언이 아닐 것이다.

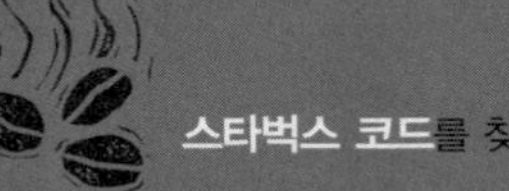

전 직원이 만든 프라푸치노

스타벅스에는 신선하다고 느껴지는, 어찌 보면 새롭게 느껴지는 부분이 있습니다. 점장들이 너무 젊다는 거지요. 이들은 친구처럼, 같은 문화를 즐기는 동호인으로서 부담 없이 이야기를 나눕니다. 과거 타 업종의 일부 점장에서 볼 수 있는 권위적인 모습은 찾아볼 수 없습니다.
고객 만족을 위해 그들 스스로가 눈높이를 맞추고 노력하는 모습은 감동적이기까지 합니다. 사실 매장 내 최고 직위인 자리에 20대를 대거 기용했다는 자체가 서열을 중시하는 유교사상의 우리 사회에 충격을 던져주는 것이었습니다.
스타벅스커피 코리아의 점장 중 무려 70% 이상이 20대인데 이들의 장점은 젊은 층의 다양한 요구에 빠르게 적응할 수 있는 순발력을 갖추고 있다는 것입니다. 1999년 이화여대 앞을 1호점으로 선정한 이유는 소비자의 라이프 스타일을 염두에 둔 것으로, 이대 앞은 '변화에 민감하고 수용 속도가 빠른 패션 리더들이 모이는 곳'이라 생각했습니다. 그리고 대학로(2000년 1월), 강남역, 명동, 삼성동 코엑스, 압구정동 등의 지역이 우리 고객이라고 여겨지는 사람들이 모이는 문화의 중심지이고 그 문화의 핵심어가 무엇인지 유추해낸 로드맵임은 두말할 나위가 없습니다.

그들은 타인과의 차별화를 원하고 자기만의 개성을 추구하는 계층으로 세련된 분위기 속에 최고급의 새로운 커피를 경험하길 원합니다. 그렇다면 주 고객인 20대의 가치를 알고 그들의 라이프 스타일에 익숙한 서비스를 제공하기 위해서는 같은 세대, 같은 나이의 점장이어야 한다는 결론을 내렸습니다. 우린 과감히 이들에게 매장 직원의 인사와 관리, 더 나아가 지역 마케팅의 책임을 맡겨주었습니다.

얼마 전 경제신문에 '스타벅스에 인재가 몰린다'라는 기사가 실린 적이 있습니다. 그 기사는 체계적인 교육 시스템과 복리후생 제도를 이유로 들었습니다. 이는 다소 불안정한 직업으로 인식될 수 있는 커피업체 매장직 지원자들에게 스타벅스의 안정적인 복리후생과 수평·수직적 직무 전환이 용이한 인사 체계, 교육 시스템의 메리트가 어필된 결과라 보고 있습니다.

우리는 스타벅스의 성장 엔진을 사람이라고 단정지어 얘기합니다. 아무리 훌륭한 핵심 프로세스가 구축되어 있다 하더라도 구성원들이 자발적으로 참여하지 않으면 추진력을 받을 수 없기 때문입니다. 따라서 "매장의 종업원들은 회사의 심장과 영혼일 뿐만 아니라 회사를 나타낸다"는 하워드 슐츠 회장의 기업철학을 공감하며 이의 구현을 위해 전력투구하는 것입니다.

스타벅스커피 코리아는 직원들에게 주인의식과 책임감을 심어주고 있으며, 매장에서는 존칭을 생략한 닉네임을 부르고 있어 가족과 같은 동질감을 불러 일으키고 있습니다. 여러분들이 스타벅스에 가시면 직원끼리 브라이언, 니키, 조앤, 바다, 하늘 등의 닉네임을 부르는 것을 들을 수 있습

니다. 스타벅스커피 코리아가 교육 제도와 보상 체제를
중시하는 이유는 파트너 종업원의 만족이 고객만족으로
이어지기 때문입니다.
매장에서 실시하는 '커피 세미나'에 오시면 우리 직원들의
강의도 볼 수 있습니다. 우리는 직원 모두에게 전문성은 물론
최고의 열정과 헌신을 쏟아부을 수 있도록 최대한 지원을 아끼
지 않습니다. 우리는 창조적이고 즐거운 마케팅을 통해 오직 고
객만족에 집중하기를 원합니다.
일례로 우리나라의 스타벅스 매장 중 빨간 우체통, 일명 사랑을 전
하는 우체통을 설치하여 고객의 사연을 받는 곳이 있습니다. 고객
이 사연을 적어 우체통에 넣으면 무료 시음권과 적혀진 주소로 대신
그 편지를 보내주는 색다른 차별화된 서비스이지요. 말하자면 스타벅
스가 '사랑의 전령사, 배달부'를 자처한 것인데, 이런 획기적인 아이디어
는 젊은 점장과 점원들에게서 나왔습니다.
어디냐고요? 스타벅스 삼성점에 가보십시오. 그곳의 젊고 예쁜 점장은 인
근 회사를 직접 방문하여 커피 시음회도 하고 커피를 맛있게 타는 법이나
맛있게 먹는 방법에 대해 이야기를 나눕니다. 오랜 가족이나 친구처럼 고
객을 대하고 그들의 취향을 먼저 파악하여 양질의 서비스를 제공한답니
다.
스타벅스 본사에도 직원의 작은 아이디어가 회사에 큰 도움이 된 예가 있
습니다. 강배전 커피와 우유를 미세한 얼음과 섞은 프라푸치노의 개발이
바로 그것입니다. 지금은 여름철 더위를 물리칠 수 있는 스타벅스 고유의
인기 음료로 각광받고 있지만 초기 회사 내에서는 회사 비전에 부합되지
않는다는 이유로 이 아이디어를 무시하려 했었다고 합니다. 사실 커피의

정통성과 완전성을 고집하는 스타벅스로서는 받아들여지기 힘든 제안이었는지도 모릅니다.
여기에도 하나의 비하인드 스토리가 있습니다. 무더운 여름날 고객들이 미세한 얼음이 가득 섞인 음료를 요구하다가 스타벅스에 그런 음료가 없음을 알고 다른 경쟁 스토어로 가버리곤 했답니다. 이를 디나 캠피온(Dina Campion)이라는 매니저가 목격했습니다. 그래서 그들은 본사에 계속적으로 그렇게 혼합된 음료를 개발해줄 것을 요구했다는군요. 그러나 경영진들은 그것은 진정한 커피 음료가 아니라는 이유로 정중히 거절했습니다. 특히 최고 경영자인 하워드 슐츠 회장은 완강히 반대하였는데 그에게 프라푸치노는 진정으로 커피를 사랑하는 사람들이 즐기는 것이 아닌 패스트푸드 셰이크처럼 느껴졌다고 합니다. 커피의 완전성을 무시하는….
디나 캠피온과 지역 책임자 댄우어, 그들은 본사의 승인도 받지 않은 상황에서 끊임없이 경영자들을 설득했습니다. 이런 우여곡절 끝에 프라푸치노는 무더운 계절에 환영받는 대체품으로 커피를 마시지 않는 사람들에게 스타벅스를 소개하는 매개로서의 역할을 하고 있습니다. 이젠 매장에서 고객 한분 한분이 자신의 라이프 스타일과 입맛에 맞는 프라푸치노를 즐길 수 있게 되었습니다. 그야말로 '마법과 같은 여름의 한순간'을 만끽할 수 있게 된 거죠.
매장에서 고객에게 프라푸치노에 대해 물으면 그들은 기존 음료와는 다른 맛과 특히 여성 고객의 경우 저지방 음료로서의 장점을 들더군요. 더욱이 놀란 것은 1996년 프라푸치노의 매출이 전체 품목 중 1위였고, 그해 말 〈비즈니스 위크〉지의 '올해의 최고 상품' 중 하나로 선정된 사실이었습니다.

굳이 이런 성과보다 내가 말하고 싶은 것은 고객이 원하면, 파트너(직원)가 원하면 회사의 정책도 전략도 바꿀 수 있다는 사실이 놀랍고 자랑스럽다는 것입니다. 만일 스타벅스가 전형적인, 무력한 회사였다면 프라푸치노는 탄생되지 못했을 겁니다. 혁신적인 시도와 이를 수용한 기업 경영진의 탄력성은 두고두고 평가되어야 할 것입니다. 도전적이고 창조적인 아이디어, 고객의 필요에 절대 부응하는 결단과 용기는 이제 스타벅스의 오랜 전통이요, 자랑으로 남을 것이라 믿어 의심치 않습니다.

5 브랜드는 무엇을 먹고 크는가

혹자는 스타벅스의 '위대성'을 얘기하면서 커피 전문점을 브랜드화한 새로운 발상에 찬사를 보내곤 한다. 그 발상은 누구도 상상할 수 없는 것이었으니까.

실제로 스타벅스는 다른 브랜드처럼 요란하게 홍보 활동을 한 적이 없다. 단순하게 커피 한잔을 마시러 온 고객들에게 커피 이상의 그 무엇인가를 제공하고자 하는 노력을 했을 뿐이었다.

그러나 단순한 소비재로 커피를 판매하는 것을 넘어서 특별한 질과 서비스 그리고 만남의 공간을 제공하는 브랜드화한 커피 서비스를 제공한 것이 초 일류 브랜드다운 접근법이요 해법이라는 것을 말하고 싶다. 즉 어떤 강력하고 유망하며 독특한 브랜드 연상이 고객의 마음속에 존재하는가 하는 점, 아울러 브랜드를 통해 어떤 혜택과 욕구를 충족시켜줄 수 있는가 하는 이 인식들이 일류 브랜드로 가는 지름길을 만들어 주었다는 것이다.

통상 브랜드를 거론하면서 "잘 키운 브랜드가 국가를 먹여 살린다", "똑똑한 브랜드가 회사를 먹여 살린다"는 개념을 어렵지 않게 얘기하곤 한다. 소니, 노키아, 나이키 같은 세계 일류 브랜드들은 해당 브랜드의 국적은 몰라도 그 브랜드를 알 정도로 가치가 엄청나다.

작년 인터브랜드가 선정한 세계 100대 브랜드 가운데 1위를 차지한 코카콜라를 보자. 무려 117년의 역사를 지니고 있으며 세계 200여 개국에서 판매되고 있다. 그 가치가 700억 달러라고 하는데, 이것은 국내 최대 기업인 삼성전자의 1년 총 매출액 2배를 웃도는 수치라 한다. 이런 관점에서 보면 "브랜드가 없으면 미래가 없다"라는 말은 꽤 설득력이 있다고 믿어진다.

브랜드의 중요성을 얘기한 김에 브랜드 왕국이라 불리는 질레트의 사례를 얘기해보기로 하자. 질레트 하면 어떤 제품을 연상하는가? 면도기 업체의 대명사로 소비자들은 단연 질레트를 꼽는다. 그렇다면 오랄-비 칫솔, 브라운 전기면도기, 듀라셀 건전지 등의 브랜드를 소유하고 있는 회사가 질레트라는 사실도 알고 있는가? 그야말로 질레트는 브랜드 왕국이라 불러도 될 만한 회사이다. 파커 만년필, 제이프라 코스메틱스 화장품도 질레트의 위상에는 못 미친다.

그렇다면 왜 질레트는 이렇듯 적극적으로 브랜드를 인수하게 되었을까? 80년대 중반 질레트는 일시적으로 재무 위기에 빠진 적이 있다. 이때를 틈타 화장품 회사인 레브론과 투자펀드 코니스턴은 질레트를 인수 합병하려 들었다. 질레트라는 브랜드가 탐이 난 것이다. 두 차례의 M&A 공세에 시달리면서 질레트는 오히려 자신들의 브랜드 가치를 깨달았고 가치 있는 브랜드에 대한 시장의 평가를 배웠다. 그때부터 질레트는 쓸 만한 브랜드를 적극적으로 인수하면서 현재의 브랜드 왕국을 건설하게 되었다.

분명 브랜드는 시장경쟁력을 키운다. 기술은 끊임없이 변하지만 브랜드는 소비자 마음속에 한번 자리잡으면 계속 남아 있다.

브랜드 관리의 세계적인 석학 켈러(Kevin Lane Keller) 교수의 한 논문이 브랜드 실무자들의 공감을 사고 있다. 〈세계 초일류 브랜드의 10가지 특징〉이라는 제목의 이 논문은 초일류 브랜드의 특징을 정확하게 지적하고 있다.

고객이 진심으로 원하는 것을 가장 먼저 제공한다 |

일반적으로 고객들은 제품을 구매할 때 그 제품이 가지고 있는 속성, 예를 들면 가격, 디자인, 성능 등을 고려하여 구매한다고 생각하기 쉽다. 하지만 이러한 물리적 제품 속성만이 영향을 미치는 것이 아니라 브랜드가 풍기는 이미지, 판매원의 서비스 같은 무형의 요소도 같이 혼합되어 고객들도 한마디로 표현하기 어려운 전체적 이미지가 구매 단계에 영향을 미친다.

스타벅스는 바로 이러한 유형의 속성과 무형의 이미지가 혼합된 혜택을 고객에게 잘 전달한 사례이다. 스타벅스는 1983년 미국 시애틀의 소규모 커피 소매점으로 출발하였다. 스타벅스의 회장 하워드 슐츠는 이탈리아의 커피 판매점에서 느낀 낭만적 분위기와 지역주민과 결합된 느낌을 통해 그 동안의 커피에 대한 개념을 바꾸게 되었으며 이를 사업기회로 활용하였다. 스타벅스는 이탈리아와 같은 커피 판매점 분위기와 문화를 만드는 일에 노력을 기울이기 시작했으며 원두의 선택과 혼합, 볶는 과정, 최종 완성품에 이르기까지의 전 과정을 수직 통합함으로써 눈에 띄는 효과를 나타내기 시작했다.

스타벅스 매장들은 고객이 원하는 느낌을 전달하기 위해 몹시 노력하였는데, 이는 고객의 모든 감각기관을 자극하는 방법으로 이루어졌다. 즉 원두의 매혹적인 향기, 커피의 풍부한 맛, 제품의 진열과 다양한 장식품, 은은하게 흐르는 음악, 아늑한 느낌의 테이블과 의자들을 이용한 것이다. 이것은 성공적이었다. 고객 한 사람 당 한 달 평균 내점 빈도수가 18회, 한번 방문 시의 지출 비용이 3.5달러인 것으로 나타난 것이다. 그리고 90년대에 접어들어서는 연평균 50% 이상의 매출 증대를 이룩하였다.

변화와 기술 발전을 받아들이며 끊임없이 진화해나간다 |

강한 브랜드가 되기 위해서는 제품이나 서비스의 품질뿐만 아니라 다른 무형의 요소도 갖추어야 한다. 그 무형의 요소로는 사용자 이미지(브랜드를 사용하는 사람들에 관한 이미지), 사용 이미지(브랜드가 사용되는 상황에 대한 이미지), 브랜드 퍼스널리티(예를 들어 성실한, 유능한, 교양 없고 거친), 브랜드가 고객에게서 끌어내려고 하는 느낌(단호한, 따뜻한), 고객과 맺으려고 노력하는 관계의 유형(고착된, 일상적인, 계절적인) 등이 있다.

초일류 브랜드를 살펴보면 자신의 핵심적인 감정을 놓치지 않기 위해 늘 선두에 있으면서 시대의 변화에 맞도록 무형의 요소를 잘 관리해나가는 것을 볼 수 있다. 가령 세계적인 면도기 회사인 질레트는 면도날에 대한 지속적인 연구개발을 통해 다른 경쟁사들에 비해 기술적으로 언제나 한발 앞서가는 모습을 보였다. 이러한 연구개발 노력은 '질레트는 끊임없이 새로운 기술을 적용한 제품을 만들어간다'는 기업 이미지를 유지, 발전시켰다. 동시에 과거로부터 계속되어온 일관된 광고를 통해서 남성의 성취감이라는 제품 이미지를 견고히 쌓아갔다.

고객이 느끼는 가치에 맞게 가격을 매긴다 |

제품의 품질, 디자인, 비용 등과 가격 사이에 적절한 균형 점을 찾는다는 것은 쉬운 일이 아니다. 아쉽게도 많은 브랜드 관리자들은 고객이 제품에 대해서 느끼는 것과 가격을 제대로 연결시키지 못해서 너무 높거나 낮은 가격을 책정하고 있다.

실례로 P&G 사는 '케스케이드'라는 식기 세척기용 세정제에 대해서 비용 중심의 가격정책을 펴다가 시장에서 외면당했다.

차별성과 유사성이 혼합된 브랜드 포지셔닝을 한다 |

포지셔닝을 잘한 브랜드는 고객의 마음속에서 특정한 영역을 차지하게 된다. 포지셔닝에 성공하기 위해서는 유사성과 차별성의 두 요소가 적절히 사용되어야 한다. 너무 똑같아서도 안 되며, 그렇다고 완전히 동떨어진 차별만을 강조하는 것도 위험하다. 성공적인 브랜드는 경쟁사와 경쟁을 하는 분야에서 보조를 맞추되 동시에 다른 분야에서 경쟁사보다 우위에 서기 위한 차별 포인트를 만들어가는 브랜드이다.

예를 들어 메르세데스 벤츠와 소니 브랜드는 제품 품질 면에서 차별적인 장점을 지니고 있으면서 경쟁사와 유사한 서비스 수준을 유지하고 있다. 그러나 캘빈클라인과 할리데이비슨은 사용 고객에게 고품격 이미지를 제공하면서도 결코 뒤지지 않는 제품 성능을 제공하고 있다.

이밖에 브랜드 포지셔닝의 성공 사례로 신용카드 회사인 비자(Visa)

를 들 수 있다. 1970년대와 1980년대에 경쟁사인 아메리칸익스프레스는 효과적인 마케팅 프로그램을 통해 신용카드 업계에서 확고한 위치를 점하고 있었다. "특권을 지닌 멤버십"이라는 광고를 통해 아메리칸익스프레스는 고품격의 지위, 특권 등을 상징하게 되었다.

이에 대해 비자 사는 골드와 플레티넘 카드를 도입해 아메리칸익스프레스 카드에 버금가는 지위를 갖는 카드를 갖추기 위해 공격적인 마케팅 캠페인을 시작했다. 또한 편리성과 접근성 면에서의 차별화를 위해서 유명한 레스토랑, 휴양지, 이벤트 장소이자 아메리칸익스프레스를 받지 않는 장소에서 "당신이 원하는 모든 곳에 비자는 있다"라는 슬로건을 내세우기 시작했다. 이런 메시지는 비자의 접근성과 권위 모두를 강화시켜주었고 확고한 브랜드 포지셔닝을 구축하는 데 도움이 되었다. 결국 비자는 쇼핑, 여행, 오락, 국제여행, 이벤트 등 기존에 아메리칸익스프레스가 우위를 누렸던 분야에서 제일 많이 선택받는 카드가 되었다.

일관된 커뮤니케이션 전략을 구사한다 |

브랜드 파워를 유지한다는 것은 마케팅 활동의 일관성을 유지한다는 것을 의미한다. 마케팅 활동의 일관성이라는 것은 해당 브랜드의 이미지가 흐려지지 않게 하고 고객에게 기존 정보와 불일치되는 메시지를 전달해서 혼란에 빠뜨리는 실수를 범하지 않는 것을 의미한다.

미국의 유명한 맥주인 미켈롭(Michelob) 브랜드는 일관성을 지키지 못하여 막심한 손해를 본 대표적 사례이다. 1970년대에 미켈롭은 "당신이 잘나갈 때 미켈롭이 있다"라는 자신만만한 캐치프레이즈로 성공한 젊은 전문가들을 등장시킨 광고를 했다. 그 다음 광고는 "주말은 미켈롭을 위한 것이다"라는 것이었고 이후에 매출 하락세를 극복하기 위해 광고의 내용이 "주중에도 약간의 주말 분위기를 내자"라는 것으로 바뀌었다. 1980년대 중반에 미켈롭은 "밤은 미켈롭의 것이다"라는 광고를 하였으며 1994년대에는 "특별한 날에 특별한 맥주를 준비한다"라는 광고를 하였고 이후에 슬로건은 "미켈롭은 특별한 날을 위한 것이다"로 전환되었다. 한마디로 소비자들은 혼란스럽다. 그렇게 많고도 서로 다른 광고 메시지를 접한 소비자들은 언제 미켈롭 맥주를 마셔야 할지 혼란스러워졌다. 예상대로 매출은 하락하였는데 1990년대 최고 810만 배럴이었던 것이 1998년에는 100만 배럴로 떨어졌다.

브랜드 포트폴리오와 계층구조를 엄격히 관리한다 |

일반 기업들은 여러 개의 브랜드를 복수로 운용한다. 각 세분 시장별로 별도의 브랜드를 운용하는데, 회사 내의 여러 브랜드 간에 서로 다른 브랜드 파워를 갖게 되기도 한다. 전사적으로 하나의 브랜드, 즉 기업 브랜드(corporate brand)가 포괄적인 역할을 하고 그 하위의 개념으로 패밀리 브랜드(family Brand)가, 또 그 아래에는 보통 우리가 알고 있는 한 가지 형태의 제품을 대상으로 하는 개별 브랜드(individual brand)가 위치하게 된다.

이같이 계층구조 각각의 수준에 있는 브랜드들이 소비자들로 하여금 다양한 제품을 인지시키고 다른 브랜드와의 바람직한 연계를 강화하면서 전체적인 브랜드 포트폴리오를 형성해나가게 된다. 그러나 각

■ ■ ■
기업 브랜드 corporate brand 기업이 상품을 제공하는 전략에 있어 자사 기업명 또는 상품의 여러 가지를 하나의 상표로 통일해 제공함으로써 기업 이미지와 상품 이미지를 통합하여 행하는 마케팅 전략

각의 브랜드는 자신의 고유 영역을 지켜야 하는데 가끔 하나의 브랜드로 너무 넓은 영역을 커버하려다 보면 포트폴리오 내의 브랜드들끼리 서로 영역이 겹치는 중복 위험에 빠질 수 있다.

브랜드 계층구조 설계는 BMW가 단연 돋보인다. BMW 광고 슬로건인 "최고의 자동차"는 스타일과 성능의 두 가지 이미지를 모두 강화시켰는데 이런 컨셉은 BMW의 이름으로 팔리는 모든 차에 적용되었다. 그리하여 BMW와는 언뜻 조화되기 어려운 것처럼 보이는 스포츠 세단 범주를 최상의 스타일과 성능이라는 개념으로 성공적으로 개척하게 하였다. 동시에 BMW는 3, 5, 7 시리즈를 통해서 명확히 구분되는 하위 브랜드를 만들었고 이것이 품질과 가격의 논리적인 순서와 계층을 제시하도록 했다.

이와는 반대로 GM은 아직도 브랜드 포트폴리오, 브랜드 계층 문제와 씨름하고 있다. 1920년대 초에 GM은 "모든 계층에게 모든 목적에 맞는 차를 제공하겠다"라는 철학을 바탕으로 캐딜락(Cadillac), 올즈모빌(Oldsmobile), 뷰익(Buick), 폰티액(Pontiac), 시보레(Chevrolet) 브랜드를 만들었다. 이러한 생각은 각 사업부가 가격, 제품 디자인, 사용자 이미지 등에 따라 구분되는 여러 세분시장을 각각 담당하려는 의도였다. 그러나 날이 갈수록 GM의 다섯 사업부 간에는 겹치는 마케팅 활동이 증가하였고 사업부 간에 차별점이 점점 줄어들었다. 지난 10년 동안 GM은 각 브랜드의 재배치를 통해서 모호한 브랜드 간의 경계를 확실히 하려고 노력해왔으나 소비자는 아직도 해당 브랜드가 대표하는 것이 무엇인가를 확실히 인지하지 못하고 있으며 경쟁사인 도요타와 혼다와 같이 확연히 구분되는 이미지를 구축하지 못하고 있다.

브랜드 자산 구축을 위해 마케팅의 모든 요소를 이용하고 통합한다 |

일반적으로 브랜드 자산 구축에는 로고 심벌, 슬로건, 포장 등의 모든 마케팅 요소가 이용된다. 강력한 브랜드는 이러한 요소를 혼합, 조화시켜서 소비자의 브랜드 이미지 지각 향상, 경쟁이나 법적 측면에서의 브랜드 보호 같은 여러 가지 브랜드 관련 기능을 수행한다. 초일류 브랜드의 브랜드 관리자는 개별 마케팅 활동이 브랜드 자산을 형성하는 데 어떤 역할을 하는지 정확히 이해하고 있으며 브랜드 이미지를 강화시키는 사람, 장소, 사물들을 자사 브랜드와 정확히 연계시킨다.

일반적으로 광고 활동을 끌어들이는 기능, 즉 특정 제품의 고객 수요를 창출하는 기능을 제공하는 데 적절하다. 또한 판촉 활동은 밀어내는 기능, 즉 유통망에 제품을 밀어내는 것을 도와주는 데 적절하다. 브랜드가 자신에게 확보된 자원을 잘 활용하고 브랜드 자산이 모든 마케팅 활동에 걸쳐서 확보되도록 잘 관리된다면 그 브랜드의 아성을 무너뜨리기는 쉽지 않다.

코카콜라의 경우 풀 형 광고 활동과 푸시 형 판촉 활동을 적절히 사용하고 있는 좋은 사례다.

코카콜라는 많은 종류의 마케팅 활동을 훌륭히 수행하고 있는데 이러한 활동에는 "언제나 코카콜라" 캠페인과 같은 매체광고, 콜라병 모으기 판촉이나 올림픽 후원 활동 등도 포함된다. 한편 코카콜라 카탈로그를 통해서 코카콜라 계열 제품을 직접 판매하기도 하며 코카콜라 웹

■ ■ ■

pull 형 광고 활동　소비자에 대해 직접 작용함으로써 상품의 선호를 강하게 갖도록 하는 기법

push 형 판촉 활동　직접적으로 거래하고 있는 판매업자에게 판매 촉진 활동을 행하여 도매업자나 소매업자를 통해 자기 제품을 푸시하려는 메이커의 판매 전략

사이트를 통해서 게임과 코카콜라 기념품을 제공하며 애틀랜타에 있는 코카콜라 박물관을 가상의 형태로 제공하기도 한다. 이 모든 것을 통해서 코카콜라는 항상 브랜드의 주요 가치인 '원조', '정통 음료' 등을 강화시켜나가고 있다.

브랜드가 소비자에게 의미하는 바가 무엇인지를 이해한다 |

세계 초일류 브랜드의 관리자는 자사 브랜드의 이미지 전체를 정확히 이해하고 있다. 즉 고객 스스로가 브랜드와 연관지우는 인식, 믿음, 태도, 행동이 브랜드 전체가 되는데 이것은 그 기업이 의도적으로 만들 수도 있고 아닐 수도 있다. 한마디로 관리자는 브랜드에 관해 자신감을 갖고 의사결정을 할 수 있어야 한다. 고객이 그 브랜드에 대해서 어떤 점을 좋아하고 싫어하는지를, 브랜드와 고객이 어떤 관련성이 있는지를 명확히 안다면 어떤 마케팅 활동이 브랜드와 잘 맞는지 정확히 파악할 수 있게 된다.

일례로 질레트 사는 질레트라는 이름을 면도기, 면도날, 그리고 욕실 용품에만 한정하여 사용하였다. 전기 면도기는 전혀 별개인 브라운(Braun)이라는 이름으로, 구강 관련 제품에는 오랄비(Oral-B)라는 이름으로 판매하였다.

한 브랜드에 대해 오랜 기간 지속적으로 지원한다 |

일반적으로 브랜드 관리자들은 브랜드 인지도를 조기에 확보하기 위해 원칙을 벗어나 빠른 길을 선택하려는 경향이 있다. 하지만 브랜드 자산은 조심스럽게 구축되어야 한다. 브랜드 자산의 견고한 토대는 소비자가 오랜 기간 동안 쌓아온 강하고 호의적이고 독특한 브랜드 연상에 의해 구현되는 것이다. 따라서 장기적 관점에서 꾸준히 관리하고 투자해야 한다.

브랜드 지원이 부족하여 실패한 사례로 쉘(Shell)이라는 정유 회사를 들 수 있다. 1970년대 후반 소비자들은 쉘에 대해 상당히 긍정적인 이미지를 갖고 있었다. 그러나 쉘 사는 1980년대 초에 여러 가지 이유로 광고와 마케팅을 상당히 줄였는데, 그때 잃은 토대를 지금도 회복하지 못하고 있다. 소비자의 눈에 쉘 브랜드는 더 이상 과거에 누렸던 강한 브랜드가 아니라 다른 여러 경유 회사와 유사한 회사로 인식되고 있는 것이다.

자산의 원천을 항상 모니터링하고 감시한다 |

일반적으로 강력한 브랜드는 브랜드에 대한 면밀한 감사(brand audit)와 지속적인 브랜드 트래킹(brand tracking : 추적)을 통해 현재의 상태를 수시로 체크하면서 개선, 발전시켜나간다.

특히 브랜드 감사는 정기적으로 시스템화되는 것이 중요한데, 브랜드 포트폴리오와 브랜드 계층구조 파악 등을 하는 데 반드시 필요한 요소이다. 그리고 고객의 인식과 믿음에 대한 정기적 탐색을 통해 기법과 소비자 간의 시각 차이를 점검하는 것이 중요하며 브랜드 관리자에게 브랜드에 대한 관리나 마케팅 전개를 어떤 방향으로 수정하고 진행시켜나가야 하는지를 보여준다.

이상의 '초일류 브랜드의 접근과 해법'을 보면서 우리는 이 브랜드들이 오늘날 세계 최고의 브랜드가 되기까지 겪었던 실패와 좌절, 시도도 눈여겨보아야겠다. 일례로 맥도널드 브랜드의 경우 고급 음식이 아닌 편리함, 청결함, 일관성으로 승부해야 하는데 세련된 어른의 맛을 팔아 실패한 경우도 있다.

홍콩 켄터키후라이드치킨이 홍콩으로 진출하면서 "손가락을 빨 정도로 좋다"라는 슬로건이(이 슬로건은 전 세계적으로 사용되고 있었다) "당신의 손가락을 먹는다"라는 중국어로 오역되어 어려움을 겪은 일이 있는데, 이런 웃지 못할 사례는 브랜드 이미지 형성의 어려움을 반증해 준다.

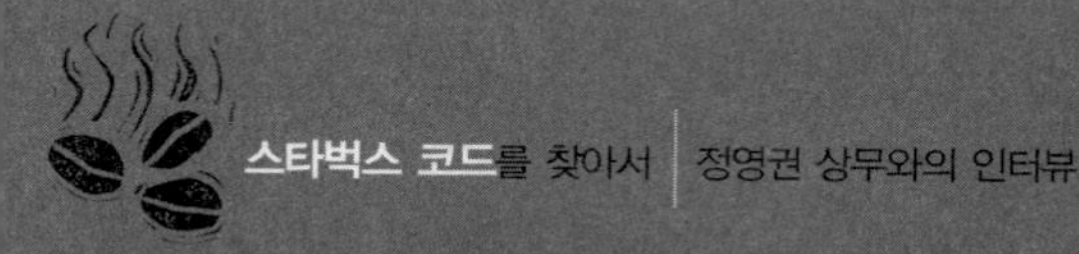

스타벅스가 일류 브랜드가 된 배경

스타벅스에게 하나의 자부심이 있다면 세상에 없는 새로운 마케팅을 구사했다는 것입니다. 만일 우리가 세계적 브랜드인 코카콜라나 프록터& 갬블 등처럼 엄청난 투자로 세상을 정복하려 들었다면 우린 또 다른 결과에 직면해 있을 것입니다.

초창기 스타벅스는 결코 브랜드를 구축할 의사가 없었습니다. 어떻게 보면 순진하다고 할까요? 우리의 목표는 회사의 상품이 상징하는 바와 그 회사 사람들의 열정을 존중하는 훌륭한 회사를 만들어가는 것이었습니다. 쉽게 말해 스토어를 개점하고, 강배전 커피에 대해 교육하느라 '브랜드'에 대해 감히 생각할 수 없었다고 합니다.

지금도 스타벅스 회장 하워드 슐츠는 일류 브랜드는 광고 회사가 만드는 것이 아니라고 일관되게 주장합니다. 운이 좋은 것인지, 그의 말이 애당초 옳은 것인지 모르지만 우리에겐 이것이 정석으로 받아들여지고 있습니다.

한 가지 재미있는 사실은 스타벅스는 타 기업과 달리 파트너(회사 직원)들과 함께 회사를 만들어왔다는 것입니다. 스타벅스는 고객에게 투자하기보다는 종업원에게 투자해왔습니다. 그 이유는 고객들의 기대를 충족시키거나 능가하기 위한 최상의 방법은 훌륭한 사람들을 고용하거나 교육시키는 것이라 믿었기 때문입니다. 그들은 고맙게도 열정과 헌신, 지식으로 커피 브랜드를 알리는 전도사 역할을 톡톡히 해내었죠. 그게 스타벅스 브랜드 파워라 감히 말씀드리고 싶습니다.

우리의 파트너들이 느끼는 회사에 대한 애착과 사랑, 그들이 고객과 함께 만들어가는 동질감은 대단합니다. 파트너들은 생산 중심, 사람 중심, 가치 중심에 몰두해왔습니다. 그들은 당당히, 열정적으로 일해왔습니다. 맥스웰하우스의 고객을 뺏으려 하지 않았고, 전통적으로 많은 기업이 그래왔듯이 매스컴에 의존하여 일방적으로 메시지를 전달하지 않았습니다. 우리는 바리스타 한 사람이 고객 한 사람 한 사람에게 케냐, 코스타리카 등의 향기를 설명해주길 원했습니다. 각개 전투라고 아시죠? 그렇게 한 걸음 한 걸음 다가갔습니다.

굳이 브랜드를 위해 한 일이 있다면 소매점 스토어를 개설할 시 교통이 좋은 번화가와 주거지, 건물 로비와 출근길 행인이 지나가는 거리에 입지를 잡았다는 것입니다. 이곳에서 커피에 대한 새로운 지식과 대화가 가능한 바리스타를 만난다는 것을 상상해보십시오. 어디서 커피 한잔에 이런 가치를 누릴 수 있겠습니까? 비인격적이며 상호교감 없는 슈퍼마켓에서 소비자로서의 대우를 망각했던 사람들에게 스타벅스는 브랜드 이상의 무엇을 느끼게 했습니다. 맛에서 서비스의 낭만과 분위기의 낭만을 함께 느낄 수 있어 고객들은 만족해했습니다.

이런 것들은 타 기업처럼 엄청난 광고비를 쏟는 일과는 근본적으로 다릅니다. 한 고객과 한 스토어, 한 시장에 조심스럽게 접근하여 열정과 헌신으로 일관한 노력이 초일류 브랜드라

는 분에 넘치는 선물로 돌아왔지요.

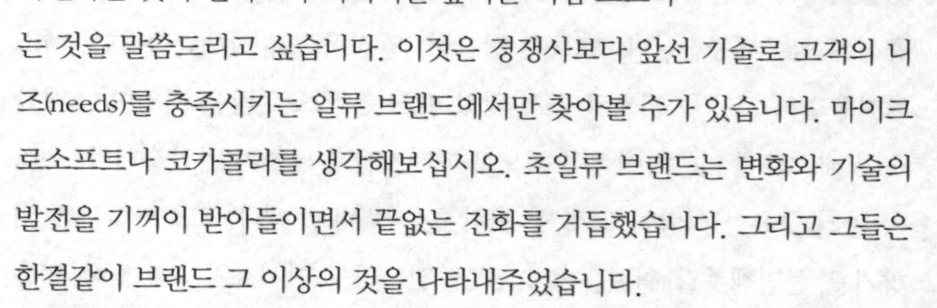

예전의 고객이나 지금의 고객이나 조화와 대조가 절묘하게 교차하는 스타벅스의 매장에서 '나는 최고의 품질을 찾는 고상한 사람'이라는 생각과 더불어 맛과 향이 강렬한 매혹적인 에스프레소를 마신다는 것이 인지도와 이미지를 높이는 핵심 요소라는 것을 말씀드리고 싶습니다. 이것은 경쟁사보다 앞선 기술로 고객의 니즈(needs)를 충족시키는 일류 브랜드에서만 찾아볼 수가 있습니다. 마이크로소프트나 코카콜라를 생각해보십시오. 초일류 브랜드는 변화와 기술의 발전을 기꺼이 받아들이면서 끝없는 진화를 거듭했습니다. 그리고 그들은 한결같이 브랜드 그 이상의 것을 나타내주었습니다.

디즈니란 이름을 보십시오. 가족과 즐거움의 대명사입니다. 나이키는 또 어떻고요. 그것은 곧 최고의 운동선수를 가리킵니다. 나이키에 대해 잠깐 언급하면, 이 브랜드는 스타벅스와 유사한 점이 많습니다. 이익 마진이 적은 사업에 뛰어들어 해당 상품을 문화적 상징으로 발돋움시켰다는 것이 그렇지요. 나이키도 스타벅스와 같이 고객의 입에서 입으로 그 명성을 쌓아갔습니다.

"발 없는 말이 천 리를 간다"라는 옛말을 기억하시죠? 보통 한 개인 당 최소한 250명에서 300명까지 말을 전할 주변 사람이 있다고 합니다. 이렇게 따져보면 구전 효과는 엄청나다고 할 수 있습니다.

이렇게 하여 초일류 브랜드는 브랜드 포지셔닝을 갖게 합니다. 커피와 커피 문화의 유사성과 차별성, 그리고 초일류 브랜드는 고객이 진정으로 원하는 선구자적인 면모를 보입니다.

스타벅스는 처음부터 고객이 단순한 커피만을 원하지 않는다는 것을 알았습니다. 베이비붐 세대의 등장은 어찌 보면 스타벅스에겐 호기였습니다. 그들에겐 건강, 가족, 가벼운 사교모임에 대한 욕구가 강하게 자리 잡고 있음을 알았습니다. 우리는 누구도 상상할 수 없는 스페셜티 커피 시장에 뛰어들어 바리스타의 전문적인 서비스와 매장에서 느낄 수 있는 분위기와 낭만을 소비자에게 제공하였습니다.

초일류 브랜드는 고객이 느끼는 가치에 맞추어 제품 가격을 책정합니다. 스타벅스는 지금 업계의 가격을 산출하는 기준이 되고 있습니다. 스타벅스가 그 음료 가격을 어떻게 결정하는가가 업계의 유사한 음료 가격을 결정하는 기준이 된 것입니다. 이는 스타벅스가 고객이 느끼는 가치의 절대적인 기준이 되고 있다는 말과도 일맥상통합니다.

1987년 영국의 대표적인 경제 주간지 〈이코노미스트〉가 개발한 '빅맥 지수'를 아세요? 이는 세계 언론과 경제학자들이 수시로 인용하는 환율 측정 지표입니다. 햄버거 값이 각 나라의 구매력을 대표한다는 가정 하에 만들어낸 개념입니다. 최근 스타벅스커피 코리아에서도 빅맥 지수에 필적하는 카페라떼 지수를 국내 매체와 공동으로 개발한 바 있습니다. 이는 스타벅스커피 비즈니스가 국내에 정착한 지 4년밖에 안 된 상태에서 탄생된 환율 지표라는 데 그 기념비적 의의가 큽니다.

스타벅스는 소비자의 가치를 높이기 위해 다양한 가격 정책을 세워나가고 있으며, 자체적인 가격할인을 통해 초일류 브랜드의 명예를 지켜가고 있습니다.

마지막으로 초일류 브랜드는 일관된 커뮤니케이션 전략을 구사해야 합니다. 스타벅스의 경우가 꼭 그렇습니다. 한 가지 예를 들기로 하죠. 인텔을 아세요? 인텔은 소비자들로부터 직접 선택받는 제품이 아니었습니다. 그래서 생각해낸 것이 '인텔 인사이드' 브랜드 전략이었습니다. 소비자들은

'인텔 인사이드' 로고를 보면서 최고의 제품을 샀다는 인식과 동시에 '인텔은 최고의 기술이다' 라는 사고의 등식을 완성시켜나갔습니다. 그들은 꾸준히 일관되게 커뮤니케이션을 구사했습니다. 이후 홈 네트워크, 차세대 무선통신 등 사업 영역을 다각화했음에도 불구하고 인텔은 초일류 브랜드의 명성을 지킬 수 있었지요.

"우리는 커피를 팔지 않는다. 오직 자유와 편안함을 통한 만족을 판다."

이러한 일관된 메시지 전략…. 브랜드가 없으면 미래가 없다는 것을 스타벅스는 잘 압니다. 고객의 기억 속에 오래 남을 브랜드, 따라서 그 후광 효과로 말미암아 타 브랜드까지 동반, 편승하여 성장한다는 것을 실감하고 있습니다. 그것을 일명 '스타벅스 효과' 라고 부르기도 하는데 이는 종종 우리를 고무시키기도 합니다.

작년 스타벅스는 미국에서 '일하기 좋은 대기업' 중 2위를 기록하였으며, 미국에서 가장 존경받는 기업 3위에 올라서기도 하였습니다. 이밖에 미국 전문 브랜드 기관인 인터브랜드는 글로벌 브랜드 파워 4위로 스타벅스를 꼽기도 하였습니다.

국내에서도 한국경제신문과 산업 자원부에서 주최한 '2003 글로벌 브랜드 마케팅 대상' 에서 식음료 부문 1위와 한국능률협회 선정 '2003, 2004 한국 산업 브랜드 파워 대상', '커피 전문점 부문 1위' 그리고 매일경제신문과 대한 상공회의소에서 주최하는 '제9회 한국유통대상' 전문점 부문 대상(산업자원부 장관상) 등을 수상하여 스타벅스의 초일류 브랜드 파워를 과시하기도 하였습니다.

앞서 여러 번 언급한 대로 스타벅스는 브랜드 파워를 확장시키기 위해 엄청난 광고비와 마케팅비를 쏟아 붓지 않습니다. 이는 어디까지나 소비자의 만족과 경험에서 이루어질 수 있는 일이라고 생각하기 때문입니다. 좋은 경험과 기억되고픈 서비스를 통해 고객에게 늘 사랑받고 인정받는 브랜드가 진정한 일류 브랜드라고 믿고 있습니다.

고객과의 소중한 관계와 즐거운 시간이 이어지는 '스타벅스 경험', 이것이 스타벅스가 일관되게 추구하는 초일류 브랜드 경영의 핵심입니다.

4부_

변신의 귀재,
스타벅스

1 고정관념을 깨는 데는 용기가 필요하다

스타벅스가 음반시장에 진출한 사실을 두고 전통성을 고수해야 하느냐 아니면 혁신성에 무게를 두어야 하느냐에 대해 기업 내부는 물론 밖에서도 갑론을박했다는 후일담이 있다.

스타벅스가 스스로에게 던진 질문은 "어떻게 전통을 중시하면서도 혁신적일 수 있을까"였다고 한다. 그들이 그토록 애지중지하는 상표는 값으로 환산할 수 없는 가치이기에 잘못된 경영전략으로 그 동안 쌓아온 아성을 허물 수 있으므로 그 고민은 매우 클 수밖에 없었다.

그러나 그들은 시큰둥한 맥주 시장 진입을 위해 맥주 회사와 손을 잡았고 하워드 슐츠가 그토록 자랑스러워하던 바리스타의 존재를 찾을 수 없는 슈퍼마켓으로 힘든 걸음을 내딛었다. 다행히 아이스크림 병에 담긴 프라푸치노가 고객의 좋은 호응을 얻어 그들의 자기 혁신과 개방성이 일단 합격점수를 얻었다. 이렇게 고정관념을 과감히 깨고 사업의 다각화에 성공한 기업들은 감동과 도전의식을 일깨운다.

여기서 경영전략의 모범적인 샘플로서 GE의 사령탑 잭 웰치 전 회장을 소개하고자 한다. 그의 수많은 별명 중에 'GE의 반란자'가 있다. 이 별명은 그를 이 시대 최고의 경영자로 만든 비법을 암시해주고 있다.

81년 GE에 취임한 후 지금은 경영의 황금률로 널리 알려져 있는 '1등 또는 2등 전략'을 통해 그가 내뱉은 첫마디는 "1등이나 2등이 아니면 그만두라"는 것이었다. GE의 안팎은 반응이랄 것도 없이 썰렁했다. 왜냐하면 GE는 꾸준히 성장하는 재계의 모범생이었으므로 그의 도전적인 메시지는 벽에 부딪힐 수밖에 없었다. 또한 GE의 350개 사업 중 70%가 이미 시장에서 1, 2위를 다투고 있었으므로 그의 얘기는 '현실 파악도 제대로 못한 어린아이' 같은 말로 들릴 뿐이었다.

그러나 그의 초점은 현재가 아니라 미래였다. 10년 후에 1등을 차지할 고 성장, 고 수익 분야가 그가 말한 '1, 2등 전략'의 핵심이었다. 당시 GE의 저 수익, 저 성장의 전통적인 사업 분야에서 수익의 절반이 창출되었으므로 그의 선언은 더욱더 호응을 받지 못했다. 그러나 잭 웰치는 GE가 21세기 우량기업으로 살아남으려면 고부가가치의 하이테크, 서비스업 중심으로 바뀌어야 한다고 생각했다.

잭 웰치 전 회장 GE가 21세기 우량기업으로 살아남으려면 고부가가치의 하이테크, 서비스업 중심으로 바뀌야 한다고 역설한 GE의 사령탑

108년 역사의 미국 대표 기업이 변신하기에는 장벽이 너무 두터웠다. 그러나 거함에서 스피드 보트로 전환하는 그의 혁신 전략은 가동되기 시작했다. 일단 사업 재편의 설계도는

'3원' 이었다. 첫째 원은 GE의 핵심사업, 둘째 원은 하이테크 산업, 셋째 원은 서비스 산업으로 이 3원에 들어간 사업은 총 12개, 향후 10년 안에 '승리' 하리라고 예상한 사업들이었다. 잭 웰치 회장은 '3원' 설계도에 의해 과감히 저 부가가치를 잘라나갔다. 그 결과 150여 개에 달하던 사업 부문이 12개로 집중되었다.

그중에서도 87년 GE가 소형 가전 사업을 톰슨 사의 의료기기 사업과 맞바꾼 것은 최대의 논란거리였다. 당시 이 사업은 연간 매출 32억 달러, 시장점유율 25%를 차지하는 간판사업으로 무엇보다 축음기 발명가 토머스 에디슨이 창립한 GE에서 오디오, TV, VTR 등 소형 가전 사업은 신성불가침의 '성역' 이었기 때문이다. 웰치가 이 사업을 매각키로 결정하자 "미국의 유산을 팔아 넘기는 매국 행위" 라는 비판의 소리도 들렸다. 그러나 잭 웰치의 경영 방침에는 '전통' 보다는 수익성이 앞서 있었다. 잭 웰치가 높이 평가받는 이유는 유연성과 스피드를 갖고 시장 진출 및 퇴출 결정을 내리는 이러한 판단력과 지속적인 개선 노력에 있다.

변화하는 시대에 앞서 가기 위해서 그는 "간단명료한 비전과 전략을 세워야 한다" 고 주장했다. 비즈니스 영역에서 1, 2등이 되는 장기 목표는 누가 뭐래도 명확하고 이해하기가 쉽다. 이런 목표라면 당연히 한계 사업은 과감히 버리게 된다. 1위를 누리는 사업이라도 목표수익률을 맞추지 못하면 탈락시키는 GE의 전략은 일관성 있게 새로운 전통으로 이어져오고 있다.

또한 "성과 기준을 명확히하고 철저히 보상하라" 는 말의 의미를 되새겨보자. 그의 리더십은 명확한 보상 시스템에서 나왔는데, 잭 웰치는 이 부분을 성실하고 과감하게 실현해나갔다. 각 사업 부문에 자체 보상

시스템을 두고 새로운 시스템을 위해 개인 보상도 마다하지 않았다.

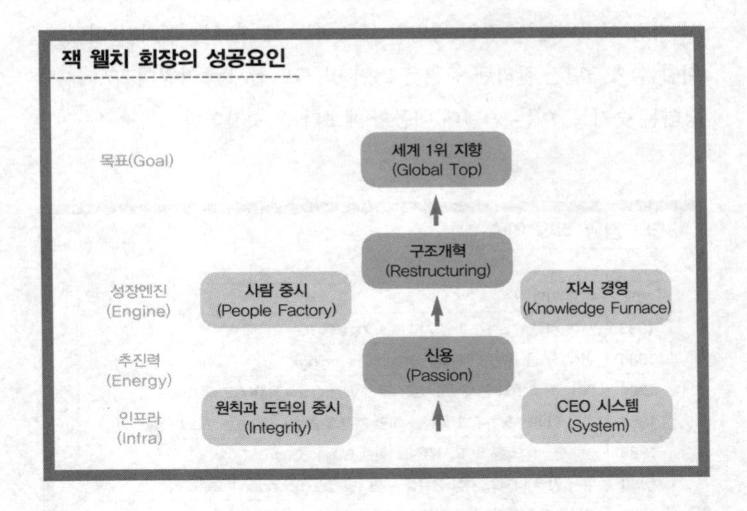

여러 번의 구조조정을 통해 그는 악명을 높여갔지만, 아이러니하게도 그의 성장 엔진에는 스타벅스의 하워드 슐츠 회장과 같은 사람 중시의 기업철학이 있었다. 사람을 가장 중요한 기업경영의 요소로 인식하였고 최고의 인재가 최고의 성과를 내는 여건을 만들기 위해 노력하였다. 부단히 변화하는 수많은 사업들을 관리하는 최고의 방법은 결국 사람의 관리라 그는 판단했다.

이를 입증할 한 가지 사례를 소개하겠다. 그의 과감성과 혁신성은 이런 사업 부문뿐 아니라 시스템에도 예외는 아니었다. 그가 제일 먼저 손을 댄 것은 GE의 자존심이라 불리는 본사 전략 기획팀이었다. 그는 무려 400명에 달하는 이 팀을 아예 해체해버렸고 전략 기획 기능은 생산 현장이나 각 계열사 등 현지에서 추진하게 하였다.

중간 관리자, 경영자도 대거 줄이는 구조조정은 잭 웰치를 "미국에서 가장 무자비한 10명의 경영자 중 1명"으로 부르는 계기가 되었다. 취임 후 첫 5년간 잘라낸 인원은 13만 명, GE 전체 종업원의 25%에 해당하는 숫자로, 이는 30년대 대공황 때보다 큰 숫자였다.

GE의 경영 비법 이력

연도	주요 기법
1983	세계 시장 1, 2위가 아닌 사업은 포기, 〈1등 또는 2등 전략〉
1984	현장학습을 통한 전략개발, 〈Action Learning〉
1984	20 : 70 : 10의 인사제도, 〈활력곡선(Vital Curve)〉 〈360도 평가제〉
1988	가장 뛰어난 노하우와 관행을 최단 기간에 습득 · 전파하는 〈Best Practice〉
1989	신속한 의사소통 및 의사결정을 위한 〈Work-Out〉
1990	부서 간 시너지와 지식 공유를 위한 〈벽 없는(Boundaryless) 조직〉
1991	고객관리를 위한 〈Quick Market Intelligence, QMI〉
1995	불량률 관리를 통해 고객만족을 추구하는 〈6시그마 운동〉

세계 기업들의 관심사요 가장 많이 벤치마킹되는 GE의 경영 비법 이력…. 잭 웰치 회장이 GE의 CEO로서 재임하던 시절 슬로건은 오로지 "고쳐라, 매각하라, 아니면 폐쇄하라"였다. 이는 끊임없는 시장변화에 적응하면서 수익을 창출하려면 과감한 조직 혁신과 사업 정리가 필수적이라 보았기 때문이다. 앞서 얘기한 전통적 사업 분야를 퇴출하고 고 수익 사업으로 금융 사업을 지목하여 중점 육성한 것과 수익성 위주의 구조개혁을 실시한 것은 고정관념을 과감히 타파하고 무엇보다 시

대를 읽는 정신이 뛰어났기에 가능한 일이었다. 그는 지식 경영을 뒷받침할 성장 엔진을 구축하고 원칙과 도덕을 중시하였으며 CEO 시스템이 완비되어 역량을 충분히 발휘하였다.

그를 통해 우리가 배울 수 있는 교훈은 첫째, 기업 혁신은 지속적으로 해야 한다는 것이다. GE는 단 한 번의 구조조정으로 끝나지 않았으며 경기 변화에 관계없이 지속적인 개선 노력을 하고 있다. 그의 리스트럭처링은 IMF 등 외부 요인에 의한 것이 아니다.

둘째, 시장 진입 및 퇴출 결정을 빨리 하라는 것이다. GE는 경쟁업체와 비교할 때 어느 기업보다도 시장진입과 퇴출에 민감하게 행동한다. 85년 인수한 NBC 경영에서 그는 '사람 중시의 철학'을 이렇게 얘기하였다.

"나는 어떻게 좋은 텔레비전 프로그램을 만드는지 모른다. 그리고 엔진을 만드는 데 대해서도 아는 바가 없다. 그러나 나는 NBC 사장이 어떤 사람이어야 하는지 안다. 가장 좋은 사람을 선택하고 자금을 지원해주는 것이 나의 임무이다."

스타벅스의 경영전략도 시대를 읽어가며 변화해갔다. 그들이 고민하던 전통을 고수하며 혁신해야 하는 줄타기에서 공격과 방어를 통해 생존해나갈 것은 불을 보듯 뻔한 일이다. 끊임없는 자기혁신과 개발, 원칙과 도전이 중시되는 첨단 경영 비법, 자신들만의 독특한 리스크 관리, 아울러 성장 마인드는 미래의 스타벅스를 만드는 중요한 요소로 등장할 것이다.

단순한 커피 전문점을 넘어서다

최근 스타벅스의 비즈니스 방향을 추론해도 좋을 뉴스가 발표되어 눈길을 끌었습니다. 기사를 한번 살펴봅시다.

미국의 신세대 대부분이 이름조차 들어보지 못한 솔(soul) 음악의 대부 고(故) 레이 찰스가 별 인연이 없어 보였던 커피숍 체인 스타벅스 덕택에 톱 가수의 반열에 올랐다. 〈월스트리트 저널〉은 젊은 층이 지배하는 대중가요 시장에서 '구시대'에 속하는 찰스의 음반이 지난주 전체 앨범 판매 집계에서 2위를 차지했다면서 이는 뜻밖에도 스타벅스의 힘 때문이라고 말했다. 저널에 따르면 이미 오래 전부터 기존 발표 곡을 모은 편집앨범을 판매해온 스타벅스는 음반시장에 본격 진출키로 하고 독립 음반 제작업체인 콩코드 레코드와 손을 잡았으며 첫 작품이 찰스의 〈천재는 어울리기를 좋아해(Genius Loves Company)〉 앨범이었다. (중략) 스타벅스는 이 앨범이 자사 커피숍의 주 고객층인 24세에서 49세까지 어필할 수 있다고 보고 매일 매장에서 음악을 들려주는 방법으로 적극적인 마케팅에 나섰고 결과는 대성공이었다. 음반 판매량 집계 기관인 닐슨 사운드 스캔의 조사에서 찰스의 음반은 20만 2천장이 판매돼 주간 판매량 2위를 기록했다. 앨범 차트 2위에 오른 것은 찰스의 40년 음악 인생에서 처음 있는 일이다. 이 음반 판매량 가운데 21% 이상은 스타벅스 매장에서 팔려나간 것으로 집계되었다. 〈월스트리트 저널〉은 판매 차트 상위권 앨범의 판매에 한 업체가 이토록 큰 비중을 차지한 것은 이례적인 일이라고 지적했다. (중략) 스타벅스는 이번 성공을 계기로 대중가요 시장에 본격적으로 뛰어들 태세다. 계열업체인 스타벅스 엔터테인먼트의 켄 롬바드 사장은 또 다른 음반업체들과 진지하게 사업제휴 방안을 논의하고 있다면서 "스타벅스가 가요업계에 뛰어들면서 우리에 대한 관심이 폭발적으로 증대되고 있다"고 밝혔다.

레이 찰스의 일대기를 그린 영화에서 레이 역을 맡았던 배우는 아카데미 남우 주연상을 수상했습니다. 이 기사와 관련하여 금년 초에 국제 외신은 '카페와 음악 다운로드'가 만났다는 내용의 기사를 올렸습니다. 로이터 통신은 미국 캘리포니아 주 산타 모니카에서 주문형 음악카페 1호점을 스타벅스가 연 것을 하나의 이례적인 사건으로 취급하였습니다.
이 카페에 와서 커피를 마시며 자신이 선호하는 음악 파일을 고르고 취향에 따라 CD에 담아 갈 수 있으며 CD 표지 인쇄기를 이용해 스스로 디자인한 CD 표지를 만들 수 있다는 것입니다. 스타벅스는 이 사업의 판촉을 위해 유명 가수의 커피점 콘서트를 추진할 계획이라고 합니다. '시험삼아 해보는 것이 아니라 본격적으로 추진하는 사업'이라는 하워드 슐츠 회장의 말이 사업 규모나 방향을 어림잡게 합니다.
이미 아이디어는 하워드 슐츠 회장의 저서 〈커피 한잔에 담긴 성공신화〉에 잘 설명되어 있습니다. 그는 이 아이디어가 1994년 일선 스토어에서 올라왔다고 적고 있습니다. 그 스스로도 전혀 상상할 수 없는 이 사업을 그는 스타벅스의 새로운 방향으로 밀었고 이렇게 되기까지는 레코드 산업에서 20여 년간을 일해온 티모시 존스(Timothy Jones)라는 스토어 매니저의 힘이 컸습니다. 그는 스타벅스의 주 고객인 20대 중반들이 음반가게에서 서성거리며 새 앨범을 뒤적거릴 시간도 없다는 사실을 알았습니다. 그래서 그는 블루노트레코드와 접촉하였고 그들의 히트곡을 CD에 담아 독점으로 팔아줄 것을 요청받아 〈블루노트 블렌드 *Blue Note Blend*〉라는 이름을 붙인 음반 사업을 시작하였습니다.

이 음반사업은 위에서 지시한 마케팅 전략이 아니었습니다. 스타벅스 스토어에서 자연히 조성된 스타벅스만의 성숙한 환경에서 비롯된 비즈니스 아이디어였습니다. 이 사례는 스타벅스가 언제라도 획기적인 아이디어를 실천에 옮길 수 있다는 것을 여실히 보여주고 있습니다. 바로 〈우리의 사명〉 중 두 번째 '비즈니스를 하는 방법에 있어서 다양성을 필수요소로 포용한다'는 대 원칙의 적용인 것입니다.

이는 스타벅스가 커피라는 범주에서 벗어나 브랜드화되고 있는 현상이라고 설명할 수 있습니다. 이를테면 가능성보다는 상징성을 지향한다는 표현이 맞겠지요. 그들은 개척자답게 비즈니스의 무한대성을 두고 자신하고 있습니다. '어떻게 전통을 중시하면서도 혁신적일 수 있을까?' 그것은 스타벅스 상표가 값으로 환산할 수 없을 만큼의 가치 있는 자산이라는 것과 어떤 결정을 내리든지 유지하고 차별화하는 일에 사용되어야 한다는 말입니다.

스타벅스는 그들조차 시큰둥하던 슈퍼마켓에도 뛰어들었고 커피아이스크림 시장 진입을 위해 아이스크림 회사와도 손을 잡았습니다. 결과는 대성공이었습니다. 특히 병에 든 프라푸치노에 대한 고객의 호응은 대단하였습니다. 스타벅스를 찾지 않던 사람도 찾았고, 이들 품목이 스타벅스의 최대의 수익을 남겨줄 황금 알이라는 확신에 의심의 여지가 없다고 생각합니다. 슈퍼마켓에는 비록 커피에 대해 설명해줄 바리스타는 없지만 이미 고객은 스타벅스가 최고급 커피의 대명사라는 것쯤은 알고 있습니다. 스타벅스의 목표는 사람이 물건을 사거나 여행하거나, 놀이나 일을 하는 어디에서도 스타벅스 커피를 마시고 스타벅스 문화를 체험하도록 하는 것입니다. 이들 업체와 전략적 동업자 관계를 맺음으로써 전통과 혁신을 만족시키는 일류 브랜드로 거듭날 수 있습니다. 이제 스타벅스의 비즈니스의 다양성, 그리고 무한대의 자기 혁신과 개방성을 이해할 수 있을 것입니다.

냉커피 시장의 가능성을 타진한 스타벅스는 세계 시장의 야심찬 진입을 위해 펩시와 제휴를 했습니다. 이는 윈윈 전략의 하나입니다. 이를테면 스타벅스가 펩시의 유통망을 활용하는 대신 펩시는 스타벅스의 브랜드와 고객 흡인력을 활용하는 것입니다. 여러분들이 쉽게 슈퍼마켓에서 볼 수 있는 프라푸치노도 펩시 유통망을 통해 선보이게 된 것입니다.

미국 내 스타벅스 매장에 가면 〈뉴욕 타임즈〉를 살 수 있으며, 반스앤드노블과 제휴로 스타벅스 고객들은 '책을 많이 읽는 도시의 지성인'으로서 품격을 갖출 수 있게 되었습니다. 또한 반스앤드노블은 서점 내 모퉁이에 있는 스타벅스의 커피를 통해 '오랫동안 머물고 싶은 분위기, 편한 도서관 같은 서점'으로 이미지 업될 수 있었습니다.

이밖에 스타벅스는 셰러턴, 웨스틴 호텔 등과도 제휴를 맺었으며 쇼핑몰, 여객선, 음반사 등 철저한 전략적 제휴를 통해 사업영역을 확장하고 있습니다. 이것은 전문가적인 시각에서 보면 마케팅 파이를 넓히는 것으로, 이런 제안과 시도가 성공을 거듭할수록 '스타벅스'라는 문화 브랜드가 우리 삶 속에 하나의 기호 혹은 신호로 자리잡고 있다는 증거로 받아들여집니다. 세계의 많은 고객과 마케팅 전문가들이 미래의 스타벅스에 대해 깊은 관심을 표하고 그 변신에 기대와 희망을 거는 것은 스타벅스가 미래 산업의 한 축을 이끄는 존재라는 믿음 때문입니다.

스타벅스는 미국 MIT 대학교의 레스터 서로 교수가 그의 저서 〈Building Wealth〉에서 말했듯이 21세기를 이끄는 양축 지식 사업과 문화 사업 중 문화 사업의 리더로서 확고한 자리매김을 하고 있습니다.

2 스타벅스를 성공으로 이끈 것, 발상

광고를 하지 않고 시장에서 최고의 위치를 차지한다는 것, 종업원을 살아 있는 브랜드로 여긴다는 것 등등 스타벅스의 마케팅은 그야말로 교과서에도 없는 마케팅 기법을 구사했다는 찬사를 듣고 있다.

그러나 스타벅스가 만들어낸 이런 시도도 약육강식의 정글 속 같은 마케팅 세계에서는 이미 고전이 되어 있다. 발상과 승부. 여기에서는 자극과 도전을 줄 수 있는 몇 가지 마케팅 트렌드를 제시하고자 한다.

자신을 스스로 부정하라

이를 두고 마케팅에서는 역 마케팅, 또는 디마케팅(demarketing)이라 한다. 영어로 풀어 쓰면 '디크리스(decrease)'와 '마케팅(marketing)'의 합성어이다. 먼저 '역설'을 말하기 전 재미있는 그리스 신화를 소개하겠다.

옛날 그리스에 아킬레우스라 하는 발 빠르기로 유명한 사람이 살았다. 그런데 제논이란 철학자는 아킬레우스와 거북이가 달리기 경주를 할 때 출발선을 달리 하면 아킬레우스는 절대로 이길 수 없다는 궤변을 늘어놓았다. 이것이 유명한 제논의 '아킬레우스와 거북이의 역설'이다. 예를 들어 아킬레우스가 초속 100m로 달리고 거북이는 초속 10m로 기어간다고 가정하자. 이때 거북이를 10m 앞에서 출발시킨다. 그러면 출발 신호가 떨어지고 아킬레우스가 10m 갔을 때 거북이는 1m를 앞서간다. 아킬레우스가 1m를 가면 거북이는 0.1m, 아킬레우스가 0.1m 가면 거북이는 0.01m 더 앞서 간다. 이런 식으로 계속하면 아킬레우스는 거북이를 제칠 수 없다는 것이다.

역설이란 이렇듯 일반적으로 옳다고 생각되는 것에 반대되는 의견이나 말을 뜻한다. 언뜻 보면 상식에 어긋나거나 논리적으로 모순에 빠져 있는 듯하지만 사실은 상징적으로 진리를 암시하기 위한 표현법이기도 한다.

시장에서도 이런 역설적인 수법이 이용된다. 일반적으로 마케팅에서 한 명의 소비자를 설득하여 끌어오기를 원하지만 이 디마케팅에서는 정반대의 행동을 한다. 말하자면 "저희 상품은 제발 사지 마세요"라고 말한다. 원래는 기업이 원치 않을 정도로 수요가 몰릴 때 이를 줄이기 위한 자구책으로 사용하는 것이다. 전력 회사가 여름 성수기 때 절전 캠페인을 벌이는 예가 바로 그것이다.

술 회사인 디아지오 코리아는 시민 단체들과 함께 '쿨 드라이버'라는 음주운전 예방 캠페인을 시작했다. 술집 많은 번화가에 진을 치고 '술을 마시면 차를 운전하지 않겠다'는 서명을 받았다. 서명을 하면 휴대전화 클리너를 선물로 주면서 말이다. 술 회사가 소비자들에게 술 마시고 싶은 생각을 떨어뜨리게 하는 셈이다.

프랑스 맥도널드도 2002년부터 "맥도널드 햄버거는 주 1회 먹는 식품으로 적당하다."는 광고를 냈다. 이 광고가 나가자 미국 본사와 맥도널드 반대자들은 깜짝 놀랐다. 매주 대여섯 개를 먹어도 시원찮은데 한 개라니…. 그러나 이 광고 속에는 교묘한 노림수가 있었다. 원래 프랑스는 햄버거가 살을 찌게 하며 건강에 안 좋다는 이유로 불매운동을 활발히 벌이는 나라 중의 하나이다. 이 나라에 이런 마케팅 기법은, 맥도널드는 소비자의 건강을 생각하는 회사이며 더불어 일주일에 한 번은 햄버거도 괜찮은 음식이라는 인식을 심어주어 결국 적극적으로 햄버거를 먹으라는 뜻으로 받아들여졌다.

이렇듯 '자신의 발등을 찍는' 우회적 발상도 승부수를 던질 만한 생각이다.

20%에 치중하라

이탈리아의 경제학자 빌프레도 파레토(Vilfredo Pareto)는 19세기 영국의 부와 소득의 유형을 연구하다가 '20 : 80 법칙'을 발견했다. 즉 전 인구의 20%가 전체 부의 80%를 차지하고 있다는 것이다. 이를테면 전 인구의 20%가 부의 80%를 차지하고 나머지 80%의 인구가 부의 20%를 가진다면 20% 내에 들어가는 사람은 그렇지 않은 사람에 비해 평균적으로 16배를 가지게 된다.

어떤 시대, 어떤 나라를 분석해도 20:80이라는 비율로 부의 불균형이 있는 것으로 알려졌다. 이는 비단 부의 분배에만 해당하는 문제가 아니다. 예컨대, 운전자의 20%가 전체 교통위반의 80% 정도를 차지하며, 범죄자 가운데 20%가 80%의 범죄를 저지르고 있고 전체 상품 중 20%의 상품이 80%의 매출액을 차지할 뿐 아니라 전체 고객의 20%가 전체 매출액의 80%를 기여하고 있다.

몇 년 전 조사에 의하면 삼성카드 등 몇 개의 회사가 20%의 핵심 고객에 의해 매출에 영향을 받고 있다는 사실이 밝혀졌다. 그래서 삼성카드는 20%의 우량고객에 초점을 맞춘 정책을 시행하여 큰 성과를 얻었다. 이제 기업도 80%의 고객보다는 20%의 고객에 대한 접근 전략을 개발해야 한다. 20%의 발상, 거기에서 기업의 승부가 갈라진다.

소비자 가격은 소비자가 결정하게 하라 |

'브랜드 숍 화장품' 미샤를 제조 판매하는 (주)에이블 씨앤씨는 소비자 가격 결정 이벤트를 실시하여 눈길을 끌었다. '가격 결정단'이 신제품을 10일간 사용해본 후 시중의 타제품과 비교 분석하여 본인이 생각하는 가격을 홈페이지를 통해 제안하는 이벤트였다. 일찍이 이 회사는 소비자들이 제품을 직접 테스트해보고 선택할 수 있는 문화 공간을 마련, 국내 화장품 브랜드 최초로 '브랜드 숍 매장'을 선보였으며 온·오프라인상의 다양한 고객 체험 마케팅을 실천해왔다. 거의 '불가침의 영역'으로 여겨온 가격(price)마저 소비자가 결정해야 하는 프로슈머의 시대이다.

상품 개발과 아이디어, 소비자에게 묻는다 |

최근 KTF가 진행하고 있는 '모두의 010 아이디어' 공모에는 기발한 착상들이 선보였다고 한다. 예를 들면 먼저 끊는 사람이 요금 내는 '버티기 요금제', 말수가 적은 만큼 요금을 적게 내는 '양반 요금제', 식사

시간 때마다 할인해주는 '뭘 해도 밥은 먹고 해라' 요금제 등 그 발상도 가지가지이다. 이 아이디어 중 통화 중에 거짓말하면 들통나는 '거짓말 탐지 서비스'와 아이 낳을 때마다 할인해주는 '출산 장려 요금제'는 텔레비전 CF로 만들어져 방영되기도 하였다. 물론 이들 중 상품화 개발이 가능한 아이디어는 제품으로 선보일 계획도 가지고 있다고 한다.

상생(相生)의 힘, 다름의 결합

소비자 제안을 통해 탄생한 제품 중에 유독 상생의 힘을 발휘한 제품들이 있다. 해태제과 '아이비'와 동원 F&B의 참치와의 만남이 그것이다. '참크'란 이름으로 상생의 효과를 누리고 있는 이 제품 외에 CJ의 '햇반'과 '김', 삼양식품의 야채타임(스낵+케첩) 등이 대표적인 사례로 꼽히고 있다. 이밖에 대치동의 구멍가게로 시작해 현재 10개 매장에서 연 200억 원의 매출을 올리고 있는 야채 전문점 '총각네 야채가게'와 LG전자와의 마케팅 유통사업의 전략적 제휴와, 소니 코리아와 국내 명품 가구업체인 한샘 도무스와의 공동 마케팅은 이종업체의 짝짓기가 구체화되고 있음을 보여준다.

한샘 도무스 매장에는 소니 TV와 홈시어터, 오디오 등의 기기를 설치해 실제 거실의 분위기를 연출하고 소니 코리아 직영매장에도 한샘 도무스 가구를 함께 진열하여 소비자들이 궁금해하는 가전제품과 가구, 인테리어 소품의 조화를 직접 확인할 수 있게 하였다. 이런 방법은 매장에 활기와

한샘 도무스 소니 코리아와의 결합을 통해 상생의 효과를 본 사례

열정을 불어넣고 고객에게 친근하게 다가갈 수 있으므로 한번쯤 고려해볼 만한 발상이다.

진짜, 달라야 산다 |

일년 내내 계속되다시피하는 세일로는 고객의 마음을 사로잡을 수 없다는 판단 하에 차별화되고 주의를 끌 만한 마케팅을 전개하는 기업들이 늘고 있는데 특히 백화점 업계가 그렇다. 동아백화점의 '무기농 사과나무 분양' 이벤트는 체험 마케팅의 실현이라는 데 더욱 관심을 끈다. 아이들과 함께 자연을 체험하게 하는 목적 외에 자연스럽게도 기업과 소비자가 만남의 장을 마련한 것도 평가받을 만하다.

이밖에 롯데백화점 대구점의 '효 마케팅'은 아이디어가 뛰어나 고객의 호응이 높은 행사였다. 예를 들면 연령이 60대인 부모를 모시고 온 고객에게 60%, 70대 부모를 모시고 온 고객에게 70%를 할인해주는 기발한 방식이다.

명절 전후에 열차표, 고속도로 통행료 영수증을 확인해 고향을 찾는 고객들에게 사은품을 주는 '고향 마케팅', 만두 파동이나 광우병 파동으로 상품이 고객의 신뢰를 잃었을 때 식품의 안전성을 눈으로 확인시켜주고 안심 보험을 들어주는 '신뢰 마케팅' 등은 진짜 달라야 생존한다는 기업의 긴장감을 느끼게 하는 서비스 정책이었다.

신종 기념일을 만들어라 |

2월 14일 발렌타인 데이를 비롯해 3월 14일 화이트 데이, 로즈 데이(5월 14일), 키스 데이(6월 14일) 등 일명 '포틴 데이'가 젊은이들 사이에 '뜨고' 있다. 이것은 기업에게도 추천할 만한 발상이다. 이미 롯데제과에서는 자사 상품의 날을 선정(빼빼로 데이) 기획상품을 내놓기도 하였다.

크로스하라

이 마케팅 기법은 이미 국내의 크라운제과에 의해 효과가 입증된 신개념 경영 기법으로 기업들의 주목을 받고 있다. 크라운제과는 외환 위기 이후 신제품 개발에 투자할 여력이 부족하자 대만의 제과 기업들과 제품을 상호 교차 판매하는 새로운 마케팅 기법을 통해 신제품을 확보하였다. 실제로 각자 경쟁력 있는 제품을 상호 교환하여 자국 시장에 판매하고 교환된 제품도 교환하는, 기존의 어느 기법도 시도하지 못한 참신한 아이디어의 크로스 마케팅의 결과는 대성공이었다. 크라운제과와 대만 기업 모두 각 시장에서 신제품 출시를 통한 이미지 쇄신은 물론 수익 면에서도 매우 탁월한 투자 대비 효과를 이루었다.

자원의 희소성, 경쟁의 글로벌화, 제품 수명 단축 등 급변하는 환경에서 핵심 역량을 제대로 확보하지 못하고 있던 두 기업은 수출 실적의 제고는 물론 내부적으로 추가비용 없이 신제품을 확보할 수 있게 되었다. 아울러 이 마케팅 기법은 단순한 제휴 관계를 넘어 협력을 통한 새로운 경쟁력 확보라는 측면에서 발상의 폭을 짐작할 수가 있다.

이밖에 각 기업들의 생존을 위한 발상의 전환은 상상의 차원을 넘어서고 있다. 범위와 범주의 한계를 뛰어넘어 새로운 모습으로 고객에게 다가가고 있는 것이다. 이제 바야흐로 기업은 우위를 지키고 차별화된 자리를 지키기 위해 발상하고 도전하는 승부의 레이스에 서 있다.

마케팅 교과서를 새로 쓰다

마케팅 전문가나 커뮤니케이션 학자들은 '스타벅스'를 두고 경영학 서적에도 없는 브랜드 마케팅을 이루었다고 극찬합니다. 하워드 슐츠 회장도 이 부분에 대해서 이렇게 말한 바 있습니다.

뒤돌아보건대 나는 어떤 경영학 서적에도 있지 않은 방법으로 브랜드를 만들었다는 것을 깨달았다. 우리는 처음에 소비자가 아니라 회사 사람들과 함께 스타벅스 브랜드를 만들어냈다. 그것은 크래커나 시리얼 회사의 브랜드 구축 전략과는 정반대의 시도였다. 우리는 고객들의 기대를 충족시키거나 능가하기 위한 가장 좋은 방법은 훌륭한 사람들을 고용하고 교육시키는 것이라고 믿고 있기 때문에 우선 종업원들에게 투자하였다. 그들의 열정과 헌신으로 우리의 소매점 파트너들이 커피와 브랜드를 대표하는 가장 좋은 전도사들이 되었다. 그들의 지식과 열정은 우리 커피를 고객 사이에서 인기 좋게 했고, 그들로 하여금 우리 스토어로 다시 오게 했다. 그것이 스타벅스 브랜드가 가지는 힘의 비밀이다. 우리의 파트너들이 느끼는 회사에 대한 애착과 그들이 우리의 고객과 함께 만드는 동질감이 그것이다.

여기서 나는 하워드 슐츠 회장의 마케팅 통찰력을 발견하였습니다. 그의 마케팅 접근 방식은 아주 특이했습니다. 통상 마케팅 분야의 상식은 고층 빌딩의 기획실로부터 나오는 것도 아니고 한적한 리조트 호텔 방에서 나오는 것도 아닙니다. 그것은 시장 바닥에서 생겨나는 것입니다. 따라서 대기업일수록 고객과 더불어 브랜드를 창출하기 원하며 모든 마케팅 폴리시를 고객의 필요와 욕구에 맞추려고 합니다.

그러나 그는 용기 있게 기존 관념을 뿌리쳤습니다. 초반엔 소비자가 아니라 회사 사람들과 함께 만들어가는 것이라고 말입니다. 어떻게 보면 돈키호테 같은 발상이지요. 다른 대기업이 최전방 전선(front)으로 달려갈 때 그는 그 주체를 직원(파트너)으로 보고 그들을 가르치는 일에 몰두하였습니다.

여기서 나름대로의 정의를 내려보겠습니다.

"고객에게 필요한 것이 무엇인지 묻는 기업은 훌륭한 기업이다. 그러나 더 훌륭한 선도 기업은 고객 자신이 알아채기 전에 그들이 필요로 하는 것을 알고 있는 것이다."

'알아차린다'는 표현을 주의 깊게 살펴보십시오. 그것은 한마디로 마케팅 통찰력을 갖추라는 말입니다.

그럼 어떻게 기업이 고객이 필요로 하는 것을 만들어낼 수 있을까요? 그것은 능력 있는 직원을 교육하고 그들 스스로 만족케 하는 것입니다.

소니의 모리타 아키오 회장은 "소비자를 새로운 제품으로 리드해가야 한다. 소비자는 무엇이 가능한지 모르지만, 우리는 알기 때문이다"라는 말로

■ ■ ■

마케팅 폴리시 본질적으로 같은 환경 하에서 반복하여 일어나는 마케팅의 제반 문제를 항상 일관성을 갖고 빠르고 적절하게 결정하여 집행할 수 있도록 설정된 상규적(常規的) 행동 방침

마케팅의 주체를 다른 각도로 해석해놓았습니다. 하워드 슐츠의 최우선 과제는 열정적이고 헌신적인 스타벅스의 파트너들을 교육시키는 일이었습니다.

TV나 신문광고 하나 없이 기업 이미지를 높였다는 사실이 '세상에 없는' 이라는 찬사를 듣게 합니다. 간접적인 광고로 차별화나 시장경쟁력을 높이지 않겠다는 그의 특별한 전략적 사고는 마케팅 역사를 다시 써야 할 정도로 충격적이었습니다.

그는 첫째, 종업원 즉 파트너를 '살아 있는 브랜드'로 보았습니다. 그들에게 실습할 기회를 주기 위해 대형 개점 파티를 열게 하였고 가장 가까운 가족, 친구는 물론 영향력 있는 기자, 음식 평론가, 요리사, 유명 레스토랑 주인들을 접촉케 하였습니다.

아울러 커피 외에 그 이상의 여러 가치를 부여했습니다. 맛과 서비스와 분위기가 그것이었습니다. 이밖에 지역 행사의 후원을 스타벅스 프로모션의 중요한 파트로 여겼습니다. 예를 들면 인간미가 느껴지는 새로운 커피 문화를 만들어가기 위해 커피 수익금의 일부를 커피 원두의 생산지인 아프리카 케냐의 구호기금으로 기증했고, 에이즈 프로그램, 어린이 질병과 아동 병원, 환경과 맑은 물 등 사회적 이슈에 매우 적극적이었고 이것이 기업 이미지를 고양시키고 브랜드화시키는 데 결정적 역할을 하였다고 생각됩니다.

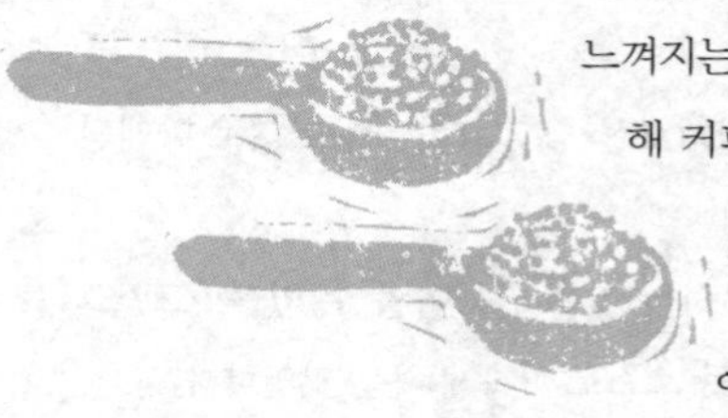

하워드 슐츠의 생각을 다시 되짚어보면 스타벅스의 성공은 브랜드 인지를 위해 막대한 광고비를 투입하고 동시에 수많은 이벤트로 고객에게 다가서

지 않아도 된다는 것을 실제로 입증해 보였습니다. 그들은 절대로 조급하게 기업 이미지를 구축하려 하지 않았습니다. 한 번에 한 고객을, 한 스토어를, 이는 고객에게 충성심과 신뢰를 고취시키는 가장 좋은 방법이라 생각했습니다. 여러 해에 걸친 인내와 노력에서 입에서 입으로 전해지는 명성은 비록 시간이 흐르고 그 가능성에 회의를 던져줄지라도 말입니다.

결국 그들은 얼굴 없는 고객의 입을 통해 명성과 신뢰를 쌓았고 타 기업에선 상상할 수 없는 브랜드 파워를 얻어낼 수 있었습니다. 고객은 스타벅스에 와서 이렇게 얘기할 것이라고 하워드 슐츠 회장은 그의 저서에서 말했습니다. 일종의 브랜드 파워 내력이겠지요.

"야! 내가 여기 와서 이렇게 좋은 대접을 받는군. 다음날 다시 오면 그들은 내 이름과 내가 좋아하는 음료도 파악하고 있겠지. 그리고 내가 앉을 수 있는 자리가 있을 것이고 거기 앉아서 재즈를 듣는다. 눈을 감고 일터와 집을 떠나 5분간 휴식을 취할 수 있다. 하와이로는 휴가를 떠날 수 없지만 단 3달러 50센트에 스타벅스에서 의미 있는 휴식 시간을 가질 수 있지."

따라서 스타벅스는 고객에게 이런 고백을 얻어낼 수 있도록 노력했습니다. 관건은 소비자 마음에 살아 있는 독특하고 차별화된 경험이었습니다. 그 경험은 감성이나 정서적인 측면에서 더욱 그러했습니다.

스타벅스는 마케팅의 기본 개념 즉 '4P'에서 변형된 '5P'를 내세웠습니다. 이 개념은 스타벅스만이 내세울 수 있는 노하우라 말해도 무방할 것입니다. 이 5P는 마케팅의 기본 개념인 4P 즉 최고급 품질의 커피를 의미하는 제품(product)과 제3의 공간을 의미하는 장소(place), 그리고 서비스와 제품에 걸맞는 프리미엄 가격(price), 브랜드 차별화 전략인 프로모션(promotion)에 커피를 만들고 고객들에게 서비스하는 사람들(people)을 더한 개념입니다.

제품부터 볼까요? 스타벅스는 높은 기준의 원두 구매 지침을 갖고 최상질의 커피를 구매하고 있으며 50여 종의 커피 관련 음료 및 각종 티, 주스 등 10여 종의 non-coffee 음료를 구비하고 있습니다. 거기에다가 고객의 취향에 따라 커피의 양, 시럽 등을 조절하여 개성에 맞는 음료를 주문하는 것이 가능합니다. 저희 스타벅스에서 제공할 수 있는 음료가 1만 9천 가지라는 것 기억하시죠?

두 번째, 장소입니다. 고객들에게 제1의 장소인 집과 제2의 장소인 학교 · 직장이 아닌 심신을 편안하게 쉴 수 있는 제3의 공간을 제공하고자 했습니다. 그리하여 매장에서 인테리어를 보고(시각), 음악을 들으며(청각), 커피 향기를 맡고(후각), 최고의 커피를 음미하고(미각), 소파 · 슬리브 등에서 느낄 수 있도록(촉각) 오감 마케팅을 실시하고 있습니다.

스타벅스는 이러한 제품과 서비스에 걸맞는 프리미엄 가격을 책정하였으며 무료로 커피를 제공하는 프로모션을 실시하나 커피 가격 할인은 절대 하지 않는 가격 정책을 사용해왔습니다. 또한 여러 가지 프로모션을 통해 마케팅 활동을 극대화시켰습니다.

마지막으로 'people' 인데, 이것이 스타벅스에서 가장 중요하게 생각하는 것입니다. 파트너(종업원)들이 행복해야 고객이 행복하다는 생각 하에 직원들에게 여러 가지 복리후생을 제공하고 있으며, 인센티브도 지급하고 있습니다. 특히 1992년 미국에서 나스닥 상장 시 파트타이머에게까지 스톡옵션을 부여하여 주식을 지급했던 것은 이미 유명해진 일입니다. 이때부터 스타벅스에서는 '종업원(employee)' 이라는 단어를 쓰지 않고 '파트너

(partner)' 즉 사업의 동반자라는 단어를 쓰기 시작했습니다. 더불어 고객들에게 최상의 커피와 서비스를 제공할 수 있도록 신입사원 때부터 각종 체계화된 교육을 실시합니다. 스타벅스의 파트너(종업원)에 대한 기본 개념은 '나눔과 섬김'입니다.

이제 스타벅스가 광고에 예산을 쏟아 붓지 않는 것이 하나의 훌륭한 성과로 평가되고 있습니다. 어느 제품의 브랜드가 이처럼 광고비를 안 쓰고 브랜드 정책을 수행해나갈 수 있으며 고객의 전폭적인 지지를 받을 수 있겠습니까? 한마디로 교과서에도 찾아볼 수 없는 이 마케팅 기법은 마케팅 역사의 또 다른 사건으로 기록될 것입니다.

3 1 더하기 1은 2가 아니다

스타벅스의 마케팅 파워 중 하나, 특히 눈길을 끄는 것은 그들만의 파격적이고 개방적인 제휴 마케팅이다.

전자 매장 내에 숍인숍의 형식으로 진입하거나 은행, 백화점, 병원 등 이종 업체와 제휴함으로써 윈윈 전략을 구사하고 있다. 이 전략은 스타벅스의 입장에서 보면 별도의 마케팅 비용 없이 소비자를 확장시켜나갈 수 있다는 장점이 있어 동종은 물론 타 업종에도 벤치마킹의 대상이 되고 있다.

합종연횡. 이는 중국 전국 시대의 외교정책으로 '남북을 연합시킨다'라는 뜻으로 오늘날에는 '전략의 제휴'를 뜻하는 말이다. 그렇다면 윈윈 즉 상생의 뜻과 목적은 어디 있으며 장단점 및 조건은 무엇인지, 구체적으로 잠입해보도록 하자.

먼저 전략적 제휴의 배경은 단순한 경쟁 논리로는 지탱할 수 없다는 위기감이다. 소비자 욕구는 걷잡을 수 없이 다양화되었다. 업종 간의 빠른 기술 혁신 및 경제 구조의 블록화 현상, 글로벌화의 가속화 등 현기증이 날 정도이다.

이제 글로벌화를 원하는 기업이라면 원하든 그렇지 않든 경쟁 관계인 기업과 공조하면서 대응하지 않으면 자신뿐 아니라 경쟁 기업까지 어려움을 겪는 시대가 되었다. 따라서 이런 배경 하에 최근 경쟁 기업 간에 기존 경쟁 관계는 그대로 유지하면서 서로 협력하여 새로운 시장 및 수요를 창출하자는 윈윈 전략이 등장하게 되었다. 이를 두고 상생 전략, 제휴 전략이라 부르기도 한다.

이 전략이 구사되면 기업들은 상대방의 자원과 비용을 공유하고 함께 투자하며 상대방으로부터 기술 습득을 통한 상당한 이윤 획득 기회가 제공되며 특정 자원의 투자와 분배를 통한 규모 경제의 위험을 줄일 뿐 아니라 기술력 및 특허권 활용을 통해 생산성과 혁신을 이루게 된다.

광동제약의 비타500의 성공요인 중에 특별히 눈에 띄는 것은 차별화된 마케팅 전략이다. 그들은 다양한 온라인 마케팅을 통해 10대와 20대 마니아를 확보했다. 이들은 다음(Daum)과 맥도널드, 싸이 미니홈피 등과 다양한 제휴 및 이벤트를 실행함으로써 적은 비용에 효과를 극대화하는 제휴 마케팅을 구사하였다. 이것이 바로 전략적 제휴다. 말하자면 '상호협력을 바탕으로 기술, 생산, 자본 등의 기업 기능에 2개 또는 다수의 기업이 제휴하는 것'이다.

이는 기업 규모와 관계없이 여러 분야에서 이루어지며 특히 기술 혁신 속도가 빠른 전기, 전자 등 첨단 제조 분야에서 신기술 습득과 새로운 시장 진출을 목적으로 활발히 이루어지고 있다. 이밖에 은행, 보험,

항공, 운송 등과 같은 서비스 부문에도 급증하고 있다. 구체적인 동기로는 규모의 경제성을 추구하고, 위험 및 투자 비용의 분산과 기술 획득 및 이전 수단으로 나아가 경쟁 우위 자산의 보완적 공유와 시장 신규 진입의 확대를 꾀하기 위해서이다. 최근엔 일부 벤처기업에서 역할을 분담하고 대등한 입장에서 공동사업을 추진하는 모습을 종종 발견할 수 있다.

제휴하기 위한 전제 조건은 유능하고 실질적인 협력 파트너를 선정하여야 하며 신뢰를 바탕으로 대등한 협력 관계를 구축해야 한다는 것이다. 그리고 명확히 해야 할 것은 제휴의 목적, 조직의 운영 규칙, 이익 분배, 손실 분담 등 협력 사업을 꼼꼼히 챙겨야 한다는 점.

1980년대에 들어서면서 기업 간의 전략적 제휴는 두드러지게 증가하였다. 예를 들어 컴퓨터와 통신을 포괄하는 정보통신 산업에서 활발하게 이루어졌고 다음으로는 생명공학 산업, 신소재 산업, 자동차 산업 등으로 확장되고 있다. 그렇다면 왜 세계적인 기업들이 단독으로 사업하기보다는 전략적 제휴를 선호할까?

첫째, 자원과 위험의 공유이다. 자신들이 속해 있는 시장에서 완벽하게 경영 자원을 가지고 있는 기업은 존재하지 않는다. 따라서 기업은 보완적인 제품이나 유통망, 그리고 생산기술을 가진 다른 경쟁 기업을 찾아 전략적 제휴를 하는 경우가 많다. 특히 최근 들어 연구개발 투자가 중요시되고 생산시설이 자동화됨에 따라 그에 소요되는 비용이 막대해졌다. 차세대 메모리형 반도체 생산 라인 설치 비용이 1~2조 원이다.

둘째, 신제품 개발과 시장 진입 속도 단축이다. 신제품 개발의 초기 단계로부터 시장에서 제품화되는 데 소요되는 시간은 경쟁이 심화됨에 따라 지난 십수년간 계속 단축되어왔다. 경쟁 기업보다 더 빠르게 제품을 내놓아야 높은 수익을 보장받으며 초기 진입자의 우위를 누릴 수 있기 때문에 더욱 그러하다. 이것이 모든 기업의 고민이다. 어떻게 빨리 신제품을 개발하여 시장에 내놓을 수 있는가? 그것도 경쟁 기업보다 빨리…. 문제는 이런 기업들이 시장 진입의 속도 단축에 필요한 모든 경영 자원을 보유하지 못한다는 것이다. 예를 들어 독일의 지멘스(Simens)와 일본의 도시바, 미국의 IBM의 256K DRAM을 공동 개발한 이유도 각 기업 자체에서 개발할 능력은 충분히 보유하고 있으나 독립적으로 개발할 시 경쟁 기업보다 늦게 출시될까 우려했기 때문이었다.

결국 이렇게 빠른 신제품 개발과 시장 진입이 중요하게 된 이유는 컴퓨터, 통신, 방송 그리고 가전 분야에 멀티미디어 산업과 통합되는 경향과 무관하지 않다. 이밖에 기존의 사양산업에서 벗어나기에 유용하거나 산업 표준의 선택을 목적으로 각 기업들은 합종연횡하기도 한다. 특히 VCR 산업에서 산업 표준화를 위해 노력하다가 실패한 소니의 예는 간과해서는 안 될 사례로 기록되고 있다.

자, 그렇다면 제휴 파트너는 어떻게 선정해야 할까? '찰떡궁합'을 과시할 것인가 아니면 '가까이 하기엔 먼 당신'일까? 이 문제를 함께 풀어보자.

양립성(compatibility) |

전략적 제휴에 참가하는 기업들의 능력이 아무리 뛰어나다 해도 파트너들이 서로 협력하여 일을 할 수 없다면 제휴는 아무 쓸모가 없게 된다. 양립성은 양 기업의 전략, 기업 문화, 경영관리 시스템의 측면에서 고려되어야 한다. 우선 양 기업의 전략이 모순되거나 상반되어선 안 된다. 이를 위해 제휴 파트너에게 이런 질문을 던져보라.

1 목적과 동기는 무엇인가?
2 제휴에 기여할 수 있는 경영 자원을 무엇인가?
3 우리 기업이 추구하는 전략과 대치되지 않는가?

또한 양립성에서 따져보아야 할 것은 기업문화와 경영관리 시스템의 차이이다. 전자의 경우 제휴 파트너의 기업 문화의 차이가 어느 정도인지, 또 그것이 제휴 목적 달성에 걸림돌이 되지 않는지, 극복할 수 있는지 살펴보아야 한다. 후자는 경영에 있어 중요한 요소로서 사람들이 조직을 이루고 또한 접촉과 정보 교환에 의해 조직이 관리되므로 관심을 가져야 한다. 왜냐하면 제휴에 임하는 사람들이 서로를 믿지 못하고 상호간에 갈등이 많으면 그 제휴는 성공할 수 없기 때문이다.

능력(capability)

전략적 제휴를 고려할 때 파트너가 갖고 있는 경영 자원과 핵심 역량을 정확히 파악해야 한다. 이는 제휴를 통해 자신이 갖고 있는 약점을 보완하고 자신의 강점을 강화하는 것이 필요하기 때문이다. 핵심 역량의 관점에서 제휴를 본다면 두 회사가 자신이 취약한 분야에서 파트너가 강한 핵심 역량을 가지고 있는 것이 바람직하다. 마케팅이나 유통이나 서로의 단점을 보여줄 수 없으면 제휴는 무의미하다. 또한 파트너의 능력 면에서 전략적 제휴에 임하는 기업들의 규모와 핵심 역량은 비슷한 수준이어야 하는데 많은 다국적 기업들이 동등한 파트너를 강조하곤 한다.

실행(commitment)

아무리 제휴 파트너가 핵심 역량과 경영 자원을 갖고 있고 양 사의 경영관리 시스템과 기업 문화가 양립성이 높을지라도 제휴 당사자들이 제휴를 성공적으로 만들기 위해 시간과 에너지, 경영 자원을 투입하지 않으면 성공 가능성은 매우 희박하다. 따라서 자신의 파트너가 전략적 제휴를 성공적으로 수행하기 위해서 얼마만큼 열심히 임할 것인가를 파악하는 것이 중요하다.

이를 위해서는 전략적 제휴가 제휴 파트너의 핵심 사업 분야에서의 제휴인지 주변 사업부에서의 제휴인지를 고려해야 한다. 만일 전략적 제휴가 파트너에게 중요하지 않은 주변 사업 분야에서 이루어진다면 그 파트너는 제휴를 성공적으로 이끌기 위해서 시간과 경영 자원을 많이 쏟아 부으려고 하지 않을 것이며, 조그만 갈등이 있어도 쉽게 제휴를 포기할 가능성이 있다. 따라서 한 회사만 제휴에 많은 투자를 하고 다른 기업은 수수방관하거나 무임승차하려는 기회주의적 행동을 하려고 한다면 이런 제휴는 실패할 가능성이 높게 된다.

•

위의 3C 선정 기준을 거치면서 제휴의 방법을 모색해야 한다. 기술 제휴, 조달 제휴, 생산 제휴, 판매 제휴가 있는데 그중에 판매 제휴가 일반적으로 보편화되어 있는 제휴 스타일이다.

판매 제휴는 상대방의 판매 능력을 활용하는 위탁판매, 공동 브랜드를 사용하거나 제품 공유에 의한 공동판매 등을 말하는데 신 시장 진입 기간의 단축, 유통 및 보관 비용의 절감과 고객 서비스의 향상, 자원 이용의 효율성 제고, 그리고 빠른 재고의 순환 효과를 거둘 수 있다는 점에서 이점이 있다.

비교우위를 확보하고 있는 외부 유통 전문 기업과 기존의 유통망을 확보하고 있는 기업과의 제휴를 통해 조직의 경량화를 이루어 자산 운용의 효율성을 극대화하고 투자 위험을 피할 수 있다. 또한 시장 환경 변화에 신속히 대응함으로써 효과적으로 시장 경쟁에 참여하고 기업의 국제화에 따른 물류비용의 증가를 최소화할 수 있다.

마지막으로, 기업을 경영하고 여러 여건에 의해 타 기업과 전략적 제휴를 맺고 성공하길 원한다면 적어도 다음의 7가지 정도는 체크해야 한다. 1)힘의 불균형 2)관리상 경영상의 불균형 3)갈등 4)제휴에 의한 보상 5)파트너 간의 조화 6)기간 7)기술 변화의 비율이 그것으로, 통상 이 조건을 충족시키지 못하는 경우는 서로가 불분명하고 측정하기 어려운 목표를 설정할 때나 과대포장과 기대를 갖게 하며 상호 불신과 기

전략적 제휴의 장단점

장 점	단 점
1 서로의 자원이 결합되어 규모의 경제를 이룰 수 있다(생산 규모 증대)	1 전략적 제휴시 조정비용이 부담으로 작용한다
2 서로의 경쟁상 우위 요소를 습득할 수 있다(경영상의 능력과 지식 공유)	2 경쟁적 우위를 분산시킬 수 있다
3 위험과 비용을 분담할 수 있다	3 공평한 이익부담이 어려울 수 있다→제휴관계에 있어서 상대적으로 불리한 지위에 있는 기업은 제휴에 의해 얻은 이익을 균등하게 배분받지 못하는 경우가 있다
4 경쟁 기업과 제휴하면 시장의 경쟁조건을 유리하게 조정할 수 있다	

만이나 자체 핵심 역량을 갖추고 있지 않을 때 실패의 요인이 된다.

예를 들어 IBM의 경우 PC 산업에 진출하면서 핵심 OS는 마이크로소프트에 CPU는 인텔에 의존하여 PC 산업의 주도권을 상실했다.

또 파트너 핵심 역량 흡수에 소홀하거나 조화되지 않는 기업 문화가 문제이다. 물론 경영진의 지속적인 관심과 자원이 없어서도 성공을 기약할 수 없다.

삼성전자가 향후 5~10년간 환경변화의 대응책으로 전략적 제휴를 최우선으로 삼았다는 사실은 시사하는 바가 크다. 그들은 국내 반도체 업계에서의 독자적 기술 패권주의에서 글로벌 제휴를 통한 기술 개발 방향으로 생존 전략을 수정했다. 전략적 제휴는 이처럼 기업의 생존을 가르는 지침이다. 합종연횡, 바야흐로 기업이 움직이고 있다.

스타벅스와 손잡으면 성공한다

최근 스타벅스커피 코리아는 업계로부터 제휴에 관한 러브콜을 받고 즐거운 고민과 비명을 지르고 있습니다. 함께 힘을 합쳐 소비자에게 여러 편의를 제공하고 마케팅 파이를 넓히자는 제휴 마케팅에 대해 스타벅스는 일찍이 기업의 문호를 개방하고 있었습니다. 스타벅스의 윤리 경영 백서를 보면 고객 존중 경영, 준법 경영 그리고 협력회사 존중 경영, 청결, 인재 중시, 사회봉사 및 환경보호 경영 등을 중점적으로 추진하고 있습니다.

이 가운데 협력회사 존중 경영의 방법으로, 우리 회사 대표이사와 협력회사 대표 등 실무자를 비롯한 임직원들이 공존 · 공영을 위한 여러 사안들을 신년 간담회를 비롯해 연 4회 이상 논의하고 있습니다. 이 간담회에서는 구체적으로 실천 계획이나 시행되고 있는 윤리 경영 테마 활동을 소개하고 있으며 거래의 투명성 확보 등 장기적인 관계 지속을 위한 매뉴얼을 심도 있게 나누고 있습니다. 이들 협력업체는 신규 매장의 오픈식에 참여하여 파트너로서, 한 가족으로서의 공감대를 교환하고 있습니다. 또한 매년 개점 기념일에는 우수

협력회사를 선정, 시상하여 윈윈 관계 구축에 적극적으로 힘쓰고 있으며 협력사 선정 초기 때부터 그 기준을 투명하게 할 뿐만 아니라 공정하고 평등한 기회를 부여하여 진정한 사업 동반자로서 조그만 하자 없이 완벽한 관계를 유지하도록 노력합니다.

현재 모든 업종에서 스타벅스와의 제휴를 원하고 있다고 해도 지나친 표현이 아닙니다. 각 업종의 리더 기업들이 스타벅스와 제휴하길 원하는 것은 스타벅스의 고객을 공유하자는 의도입니다. 최근 소비 트렌드로 급부상한 2535세대가 공통적으로 가장 선호하는 브랜드는 단연 스타벅스입니다. 2535세대는 자신만의 가치 기준에 따라 살아가는 자유롭고 진보적인 사고를 가진 세대로, 경제력과 소비력을 갖춘 매력 있는 세대입니다.

아울러 스타벅스와 제휴를 희망하는 업체들은 이들 고객에게 자신들만의 서비스를 제공하여 스스로를 차별화하고 나아가 고객의 마인드에 브랜드 이미지를 설정해놓자는 생각이겠지요. 이런 마케팅 활동은 원가 개념상 효율적인 방법이라 생각됩니다.

삼성전자 리빙프라자 분당점을 방문해보십시오. 100평 규모의 매장에 15평 남짓한 스타벅스가 함께 하여 복합 문화 공간의 새로운 장을 열었습니다. 이제 TV도 사고 커피도 마시는 일이 현실이 되었지요. 더욱이 최고 성장 브랜드 간의 만남이라 거는 기대도 크다고 하겠습니다. 시너지 창출이라는 측면에서 더욱 그렇습니다.

또한 종로2가에 있는 영풍문고와 대구 동성로 입구에 있는 교보문고를 방문해보십시오. 책과 커피, 잘 어울리지 않습니까? 두 업종 모두 문화사업의 길라잡이란 면에서 궁합이 잘 맞지요.

이런 제휴 마케팅을 간절히 바라는 업종이 또 하나 있습니다. 바로 은행입니다. 은행들이 혹독한 IMF 관리체제를 거치면서 마케팅의 필요성을 절실히 체감했나 봅니다. 솔직히 콧대 세기로 유명한 은행이 이렇게 변신을 모색하는 것을 보면 격세지감을 느낍니다. 많은 은행들이 스타벅스가 은행 매장에 입점하기를 희망하고 있습니다. 커피 전문점 고객을 대상으로 영업이 가능하다는 판단 하에 진행된 상생 전략인 것입니다.

은행뿐 아니라 IT, 화장품, 패션 등 다양한 소비재 쪽에서도 제휴를 희망하고 있어 앞으로는 '커피도 즐기고 ○○도 함께 하는' 소위 이(異) 업종 제휴의 마케팅 붐이 일어날 것입니다.

얼마 전 방송된 '디지털 콘텐츠가 세상을 바꾸다' 편에서는 서울 시내 대학생들이 무선 인터넷을 하기 위해 찾는 장소를 스타벅스로 추천하기도 했는데, 스타벅스는 전 매장에서 무선 인터넷이 가능합니다. 스타벅스는 HP, 인텔, 소니 등의 IT업체와 로컬 스토어 마케팅(local store marketing)을 전개하였으며 이를 기반으로 스타벅스 무선 게임 대회를 열기도 하였습니다.

그렇다면 왜 열거하기도 어려울 만큼 많은 기업들이 막대한 비용을 감수하면서 스타벅스와의 제휴 마케팅을 추진하려는 것일까요? 그 이유는 가격에 연연해하지 않고 품질과, 그것을 소비함으로써 얻어지는 문화적 우월감에 아낌없이 투자하는 신 소비의 주체 2535세대가 스타벅스의 주 고객이기 때문입니다.

두 번째는 매장 위치의 이점입니다. 스타벅스의 매장은 주로 서울 지역의 중심지에 위치하고 있어 이 지역을 집중적으로 공략하고픈 기업에게 '제휴'는 필수 불가결하겠지요. 마지막으로 제휴를 원하는 큰 이유는 바로 브랜드 후광 효과입니다. 현재 국제적으로 최고의 브랜드 가치 상승률을 기록하고 있는 스타벅스는 제휴를 희망하는 기업으로서는 한 차원 업그레이드된 기업 환경을 조성할 수 있습니다.

하워드 슐츠 회장은 핵심 사업을 폭넓게 확대시키기 위해 기존의 사업 영역을 떠나 새로운 유통 시장에 진입하려는 시도를 하였습니다. 이 시도가 파트너와의 제휴였습니다. 냉커피의 시장성을 두고 펩시와 제휴하면서 그는 당시의 생각을 이렇게 적고 있습니다.

그러나 문화가 이질적인 두 회사라도 서로의 입장을 존중만 한다면 양 사의 차이점은 서로 보완적일 수 있다. 둘 중 어느 한편이 이길 때까지 맹렬히 싸우기보다는 우리가 동의할 수 없는 것은 일단 상대의 의도를 긍정적인 것으로 가정하고 윈윈 전략으로 해결했다. 우리는 차이점으로 혼란스러워하기보다는 서로 다른 차이점을 칭찬하는 것을 배웠으며 시간이 지남에 따라 놀랍게도 잘 지내기 시작했다.

이 신념과 의지로 스타벅스는 세계 일류 기업들과 파워풀한 나눔을 시작하게 되었습니다. 장점과 단점을 서로 보완하고 상대를 긍정적인 관점에서 인정하는 윈윈 전략을 마케팅 현장에서 실천하고 있는 것입니다.

미국에서는 펩시와의 제휴 외에도 반스앤드노블, 유나이티드 항공사, 드라이어스 그랜드 아이스크림, 뉴욕 타임즈, 셰러턴 호텔 등과 전략적 제휴를 하였습니다. 그런데 이 전략적 제휴의 목적은 스타벅스 경험을 강화시키기 위한 것, 즉 언제 어디서나 스타벅스의 커피를 마시도록 하고자 함입니다. 전략적 제휴를 할 때에는 파트너가 된 회사의 브랜드 이미지와 경영방식, 고객에 대한 태도뿐 아니라 기업 철학의 일치 여부까지도 고려하고 스타벅스의 브랜드와 커피의 품질을 보호할 것을 약속하는 곳만을 선택합니다.

4 소비자는 가끔 놀라운 힘을 보여준다

미국 시애틀의 스타벅스 본사가 1천 개 매장에서 초고속 무선 인터넷 서비스를 실시한다는 이야기를 듣고 스타벅스가 '고객 재발견'은 물론 핵심 고객과 눈높이를 맞춘다는 사실이 우선 놀라웠다.

과연 고객이란 무엇일까? 더 나아가 현대 사회에서 고객의 가치는 무엇일까?

이에 대한 중요성을 나타내는 사례가 있다. 미국 최상위 301개 기업의 기업 사명(company mission)을 알아본 결과 이들의 공통 언어는 '고객'이었다. 이는 고객이 기업 내부에 자리하고 있는 경영 주체인 동시에 모든 사고의 근본임을 나타내주고 있다.

'customer', 이 단어 속의 'custom'을 주목하라. 반복적으로 행하는 습관이라는 뜻이다. 이 단어의 어원을 기초로 'customer'를 재해석하면 특정 상품을 습관적으로 구매하는 소비자이다.

현재 모든 기업의 고민은 어떤 고객을 공략할 것인지, 어떻게 해야 고객점유율을 높일 수 있는지, 어떻게 경쟁우위로서의 고객을 확보할 것인지 하는 문제이다. 마케팅을 연구하는 사람들은 종종 고객의 성격을 논하면서 '고객은 있어도 고객들은 없다'고 말한다. 이는 모든 고객이 같지 않다는 말이다. 따라서 기업은 재무적 자산이나 물리적 자산같이 고객을 중요한 기업 자산으로 간주하여 고객의 마음을 빼앗는 일종의 'Share of mind(고객의 마음에 상품을)'를 위해 여러 접근 방법을 양산해내는 것이다. 따져보면 고객감동의 서비스도 한 가지 방법이겠다. 이렇게 한 후 '계란을 한 바구니에 담지 말라'는 주식에 쓰는 언어처럼 고객과의 관계를 대상으로 최적의 포트폴리오를 구성한다.

이런 방법론들은 마케팅 패러다임의 변화에서 기초했다. 과거 생산자 중심에서 고객 중심으로 그 중심축이 이동한 것이다. 매스마케팅에서 원투원 마케팅으로 변화됨에 따라 기업 전략의 핵심은 고객으로부터 창출되는 가치의 양과 질에 의해 결정되었다. 무한 경쟁 체제에서 고객은 우호적인 소비자 집단으로 재인식되었고 이들은 기업 경영 전반에 걸쳐 참여하는 기득권마저 가지게 되었다. 또한 1회성 고객에서 평생 고객으로 그 지위가 바뀜에 따라 기업이나 고객의 의식 변화는 불을 보듯 뻔한 일이었다. 한마디로 정의하여 고객 중심의 경제(customer economy)가 이루어지게 된 것이다.

물론 이렇게 되기까지는 정보, 통신 기술의 발달은 물론 '성장의 한계'와 '가치 기준의 변화' 그리고 '새로운 소비 계층의 탄생' 등 주변 여건의 변화 요인이 톡톡히 한몫을 했다. 말 그대로 고객이 중심이 된 시대에는 고객의 필요가 마케팅 타깃으로 간주되는 것이 자연스러워졌으며 모니터링이나 사용 후기 등 고객의 의사 전달을 위한 피드백 작용이 활발히 전개된다.

기업이 이 시점에서 분명히 알아두어야 할 것은 현재의 소비자는 명확히 과거의 소비자와는 다르다는 사실이다. 과거의 소비자는 수동적이었지만 지금의 소비자는 능동적이다. 생산자보다 더 많은 정보를 보유하고 있으며 스스로 생산하고, 공유하며, 평가하고 대응하고 있다. 소비자가 정보를 가지고 있다는 것은 기업의 입장에서 보면 대단히 위험하고 절망적이라 할 수 있다. 과거 기업의 '조자룡의 큰 칼 쓰듯' 휘두르던 정보의 독점 시대는 IT 등 정보 기술의 발달로 그 생명을 다하고 말았다. 삼손이 머리를 잘려 그 힘을 잃었듯 기업도 정보를 상실한 대가를 톡톡히 치르고 있다. 과거와 다른 마케팅 전략이 수립되어야 하고 접근법이나 시각이 종전과는 상이하게 전개되어야 한다.

최근 '친절한 해충 박멸사' 세스코의 사례를 보면 앞서 말한 고객의 변화와 핵심 고객의 구매 행동을 위한 설득이 얼마나 중요한지 알 수 있다. 세스코는 무려 십만 개의 연간 계약 고객을 유지하고 있으며 1천여 명의 방제 기술자를 보유하고 있는 아시아 최대 규모의 방제 전문 회사이다. 그렇다면 세스코는 처음부터 방제 전문 회사로 No.1 브랜드였는가? 30여 년의 역사를 자랑하고 있지만 그 동안은 지금과 같이 유명세를 타며 확고한 시장점유율을 가지지는 못했다.

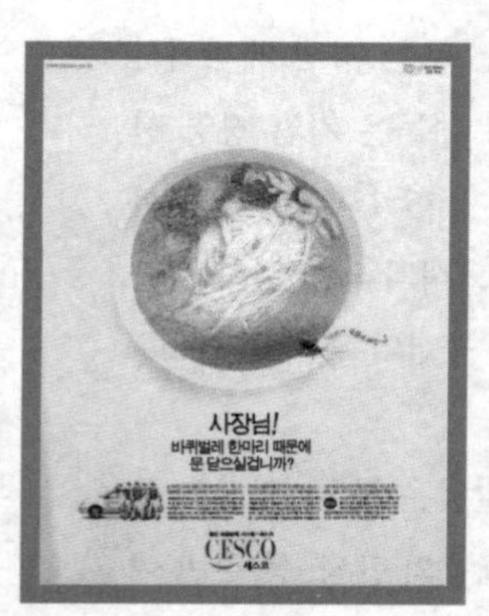

세스코 Q&A 게시판의 재미있는 답변으로 유명세를 타며 아시아 최대 규모의 방제 전문 회사로 성장했다

그런데 놀랍고 재미있는 것은 지금의 성장세가 게시판의 성의 있으면서 유머러스한 답

변에 고객들이 능동적으로 모여들었고 입과 입으로 회자되기 시작하며 만들어진 것이라는 사실이다. 말하자면 세스코의 성공은 Q&A 게시판의 덕이라 해도 과언이 아니다. 지금도 게시판에 하루에 300건 정도의 글이 올라오는데, 세스코는 고객의 짓궂은 농담이나 장난 섞인 질문도 그냥 지나치는 법이 없다고 한다.

예를 들면 "바퀴는 어떻게 먹어야 하느냐?"는 질문에 "다리와 머리를 제외한 몸은 단백질이 많이 함유되어 있어 괜찮다"라고 응답해주거나 "정치인이라는 해충은 어떻게 박멸할 수 있나?"라는 질문에 "주변에 혹시 샘플이 있으면 보내주시기 바랍니다"라고 재치 있게 답변하여 웃음을 자아내기도 하였다. 이러한 글들은 네티즌의 입소문을 타고 삽시간에 인터넷에 퍼져갔으며 한때 세스코의 홈페이지가 방문자의 폭주로 마비되는 사태가 빚어지기도 했다.

여기서 우리가 한 가지 알아두어야 할 것은 이런 성의 있는 답변이 마케팅 전략의 일환으로 의도된 것이 아니라는 점이다. 처음에는 상담원을 통한 계약의 부담을 덜고 보다 자유롭게 인터넷 상에서 문의할 수 있게 하기 위해 만들어졌다. 또한 고객의 질문에 대한 답변을 별도로 홍보팀이나 마케팅팀에 전가하지 않았다. 출근에서부터 퇴근까지 전 직원들이 세스코 홈페이지를 모니터에 띄워놓고 자신의 업무를 하면서 틈틈이 답변하는 것이라고 한다.

세스코는 또한 고객에 대한 철저한 서비스 교육을 실시해오고 있는데, 예를 들면 고객 방문 시 입냄새 제거제와 덧신을 착용케 하고 까다로운 절차에 통과한 인성 바른 직원을 채용하는 등 고객의 마음을 사로잡기 위한 전략을 제도화하였다. 아울러 서비스 실시 후 고객이 만족하지 못하면 언제든지 무료로 추가 서비스를 제공하거나 환불을 해준다.

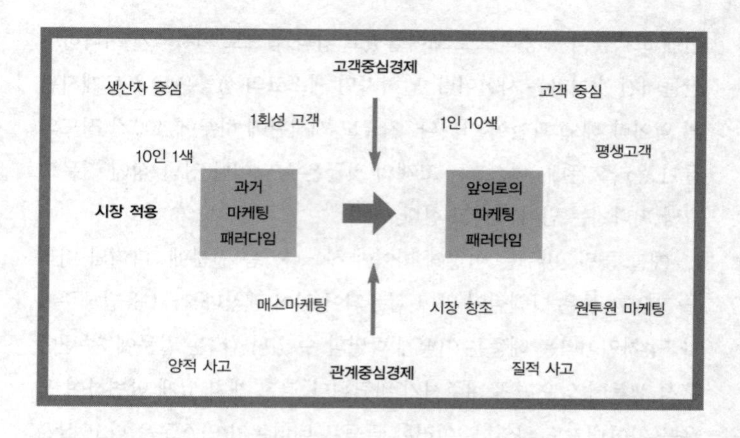

이렇게 고객의 특성과 시대적 변화를 파악하고 나면 우리의 핵심 고객을 그릴 수 있게 된다. 핵심 고객을 확보하면 거대 브랜드 효과가 상당 부분 상쇄되는데, 대신에 나의 브랜드에 대한 구전이 증가되는 일석이조의 효과가 발생된다. 이러한 핵심 고객은 유대 강도(tie strength)가 높아 자발적인 구전 효과가 생긴다. 그 이유는 서로에 대한 관심이 높아 같은 정보를 공유하는 것을 좋아하기 때문이다.

또한 이들 집단은 동질성(homogeneity)이 높은데 여기서 동질성이란 정보원이나 수신자가 신념, 교육, 사회적 지위와 같은 속성에서 서로 유사한 정도를 말한다. 뿐만 아니라 핵심 고객은 서로에 대한 정보원의 신뢰도가 높다. 서로에 대한 신뢰도가 높으므로 구전 효과가 더 강력하게 발생한다.

이런 요소들을 통해 핵심 고객은 그 자체가 경쟁력이 된다. 풀무원의 경우를 살펴보자. 과거 두부, 콩나물 등은 본질적으로 상표명에 대한 인식이나 차별성을 갖기 힘든 제품이었다. 또한 일반 가공식품과 달리 특정 유통구조나 별도의 포장, 제조원의 표시도 없이 시장이나 가게에서 직접 판매하는 것이 일반적이었다. 그런데 83년과 84년 계속해서 석회 두부 사건과 농약을 뿌린 유해 콩나물 등이 사회적 이슈로 등장하면서 소비자들은 무공해 식품과 믿을 수 있는 식품을 원하게 되었고 풀무원이 소비자들의 잠재욕구를 기존의 식품 회사가 생각지 못한 방법으로 구체화시켜주었다.

풀무원은 대도시 중상층 자연식품 선호자로 핵심 고객이 형성되었다. 아울러 '동네 반찬 가게에서 되는 대로 사던 식품'을 '상표를 통해 선택할 수 있는 식품'이라는 인식을 구전과 광고로 강하게 어필하였다. 고객들은 풀무원이 시키지도 않았는데 풀무원에 대한 정보를 생산하고 공유하며 고급 식품으로서의 문화적 컨셉트를 만들어갔다.

이렇게 핵심 고객이 있는 경우는 그렇지 않은 경우에 비해 그 효과가 수십 배에 달한다. 강한 경쟁자와 싸우고자 한다면 반드시 핵심 고객이 존재해야 한다. 이들 핵심 고객들은 자사 제품을 광고하고 홍보하는 전위대 역할을 한다.

1981년 압구정동 10여 평 가게에서 아파트 주민을 대상으로 '내 가족이 먹을 수 있는 제품을 만든다'는 이념 하에 유기농산물 직판매를 시작한 풀무원이 오늘날 1,500의 종업원을 거느린 명실상부한 중견기업으로 성장한 것은 바로 핵심 고객의 생성과 유지, 관리의 힘이었음은 두말할 나위가 없다.

풀무원 핵심 고객의 필요를 문화적 컨셉트라는 기발한 도구로 접근하여 성공한 풀무원

디지털 세대를 위한 변화

최근 미국 시애틀의 스타벅스 본사에서는 1천여 개 매장에 초고속 무선 인터넷 서비스를 실시했습니다. 이 서비스는 PDA나 노트북을 가진 소비자들을 장시간 머무르게 함으로써 자연스럽게 커피를 주문하도록 하는 것입니다. 아울러 인터넷으로 커피를 주문하면 매장에 도착하는 즉시 커피를 받아갈 수 있는 서비스도 만들었습니다. 5달러에서 5백 달러까지 다양한 스타벅스 카드를 발행해 매장 내에서 사용할 수 있게도 했습니다. 한 가지 획기적인 것은 카드 잔고가 1달러 밑으로 내려가면 자동으로 신용카드나 은행계좌로부터 돈이 적립되는 편리한 기능이 있다는 것입니다.

이 모두가 디지털 세대를 향한 스타벅스의 접근 전략입니다. 그렇다면 디지털 세대의 특징과 라이프 스타일은 무엇인지 먼저 살펴보아야겠습니다. 통상 새로운 핵심 소비층으로 급부상하고 있는 밀레니엄 세대, 즉 디지털 세대는 이전 세대와는 전혀 다른 미적 취향과 성향을 가지고 있는데 이들 세대의 움직임은 세계 거대 기업들의 상품 개발과 판매 전략을 좌지우지 할 정도로 파워풀합니다. 영향력은 이미 의류, 식품 등 일상잡화를 넘어

증시에까지 영향을 미치고 있으며 코카콜라나 맥도널드, 유니버설 스튜디오 같은 기업들은 카페나 쇼핑센터, 학교 등의 방문을 통해 그 동향을 면밀히 분석하여 테스크 포스 팀을 운영하고 있습니다. 그 수만 해도 7천만 명에 육박하며 구매력도 2천 750억 달러에 달한다고 합니다.

한국 내에는 이러한 세대가 약 8백만 명인 것으로 추산되고 있습니다. 이들은 금액만으로도 1조 5천억 원의 엄청난 규모를 형성할 뿐더러 제과나 음료업계 매출의 절반을 차지하고 있습니다.

우선 이들 세대는 컴퓨터 문화가 일반화된 세대라 규정지을 수 있습니다. 그만큼 컴퓨터가 생활화된 거지요. 따라서 이들은 과거 기성세대처럼 수동적으로 정보를 수용하는 것이 아니라 네트워크 상에 적극적으로 참여하여 자신의 주장을 펼치기도 합니다. 즉 자신이 무엇을 원하고 무엇을 필요로 하는지 잘 알고 있으며 솔직히 타인에게 표현하는 세대입니다.

우리나라 웹 상의 스타벅스 커뮤니티의 경우도 다양한 규모를 갖추고 있는데 회원의 규모가 6천 명에 이르고 있는 곳이 있는가 하면 10명 안팎의 소규모 커뮤니티를 형성하고 있기도 합니다. 이들은 사이버 상에서 서로 의견을 교환하고 사용 후기를 교환함으로써 브랜드에 대한 애착을 갖기도 합니다.

이 세대의 또 다른 특징은 새로운 사람과 문화를 '행운'이라 여기기도 하며 생산과 동시에 소비하는 형태를 보인다는 것입니다. 따라서 기업은 디지털 기술을 최대한 활용하여 거래를 활성화하고 판매의 대상으로 고객을 바라보는 것이 아니라 신뢰 관계를 토대로 접근해나가야 합니다.

스타벅스는 이런 사회적 변화를 간과하지 않았습니다. 디지털 세대가 가지고 있는 가치관이나 향유 문화가 기업의 생존전략이요, 사회에 없어서는 안 될 중요 요소로 부각되고 있는 것을 포착했습니다. 따라서 스타벅스가 무선 인터넷이 가능한 장소로, 디지털 세대의 필요와 욕구가 충족되는 장소로 기억되도록 투자와 열정을 아끼지 않았습니다.

우선 스타벅스는 HP와 제휴하여 지난해부터 미국 전역 주요 도시와 독일 베를린, 영국 런던 등 세계 도시 매장에 공중 무선 랜 서비스를 제공하고 있습니다. 국내에도 SK 텔레콤 및 HP와 제휴하여 무선 랜 체험 행사를 하였습니다. 이를테면 온라인과 오프라인이 상존하는 '꿈의 공간'이 된 것입니다. 음악을 들으면서 커피를 마시고 PC를 두드리는 디지털 멀티플레이어의 작업 장소로도 스타벅스가 애용되기 시작한 거죠.

내가 아는 어느 작가 분은 손님을 만나거나 작업의 대부분을 스타벅스에서 한다고 합니다. 인터넷을 통해 이메일을 주고받고 집필 등의 업무를 스타벅스 안에서 노트북으로 해결하며 손님과 취향에 맞는 커피를 즐기는 것이지요. 스타벅스 역삼점에서 집필한 영어 공부에 관한 책이 베스트셀러가 된 후 그는 골든벨을 울렸습니다. 본인이 집필했던 그 매장에서 시간을 정해(1시간이었습니다) 그 시간대에 온 손님들이 주문한 커피와 케이크 등의 대금을 대신 다 결제했던 것입니다. 지금도 그 매장에 가면 그분을 만날 수 있습니다.

이것은 디지털 세대뿐 아니라 다른 세대까지 전이되어 확장되어가는 바람직한 현상이라 우리는 보고 있습니다.

앞서 잠깐 커뮤니티에 대해 언급했는데, 스타벅스의 커뮤니티가 '자생적'이라는 데 주의할 필요가 있습니다. 이 커뮤니티들은 소위 커피를 좋아하는 사람들, 일하고 싶어하는 사람들, 일하는 파트너들이 만들어가고 있습니다. 이 커뮤니티에 들어오면 커피에 대한 기초 지식부터 커피 제조법, 제품에 대한 평가, 매장에서 일하기 등 다양한 경험과 정보를 주고받을 수

있지요.

그래서 우리는 인터넷을 통해 신제품 개발의 아이디어를 얻거나 소비자들의 불만 사항에 대해서 신속하게 대처합니다. 고객을 향한 디지털 커뮤니티 조성, 이를 통해 얻어지는 영파워 어프로치 전략 및 비즈니스 아이디어, IT화로 인한 합리적인 정보 시스템 등 스타벅스는 미래를 디자인하는 개척자로서 앞서 나갈 것입니다.

5부_

크게 볼 줄 아는 기업

1 눈물겨운 내부 고객 잡기

'내부 고객' 이라는 단어가 꽤 어색하게 들리지 않는가? 고객이면 고객이지 내부 고객은 뭐람… 하고 반론을 제기할 수도 있다.

기업의 종업원이 만족해야 고객의 만족을 이끌어낼 수 있다. 실제로 소비자가 만나는 기업의 실체는 기업주가 아니다. 객장에 나와 있는 판매원뿐 아니라 주차 요원, 경비 요원에 이르기까지의 많은 사람들이 기업 이미지를 만들어가고 있다.

우리는 종종 기업의 오너가 TV 광고에 나와 자신의 제품을 설명하는 장면을 보아왔다. 그러나 실제로 고객이 그 기업을 평가하고 판단하는 것은 현장에서 만나는 종업원의 태도 하나 하나, 언어 하나 하나로부터다. 이를 두고 기업이 이미지 형성을 위해 치장하고 꾸민 것들이 벗겨지는 '진실의 순간(moments of truth)' 이라 말한다. 아무리 큰 돈을 들여 이미지 광고를 했다 하더라도 주차 때문에 짜증이 났다거나 경비원의 불친절을 경험했다면 고객의 인식은 달라질 수밖에 없다. 다음 도표를 보자.

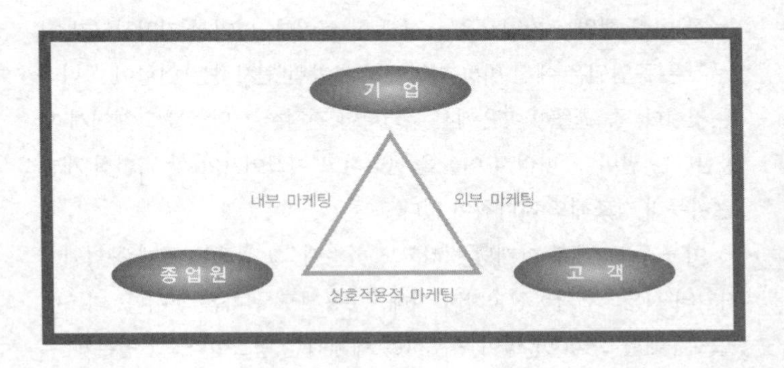

위 도표에서 외부 마케팅이란 기업과 고객과의 관계, 즉 고객과의 약속을 의미하고 내부 마케팅은 기업과 종업원과의 관계, 나아가 고객과의 약속을 지키고자 하는 기업 내부의 노력을 가리킨다.

이렇게 하려면 종업원을 최초의 고객으로 보고 그들에게 서비스 마인드나 고객 지향적 사고를 심어주고 더 좋은 성과를 낼 수 있도록 동기를 부여해야 하는데, 문제는 이들이 기업의 관심권 밖에 있다는 사실이다. 오늘날의 스타벅스가 되기까지 그들이 마케팅의 새로운 요소로 주장한 개념은 바로 '사람(people)' 이었다. 특히 종업원에 대해서는 철두철미하였다. 의료보험 혜택 부여와 스톡옵션 등 내부 고객, 즉 종업원에 대한 대우와 인식은 타 기업이 추종할 수 없을 정도였는데 이런 요소들이 결국 종업원들의 서비스와 열정, 전문성 등의 조직문화로 연결되어 고객 만족에 이르게 되었다. 종업원 자체를 서비스로 보고 마케터로서 직무를 수행하게 한 것이다.

통상 일반 기업은 종업원들에게 고객을 왕으로 모시도록 강요한다. 90도 각도로 허리를 굽혀 인사하고 미소짓게 하지만 마음의 교감이 없는 한 이런 행위는 거리감을 느끼게 할 뿐이다. 여기서 지적하고자 하는 것은 종업원은 예전 지하 다방에서 보았던 인사하는 인형이 아니라는 것이다. 즉 그들이 마음에서 우러나야 진정한 서비스를 고객에게 제공한다는 말이다. 따라서 이들을 관리하고 이끌어가야 할 리더십 개발은 아무리 강조해도 지나침이 없다.

이를 두고 '내부 마케팅'이라고도 하는데, 그 목표는 첫째 종업원이 기업의 사명 · 전략 · 전술까지 이해 · 수용하도록 하는 것이다. 디즈니월드는 매년 2,500만 명이 방문하는 세계적인 명소이다. 이 방문객 수는 미국의 옐로스톤(Yellow Stone) 국립공원 방문객 수의 열 배가 넘는다고 하는데, 더 중요한 것은 방문객의 60%가 재방문하는 사람들이라는 것이다.

그렇다면 무엇이 디즈니 월드에 이렇게 많은 방문객을 끌어들이고 있는 것일까? 그것은 여러 가지 볼거리도 있지만 공원의 청결함과 디즈니월드 직원의 단정함, 친절함에 있다고 말하는 사람이 많다. 점점 세상은 거칠고 혼잡하며 각박해지는 데 반해 디즈니는 따뜻하고 질서정연하며 안정되어 보인다는 것이다. 전보다 오랫동안 줄을 서 기다리면서도 만족은 커져가는데 이런 현상은 어디에서 오는 걸까?

우선 '고객은 옳다(The customer is always right)'라는 생각에 그 뿌리를 두고 있다. 조그만 어트렉션 시설을 건설할 때도 언제나 이 시설에 대하여 고객은 어떻게 생각할 것인가를 미리 염두에 둔다. 고객이 여기에 들어올 때 이 시설에 대하여 어떻게 이야기할 것인가? 그리고 그 결과는 어떠할 것인가를 심사숙고한다. 고객이 사진 촬영을 하면 고객의 요청 없이도 다가가 대신 찍어주어 사진에 전 가족이 나오게 하는 것은 디즈니 월드 직원의 몫이다. 손님이 많아 팝콘을 정신없이 파는 도중에도 가까운 음식점이 어디냐, 화장실이 어디냐고 물으면 팝콘 파는 것을 중지하고 어느 건물 모퉁이를 돌아서 곧장 가다가 오른쪽으로 가라는 등 친절하고 상세하게 가르쳐준다. 나는 바쁘니 다른 사람에게 물어보라는 말은 디즈니에선 들을 수가 없다. 어떤 질문에도, 고객의 어떤 치기 어린 행동에도 디즈니 월드 직원은 미소를 띠며 친절하게 응해준다. 그러므로 디즈니 월드는 디즈니 직원이 합심하여 만들어간다는 말이 틀린 얘기가 아니라는 것이다. 이들은 임원을 비롯해 하위 직원에 이르기까지 존칭을 사용하지 않는데 이는 서로 친밀감을 북돋워 주기 위해서라고 한다. 임원들조차도 가끔 미키 마우스 등의 복장을 하고 손님을 맞아야 하며 1년에 1주일은 티켓이나 팝콘을 팔거나, 놀이시

디즈니랜드 고객만족의 시발점이 내부고객에 있음을 극명히 보여준 사례다

설에서 손님을 올리거나 태우는 작업을 한다. 디즈니에서는 사원을 되도록 해고하지 않고 다른 작업장으로 전근시키는 것을 원칙으로 하고 있다. 이는 사원을 디즈니의 고객으로 보고 있기 때문이다. 이런 분위기로 매년 300명 채용에 7만 명이 몰려들고 시간제 임시직 사원에 130개 대학의 학생을 채용한다.

남자 사원은 콧수염을 기르거나 긴 머리는 금물이며 여사원은 길고 짙은 색깔의 매니큐어를 금지시키고 눈 화장이나 화려한 귀걸이나 액세서리를 하지 못하게 하는데, 이는 깨끗하고 단정하며 명랑한 인상을 고객에게 주기 위해서이다. 한 가지 놀라운 사실은 이런 훈련은 디즈니 대학(Disney University)에서 가르치고 있으며, 미국의 일류 기업인 GM, GE 등에서도 기업 간부를 유학 보낼 정도로 그 커리큘럼과 훈련이 최상이라는 것이다.

디즈니에서는 고객을 고객이라 부르지 않고 손님(guest)이라고 부르며 놀이시설을 놀이시설(rides)이라 부르지 않고 어트렉션(attraction)이라 하며 청원 경찰은 안전을 위한 안내자(security host), 운전기사는 운전 안내자(transportation host), 식당 직원은 음식점 주인(food and beverage host) 등으로 불린다고 한다. 이는 한마디로 전 직원이 디즈니의 주인(host) 역할을 한다는 것이다. 또한 모든 사원을 직원이라 부르지 않고 쇼 무대의 배우(cast member)라 호칭하며 사원이 작업을 수행하고 있는 것을 일을 한다(working)라고 하지 않고 무대에서 공연(stage)이 있다고 말한다. 이는 전 직원이 합심하여 디즈니 월드 쇼를 연출한다는 것을 의미해주고 있다.

이런 결과 디즈니 월드는 과거 6년간 매출이 2배 이상 뛰었고 이익은 5배가 증가하였다고 한다. 결론적으로 말해 디즈니 월드의 경우처럼 종업원의 마음속에 헌신하고자 하는 각오, 자기 존중감, 일에 대한 긍지, 끊임없는 도전의식과 프로정신이 없이는 고객만족도 기대할 수 없다는 것이다.

둘째, 서비스 지향적인 관리 및 리더십을 개발하는 것이다. 웅진코웨이라는 회사를 살펴보자. 이 회사의 약력을 보니 89년 미래산업의 주역으로 환경과 건강산업을 주도하기 위해 설립되었다고 써 있다. 첫 출발에서부터 환경과 건강산업을 주도하려는 목적이었다는 설립 의지를 밝히고 있다.

처음부터 WOA(미국수질협회)의 정식 회원으로 등록하고 일본에 정수기를 수출하며 기술과 경험을 쌓기 시작했다. 아울러 92년 코웨이 컴팩 정수기를 통해 국내 정수기 시장의 주목을 받았으며 94년 업계 최초로 '크린 마크(clean mark)'를 획득하여 품질 우위를 인정받았다. 연이어 96년에는 공기 청정기, 2000년엔 고품질의 연수기와 온수 세정기(비데)를 출시하여 명실상부한 국내 최고 환경친화 기업으로 발돋움하여 2004년에는 매출 목표 4천억 원을 바라보는 웰빙 생활가전업체로서의 입지를 다졌다. 여기까지가 도식적으로 살펴본 웅진코웨이의 모습이다.

웅진코웨이 이전의 정수기 판매는 철저한 방문판매였다. 판매 사원들이 100만 원 이상의 고급 정수기를 가정과 업소를 돌아다니며 판매하는 정도였다. 97년 자체 조사 결과 정수기 판매 후 사후관리가 이루어지지 않아 고객 만족도가 50% 이하에 머물러 있었으며 이 상태로서는 고객 재창출은 꿈도 못 꿀 상황이었다.

상황이 이렇게 되자 웅진코웨이는 '정수기가 비싸서 안 사니 빌려주자'는 혁신적인 발상을 하였다. '궁즉통(窮則通)' 벽에 부딪쳐서 나온 궁여지책이었다. 이 방안대로라면 물에 대한 불신과 정수기 가격 사이에서 고민하던 소비자들에게 해결책을 대신하면서 타 업체와의 차별화를 기할 수 있다고 생각했다고 한다. 그래서 등장한 것이 광고를 통해 잘 알려진 정수 관리 전문가 '코디(cody-lady)'였다.

이들이 필터를 무료로 교환해주고 정기점검을 해주었다. 당시 IMF 이후 타 기업들이 긴축 정책을 통해 구조조정을 밟아나갈 때 웅진코웨이는 오히려 직원을 늘리는 공격적인 마케팅을 전개해나갔다고 한다. 물론 내부에서는 100만 원이 넘는 정수기를 몇 만 원 받고 빌려줘서는 수지타산을 맞출 수 없다는 반대 논리도 있었다. 단순히 계산해도 손익분기점을 맞추는 데 2년의 시간이 필요한데, 가뜩이나 경영이 어려운 시기에 2년을 무조건 투자한다는 것은 위험한 발상이라는 것이었다.

그러나 결론적으로 말해 이 '렌털 서비스'는 대 성공을 거두었다. 특히 렌털 서비스 외에 2개월마다 무상으로 정수기를 점검해주고 때에 따라 필터와 부품을 교환해주며 무료로 수질검사까지 해주는 코디의 '깐깐한 서비스'가 고객만족의 극대화로 치달았다. 이를테면 제품을 설치한 후 3일 내에 애프터서비스를 받은 후 24시간 내 고객 만족도를 체크하고 30일 이내에 만족도를 재파악하여 고객 불만 사항을 신속히 처리하는 해피콜 서비스가 고객의 호응도를 높여주었다고 한다. 고객이 부르기 전 먼저 달려가는 B/S(before service)인 셈이다.

웅진코웨이 '깐깐한 서비스'라는 차별화된 고객서비스를 통해 회사 이미지를 고양시킨 사례. 이는 내부마케팅에 주력한 결과였다.

여기서 주목할 것은 정수기 관리 전문가 코디의 서비스 지향적인 관리 및 리더십의 교육훈련이다. 이 제도는 98년 도입 이후 99년 신 지식인으로 선정된 여성 전문 인력 시스템으로 현재 전국적으로 8천 명의 전문 인력이 활동하고 있다. 일단 정수기 주 고객층이 여성인 점에 착안하여 사후관리를 여성에게 맡겼다는 점이 주효하였으며 1차적으로 여성인 입장에서 관리를 깐깐하게 처리한다는 점이 회사 이미지를 높이는 데 한몫했다고 해석된다.

이들은 교환 주기에 따른 무상 필터 교환, 2개월마다 정기적인 무상 점검 등 일체의 서비스를 담당하고 있으며 멤버십 회원 관리, 렌털 회원 모집 등 고객 중심의 서비스를 전담하고 있다. 이들은 물에 대한 일반상식, 제품 기술 교육, 방문 예절 교육, 환경에 대한 일반 교육은 물론이고 서비스와 관련된 마케팅, 리더십, 경영 등에 관련된 교육을 지속적으로 받는다고 한다. 한마디로 철저한 서비스를 통해 고객의 필요와 욕구를 회사로 생생하게 전달해주는 리포터의 역할을 코디가 담당하였던 것이다. 따라서 웅진코웨이가 서비스 마인드를 혁신하고, 더 나아가 고객관리의 마케팅을 강화해나갈 수 있었던 근본 핵심은 이들 코디를 통한 내부 마케팅이었음을 지적하지 않을 수 없다.

셋째, 모든 종업원들에게 서비스 지향적인 커뮤니케이션과 대인관계를 위한 기술교육을 실시하는 것이다. 이를 적용할 적절한 예가 미국 기업에 있다. 소화물 우편의 선도기업인 페덱스와 UPS가 바로 그것이다.

후발 기업인 UPS는 페덱스를 앞지르려고 여러 방법을 동원했다. 그 중의 하나가 페덱스를 흉내낸, 즉 발송인을 직접 방문해 우편물을 수거하고 “다음날 아침 10시 30분까지” 배달하는 시스템 개발이었다. 이들은 더 정확한 시간에 배달하고 더 빨리 배달하는 데 총력을 기울였다. 이런 노력으로 UPS는 소비자로부터 가장 빨리 배달하는 회사로 선정되기도 하였다.

그런데 문제는 이들이 전사적으로 노력을 기울였음에도 불구하고 소비자들은 여전히 페덱스를 선호하고 있었다는 것이다. UPS는 뒤늦게 그들의 서비스 정책이 소비자들에게 어필하지 않음을 알았다. 소비자들은 시간에 대해 그렇게 민감하지 않았던 것이다. 분초를 다투기보다는 배달원과의 인간적인 교류를 원한다는 사실을 그들은 파악하였다. 배달원이 좀 서툴어도, 덜 사무적이 되어도 몇 마디라도 주고받으며 포장 등에 관해 도움말을 전해줄 때 고객들은 더 만족해한다는 것이다. 그리하여 UPS는 수거 및 배달 직원에 대한 관점을 완전히 바꿨다. 그들을 비용의 원천으로 보지 않고 귀중한 자산으로 보기 시작했다. 그들에게 30분의 여유를 주고 고객의 얼굴을 익히고 이름을 알려주는 등 대인관계를 위한 여러 훈련을 실시하였다. 그리고 예전처럼 얼마나 빨리 수거하고 배달하느냐에 따라 보너스를 지급하지 않고 새로운 우편물을 얼마나 많이 받아오느냐에 따라 수수료를 추가로 지급하였다.

이런 정책은 곧 우편물 파손이 줄고 고객과의 유대감이 높아졌으며 비록 배달원 수는 늘고 교육비 등의 비용은 무려 420만 달러가 소요되었지만 매출은 수천만 달러가 증대되는 결과를 가져왔다.

그렇다면 우리는 한 가지 의문을 품게 된다. "어떻게 해야 내부 마케팅을 성공시킬 수 있을까?" 정답은 바로 이것이다. "서비스하는 종업원이 행복하지 않으면 고객만족은 꿈도 꾸지 말라."

다음 도표를 보면서 이해의 폭을 넓히기로 하자.

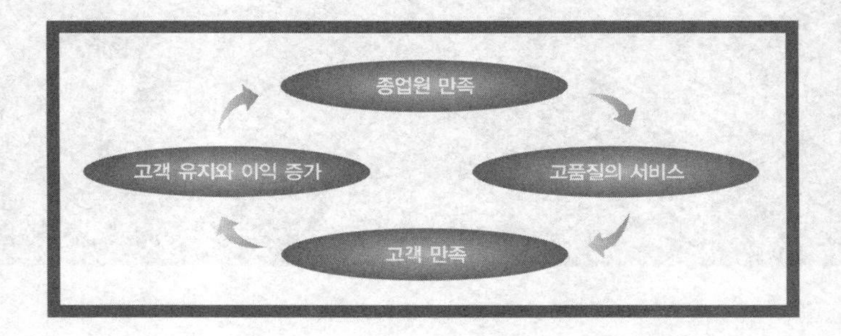

이 도표는 서비스 기업의 고객 만족의 순환, 즉 사이클이다. 종업원이 만족해야 고품질의 서비스가 나오고 고객 만족이 이루어져야 고객이 유지되고 수익이 발생한다는 시나리오를 도식화한 것인데 이를 위해서는 내부 마케팅이 전략적 관리의 주요 부분으로 인식되고 어떠한 방해나 지원 부족으로 흔들리지 말아야 한다. 아울러 최고경영층의 지속적이고 적극적인 지원이 따라주어야 한다는 것을 강조하고 싶다.

이런 관점에서 '훌륭한 작업환경을 제공하고 서로서로 존경과 품위로 대한다'는 스타벅스의 선언이 가슴으로 와닿는 인간경영이라는 것을 깨닫게 된다. 기업이 만나는 첫 고객, 종업원에게 어떻게 하면 행복할 수 있는지 물어보라.

종업원이 아니라 파트너다

〈아이 엠 샘〉이란 영화를 보았다면 바리스타들이 고객과 친숙하게 대화를 나누는 장면을 기억할 것입니다. 눈웃음치며 미소를 지으며 인사를 하지요.

“어서오세요. 안녕하세요? 스타벅스입니다.”

그리고 포스에 와서 커피를 주문할 때도 여러 얘기를 합니다. 어떻게 보면 수다스러울 정도로 강아지 새끼 낳은 얘기서부터 주식 오른 얘기까지 마치 한 동네 사는 친구처럼 대화를 나눕니다. 하워드 슐츠 회장 눈에 뜨인 것은 정열적으로 일하는 바리스타의 모습과 고객들 사이의 친분 관계였습니다.

그는 사업의 핵심 역량은 바로 사람이라고 생각했습니다. 스타벅스의 독특한 마케팅 요소인 'People'은 이렇게 해서 개념화되었습니다. 우리는 실제로 스타벅스를 커피 비즈니스라 말하지 않고 피플 비즈니스라고 말합니다. 하워드 슐츠 회장은 처음 경영할 때부터 모든 사람이 일하기 좋은 회사를 만들기를 원했습니다. 이를테면 급여도 잘 주고 교육 훈련도 철저히 시키고 복리후생도 잘해주어야겠다는 것. 이 평범한 사실을 핵심 경쟁력으로 삼고 싶어했습니다. 그는 다른 어떤 곳에서도 주지 않는 혜택을 제공함으로써 커피에 대한 열정을 기꺼이 전달할 수 있는 능숙한 사람들을 끌어들이고 싶어했습니다. 이 소망이 결국 피플의 개념으로 발전되어 매장에 근무하는 모든 파트 타이머에게까지 스톡옵션을 주는 현재에 이르렀습니다.

스타벅스가 처음으로 흑자를 냈던 1990년도에 그 이익을 직원 모두가 공유할 수 있는 방안을 찾기 시작하였고, 오늘날 스타벅스의 명성을 쌓는 데 기여한 스톡옵션, 일명 빈 스톡(Bean Stock), 원두 주식을 도입하였습니다. 스타벅스는 과감히 우리 사주 제도를 도입하여 스타벅스 전 직원을 사업의 동반자로 만들었습니다.

시애틀에 있었던 한 컨퍼런스에서 하워드 슐츠는 이렇게 얘기하였는데, 스타벅스 전 임직원에겐 매우 인상깊고 감동적인 말이었습니다.

"직원들을 만날 때마다 저 때문에 부자가 되었다고 감사하다고들 하시는데, 전 그렇게 생각지 않습니다. 저야말로 여러분 덕분에 부자가 된 사람입니다. 제게 있어 여러분은 타 기업이 흉내낼 수 없는 경쟁력이요, 회사의 얼굴입니다."

나는 미국 본사에 가서 부자가 된 파트너들을 많이 보았습니다. 그들은 좋은 집과 별장, 요트 등을 가지고 있었습니다. 아울러 그들은 주주로서의 지위와 장기적인 보장을 함께 누리고 있었으며 경영진들은 종업원 모두를 파트너라고 불렀습니다.

결국 이런 최고 경영자의 의지는 비즈니스의 수행에서 하부 조직까지 그리고 회사의 정신과 사기에 여러 가치를 더해주었습니다. 하늘까지 자란 잭의 콩 줄기를 연상시키는 빈 스톡의 도입은 어떻게 보면 획기적이고도 실현하기 어려운 결단이었습니다. 이 제도는 파트너들의 태도와 업무수행에 큰 영향을 미쳤다고 하워드 슐츠 회장은 구술하고 있습니다. 사람들은 비용을 절약하는 방법, 매출을 증가시키고 가치를 창출하는 혁신적인 아이디어를 말하기 시작했습니다. 그리고 고객들을 진실한 비즈니스 파트너로 대하기 시작하였지요. 자신이 주주라는 사실 하나만으로, 가치 창출과 이익을 세워나가는 데 자기가 중요한 역할을 하고 있다는 생각이 오늘날의 스타벅스를 만들었다고 봅니다.

생각해보십시오. 6개월 동안 근무하면 스톡옵션을 획득할 자격이 주어지고 심지어 1주일에 20시간 일하는 파트타임 종업원에게도 자격을 준다고 하면, 이 제도가 얼마나 파격적이고 혁신적인가를….

그뿐 아니라 비용이 많이 드는 의료보험 혜택을 파트너들에게 부여했다는 사실도 놀랍습니다. 그간 계속적으로 요구되어온 의료보험을 스타벅스는 과감히 수용했습니다. 대부분의 경영자들이 의료보험 비용을 억제하려 들 때 스타벅스는 오히려 정반대의 방향으로 갔습니다. 하워드 슐츠 회장은 이런 계획을 관대한 혜택이 아니라 핵심 전략으로 보았습니다.

처음 이 계획을 발표했을 때 스타벅스의 경영진들도 회의적이었다고 합니다. 어떻게든 적자를 면하고자 투쟁하는 이 시점에서 어떻게 경비를 늘릴 수 있는가? 흑자를 낼 수 없는데 어떻게 의료비 지출을 확대할 수 있는가? 이 질문에 하워드 슐츠 회장은 초기에 높은 비용이 들지 모르지만 크게 보면 이직율 감소로 인해 사람을 모집하고 훈련시키는 비용이 절감될 것이라고 역설했다고 합니다.

이것뿐 아니라 하워드 슐츠 회장이 간과하지 않은 것은 높은 이직율은 고객에 대한 서비스에 악영향을 미친다는 사실이었습니다. 생각해보십시오. 스타벅스의 고객은 종업원들과 친밀한 관계를 나누고 있으며, 종업원의 자발적 서비스에 감동하여 높은 충성도를 보이고 있습니다. 그런데 이 종업원이 떠난다고 하면 그렇게 강한 유대감은 일시적으로 끊기게 됩니다. 하워드 슐츠 회장의 통찰력은 세밀하게 이런 부분을 놓치지 않았습니다. 그는 일관되게 파트타임 종업원을 스타벅스의 생명이라고 주장했습니다. 결론적으로 보아 의료보험 혜택은 낮은 이직율이라는 직접적인 효과와 종업원들의 긍정적인 사고와 태도를 불러 일으켰습니다. 스타벅스커피 코리아도 스타벅스의 확고한 경영철학을 이어받아 실행하여 낮은 이직율을 기록하고 있습니다. 스타벅스커피 코리아는 아직 상장이 되지 않았으므로 스톡옵션은 실시하지 않고 있지만, 본인과 배우자 그리고 자녀가 아프거나 병원에 입원했을 때 의료비를 지급하고 매달 일정한 포인트를 이용하여 운동, 독서, 영화 감상 등 문화생활을 할 수 있도록 한 사이렌 플러스(선택적 복리후생 시스템)를 운용하는 등 파트너의 근무 만족도 향상에 노력하고 있습니다.

"우리는 커피를 서빙하는 사업이 아니라 커피를 서빙하는 사람 사업에 종사하고 있다"라는 말을 나는 늘 곱씹곤 합니다. 이는 직원들의 열성적인 헌신 없이는 고객의 마음을 사로잡을 수도 번창할 수도 없다는 의미로 생각됩니다.

비상장 회사에서는 스톡옵션을 부여할 수 없다는 규정에도 불구하고 미국 증권거래위원회 SEC의 특별허가를 받아가며 상장 전 전 직원에게 스톡옵션을 준 결단력이나 사업 초기 누적된 적자임에도 불구하고 의료혜택의 범위를 파트타임 종업원들에게 확대한 리더십을 통해 나는 하워드 슐츠 회장의 일관된 의지와 경영철학을 배웁니다. 스타벅스의 브랜드 요소인 종업원의 서비스에 대한 열정, 전문성, 근무 환경, 조직 문화를 분석해볼 때 파트너의 만족이 전제되어야 고객만족으로 이어진다는 교훈을 또 한번 얻게 된다고 봅니다.

2 기업이 사회적 책임을 회피하지 말아야 하는 이유

스타벅스 CSR

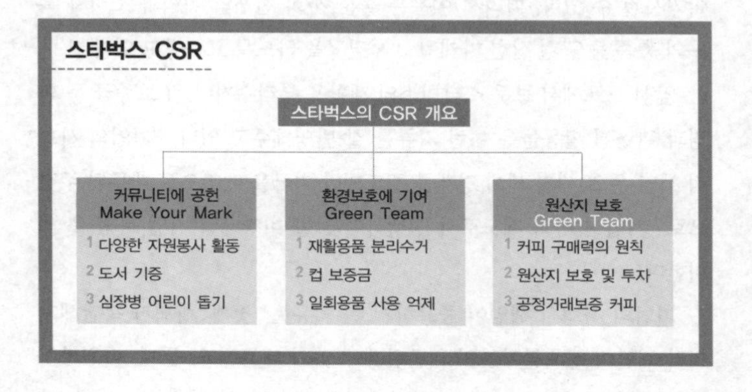

스타벅스의 CSR(Corporate Social Responsibility) 도표를 보면 사회적 마케팅의 개념이 떠오른다. 이 개념은 통상적으로 기업이 이윤을 창출해낼 수 있는 범위 내에서 경쟁사들보다 더 효과적이고 효율적으로 소비자들의 욕구를 충족시킬 수 있도록 노력해야 한다는 점에서 마케팅 개념에서 맥을 같이 하지만 이 개념 위에 기업이 사회 전체의 이익

을 동시에 고려한다는 측면에서 볼 때 스타벅스의 CSR은 공감하고도 남음이 있다.

현대사회는 심각한 환경오염, 자원 부족, 빈부격차, 실업 등 많은 문제를 가지고 있다. 따라서 사회적 마케팅 개념은 기업이 사회의 한 구성원으로 이러한 문제를 소홀히 다뤄서도 안 되며 사회적인 측면의 고려가 가미된 마케팅 관리의 철학을 도입해야 한다는 것이다. 예를 들어 주류 회사의 경우 술은 애주가들의 욕구를 훌륭하게 충족시켜주는 좋은 상품이긴 하지만 알코올 도수가 높기 때문에 과음을 할 경우 소비자의 건강을 해칠 수 있으며 빈 병이나 종이 팩 등의 포장이 환경 문제를 야기시킬 수 있다. 따라서 이윤은 물론 사회 전체의 이익과 소비자 욕구의 충족 등 균형 잡힌 마케팅 의사결정을 하도록 요구받고 있다.

앞선 도표에서 보듯 스타벅스의 재활용 분리수거나 컵 보증금 등 환경과 관련된 활동들은 이런 기류를 잘 반영해주고 있다. '기업의 사회적 책임'은 20세기 세계 경제를 주도했던 미국을 배경으로 대두된 주장으로 '기업이 사회 제도로서 수행하여야 할 비경제적 기업 목적'을 의미한다.

기업의 사회적 책임이 중요하게 된 이유는, 첫째, 사회가 복잡해져 여러 집단이 상호불가분의 의존관계에 있기 때문이고, 둘째, 다원가치로의 진전으로 인해 좋은 공동 이미지를 지니기 위해서이며, 셋째, 사회적 책임을 게을리했을 때 야기될 수 있는 정부의 규제를 피하기 위해서이다. 또한 소유와 경영이 점차 분리되고 있으며, 현대의 윤리개념이 변화하고 있기 때문이다.

예를 들어 미국의 경우 엔론 사의 파산은 이런 점에서 시사하는 바가 크다. 부정 회계와 최고 경영층의 비윤리적 행위 등 아무리 경영 성과가 좋다고 해도 기업 윤리(business ethics) 의식이 희박하면 시장과 사회로부터 신뢰를 상실하고 결론적으로 퇴출의 결과를 남긴다는 교훈을 주고 있다. 또한 법이나 제도가 만능일 수 없으며 기업들의 자발적인 준법정신과 윤리 준수의 노력이 얼마나 중요한가를 일깨워주고 있다. 결국 엔론 사는 표준치가 선정하는 '미국에서 가장 존경받는 기업'

좋은 기업 이미지의 내용

구분	이미지	내용
내부	인적 차원 이미지	• 기업주 이미지가 좋은 회사 • 우수한 인재가 많이 가는 회사 • 노사관계가 원만한 회사
	제품 이미지	• 기술 또는 제품이 우수한 회사 • 연구개발에 노력하는 회사 • 신뢰할 만한 회사
	성과 이미지	• 장래 발전 가능성이 높은 회사 • 해외 경쟁력이 있는 회사 • 안정성(재무구조 등)이 높은 회사
외부	마케팅 이미지	• 고객 서비스를 잘하는 회사 • 광고나 PR을 잘하는 회사 • 마크나 로고가 잘 기억나는 회사
	사회공헌 이미지	• 공익사업(이익환원)에 힘쓰는 회사 • 환경보호에 노력하는 회사 • 국가발전에 이바지하는 회사
	종합 이미지	• 기업 컬러(문화)가 뚜렷한 회사 • 친근감(호감)을 주는 회사 • 취직을 권할 만한 회사

에서 '가장 존경받지 못한 기업'으로 전락하고 말았다.

그렇다면 '기업의 사회적 책임'은 어떤 것이 있는지 구체적으로 알아보자. 첫째, 기업의 제1책임은 역시 '경제적 책임'이다. 이는 교과서에 나와 있는 대로 재화와 서비스를 생산할 책임을 말한다. 둘째, '법적 책임'이다. 이 말은 사회가 법적 요구사항의 구조 내에서 경제적 임무를 수행할 것을 요구한다는 것이다. 셋째로 '윤리적 책임'이다. 법으로 규정화하지는 못하지만 기업에게 사회의 일원으로 기대하는 행동과 활동을 의미한다. 마지막으로 '자선적 책임'이다. 이는 기업에 명백한 메시지는 갖고 있지 않지만 기업의 개별적인 판단에 의해 사회적 기부 행위, 약물 남용 방지 프로그램, 보육시설 운영, 사회복지시설 운영 등에 자발적으로 이루어지는 책임이다.

종종 우리는 기업의 사회적 책임과 윤리의 상관관계에 대해 의문을 품기도 한다. 때로는 통합된 개념으로 보기도 하고 때론 분리하여 생각해보기도 하는데 그 처음은 서로 상반된 입장에서 출발하였다고 보는 것이 옳다. 기업 윤리는 1960년 초반 기업의 사회적 책임에 반발하여 등장하였다. 따라서 양자를 비교해보면 사회적 책임의 가장 핵심이 되는 부분은 "어느 정도 수행해야 하는가?" 하는 수행의 문제인 반면 기업 윤리의 핵심은 "어떤 가치판단의 기준을 가져야 하는가?" 하는 가치판단의 기준이라는 것을 알 수 있다.

또한 기업 윤리가 가치, 신념, 태도에 주력하는 한편 사회적 책임은 행동에 무게를 싣는다. 더불어 윤리가 기업인에게 중요성을 가진다면 사회적 책임은 기업 조직에 초점을 맞추고 있다. 결국 이 두 개념은 통합의 길을 걷게 되었다.

윤리경영이란 '경영 활동의 옳고 그름을 구분해주는 규범적 기준을 사회의 윤리적 가치체계에 두는 경영방식'을 의미한다. 만일 기업이 윤리경영에 임한다면 시장으로부터 지속적인 신뢰를 얻을 수 있는데 초우량 기업이라 할지라도 신뢰를 잃으면 아무런 의미가 없다. 일례로 마이크로소프트가 실적을 부풀렸다는 루머가 증권가를 떠도는 순간 주가가 곤두박질쳤다고 한다.

또 윤리경영은 기업의 경영 성과에 영향을 미친다. 높은 윤리성이 유지되는 기업은 구성원에게 자부심과 보람을 느끼게 하여 생산성을 제고시키는 원인이 된다고 한다. 마지막으로 윤리경영은 기업의 국제 경쟁력을 평가하는 글로벌 스탠더드(Global Standard)의 잣대로 부상하여 앞으로 기업 윤리를 무시하거나, 국제적 수준에 도달하지 못하는 기업은 세계 시장의 투자자나 소비 단체들로부터 외면당할 가능성이 높다.

윤리 경영의 대명사 존슨앤드존슨은 1943년부터 작성된 '우리의 신조'를 실천해오고 있다. 이는 소비자, 종업원, 지역사회, 주주의 순서대로 기업의 사회적 책임을 규정한 것인데 특별히 윤리 담당 부서를 두지 않고 최고 경영진이 관심을 기울인다고 한다. 또한 2년마다 한번씩 '우리의 신조'가 실천되는지 조사하고 사원들의 의식 변화를 촉구할 뿐만 아니라 인사정책에도 기업 윤리의 준수 여부가 핵심적인 기준이 되고 있다.

결론적으로 말해 윤리경영과 사회적 책임의 부분에서 최고 경영자의 인식이 바뀌어야 한다는 것이다. 긍정적인 인식 전환을 바탕으로 윤리경영 도입 및 추진 과정에서 적극적인 지원을 아끼지 말아야 함은 물론 장기적인 관점에서 이익이나 매출 확대를 위한 투자로 인식해야 한다. 또한 본인 스스로 추진 과정에서 생겨날 기업 윤리 준수에 관한 여러 유혹을 뿌리칠 수 있는 강한 의지를 가진 최고 경영자가 되어야 할 것이다.

앞서 거론한 엔론 파산은 우리에게 윤리적 리더십의 중요성을 반면교사해주고 있다. 물론 이는 내부의 제도적 지원이나 시스템 정비, 더 나아가 사회적 네트워크의 결성 등 보완할 문제를 남기고 있지만 결국 기업의 의지, 경영자의 결단을 요구하고 있다. 기업에서 얻어진 이익은 그 기업을 키워준 사회에 되돌려져야 한다는 (주)유한양행의 기업이념은 그래서 기업의 윤리성과 사회적 책임의 사표로 우리에게 큰 교훈을 주고 있다.

윤리적 기업이라는 이미지를 만들어내다

최근 스타벅스커피 코리아는 〈윤리경영 백서 자료집〉을 세팅하여 전 임직원이 숙지하도록 하였습니다. 그 중점 추진 방향은 고객 존중이나 협력 회사 존중 경영, 준법, 청결, 인재 중시, 사회봉사 및 환경보호 경영입니다. 특히 준법 경영은 고객과 협력 회사와의 신뢰 구축에 중요한 역할을 하므로, 더 나아가 이런 요소가 기업 경쟁력을 높이는 촉매제가 되므로 매우 중요시하고 있습니다.

스타벅스커피 코리아는 1999년 7월 27일 1호점을 개점한 이래 공정거래 준수 문화 및 글로벌 스탠더드 회계 기준을 적용하였으며 매장 관리 지침을 엄수하였습니다. 아울러 사업장의 불법, 위법 시설물을 정기적으로 점검함은 물론 불법 소프트웨어 사용을 금하였으며 식품위생안전 등 위법 행위로 인해 발생할 수 있는 안전사고를 예방하기 위하여 주력해왔습니다. 말로만 떠드는 주기성 교육이 되지 않기 위해 저희는 기존 파트너에게는 각 직급별 교육 프로그램 내에 윤리경영을 아예 포함시켰고 이 범주를 신입 파트너는 물론 파트 타이머까지 그 교육을 확대하여 시행하고 있습니다. 그리고 매월 해외 선진 기업의 윤리경영의 성공 사례를 연구하여 전

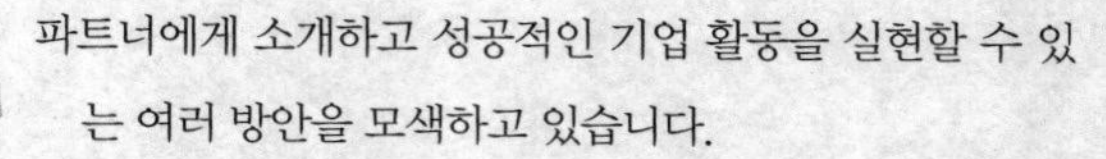

파트너에게 소개하고 성공적인 기업 활동을 실현할 수 있는 여러 방안을 모색하고 있습니다.

무엇보다 자율적이고 창조적인 회사 분위기를 조성하고 조직원의 긍정적이고 개방적인 사고와 실천력을 배양하기 위해 인재 육성 프로그램을 운영 중에 있으며 '플렉시블 베네피트 플랜(Flexible Benefit Plan)'을 통해 어학, 독서, 체력 활동 및 영화 · 뮤지컬 관람 등 문화 활동에 소요되는 비용 중 일정 부분을 보조해주고 있습니다. 또한 개점 기념일에는 우수 파트너 시상 및 포상을 통해 해외 컨퍼런스 참가 기회를 부여해주며 공정한 평가와 보상을 위한 인사를 위해 지속적인 서베이를 실시해오고 있습니다. 이것이 바로 인재 중시 경영인 것은 두말할 나위가 없습니다.

인재 중시 경영에서 하워드 슐츠 회장의 리더십과 관련하여 잊을 수 없는 사건을 소개해야겠습니다. 1990년대 중반 텍사스에 있는 스타벅스 점포에 강도가 들어 점포 관리자가 사망한 사건이 있었습니다. 이 소식을 접한 슐츠는 즉시 전세 비행기를 타고 텍사스로 갔습니다. 그는 점포의 문을 닫은 후 그곳에 머무르면서 가족과 종업원을 만나 상담하고 지원하면서 깊고 진지한 관심을 보여주었습니다. 그는 이에 멈추지 않고 죽은 관리자 가족을 위해 기금을 조성했으며 그 관리자를 기념하기 위해 사건이 일어난 점포를 기증했습니다. 즉 그 점포의 수익을 가족 부양과 아이들의 교육을 위해 헌납한 것입니다.

이런 감동적인 에피소드는 직원들에게 깊은 신뢰를 주었습니다. 종업원을 내 가족처럼 여기는 윤리경영은 궁극적으로 기업을 장기적인 기반 위에 올려놓는다는 것을 아울러 깨닫게 해주고 있습니다. 월마트 · 존슨앤드존슨과 같은 세계적인 기업, 그리고 우리나라의 유한킴벌리 같은 곳은 윤리경영에 힘을 기울이고 있는 기업으로 유명합니다. 윤리경영을 실천하며 우리가 얻은 교훈은 윤리경영이 기업 성공의 필수 요소이며 이 교육을 좀 더 확대하고 심화시켜나가야겠다는 것입니다.

또한 스타벅스커피 코리아는 타 기업과 달리 기업의 사회적 책임, 즉 CSR에 깊은 관심을 갖고 지속적인 지출을 하고 있습니다. 분명히 우리는 사명 선언서에 '지역사회와 환경에 긍정적으로 기여한다'는 대 원칙을 세워두고 재활용 실천, 환경 친화적인 여러 요소를 실현하기 위해 '그린팀'을 조직하여 운영하고 있습니다. 앞서 잠깐 언급한 CSR은 대내외적으로 여러 필요가 있는데 특히 고객의 경우 선호하는 브랜드에게 상품 이상의 것을, 내부 고객은 비전과 가치를 지닌 기업을 선호할 뿐만 아니라 주주에게는 우수한 평판을 얻는 기업에 투자하게 하는 중요한 요소가 되기도 합니다.

스타벅스의 CSR 개요는 첫째, 커뮤니티에의 공헌을 꼽을 수 있습니다. 도서를 기증하고 심장병 어린이를 돕는 다양한 지원 활동이 바로 그것입니다. 두 번째는 환경보호에 기여한다는 점입니다. 유별나게 그린팀을 결성하여 컵 보증금, 재활용 분리수거 등을 하는 것은 이벤트의 개념이라기보다는 기업 문화의 기본 실천 사항으로 정착시키고자 하는 의지입니다.

끝으로 원산지 보호입니다. 스타벅스는 그 동안 커피 원두를 재배하는 나라를 적극적으로 돕기 위한 기반을 위해 많은 투자를 해왔습니다. 사실 커피를 재배하는 곳은 적도 근처에 있는 나라들로서, 대부분 가난합니다. 스타벅스는 이러한 가난한 나라의 농부들을 돕기 위해 많은 노력을 기울여왔습니다. 일례로 최고 품질의 원두를 구매하고 재배자에게 정당한 가격을 지불해왔으며 지속적으로 생산을 장려하기 위해 일정 기준에 맞는 농가 보상금을 지급했습니다. 좀더 구체적으로 설명하자면 농가와 협동조합을 통해 직거래 가격으로 원두를 구매하고 구매 안정성을 위해 장기간 계약을 했습니다. 또한 농가의 생계 수준 향상을 위해 추수 대출 자금 기금을 운영했지요.

이렇게 학교, 병원 등의 설립에 투자하는 일은 업계에서도 보기 드문 일이라고 평가받고 있습니다. 이는 하워드 슐츠 회장이 스타벅스에 합류했을 때 스타벅스를 '커피 분야에서 최고의 브랜드와 기업의 사회적 책임을 다하는 좋은 회사로 만들겠다'는 결심에서 예고된 일이라고 나는 생각합니다.

그는 스타벅스를 최고 수준의 회사로 성장시켜 사원들의 복지에 힘쓰고 이익을 공동체에 환원하는 회사에서 일하는 것을 파트너들이 자랑스러워하도록 하겠다는 굳센 의지를 다졌습니다. 무엇보다 저는 스타벅스의 원산지 보호에 대한 포괄적이고 지속적인 원두 정책을 여러분께 설명하고 싶습니다.

이미 스타벅스는 1998년 국제환경단체 CI와 협력을 시작했습니다. 열대 삼림의 생태계 보호를 위한 여러 방안을 찾기 시작했고 삼림 재배가 가능한 커피 재배 방법을 소개함은 물론, 프리미엄 가격을 보장하며 유기농 커피를 권장하였습니다. 또한 공정거래보증커피 제도를 시행하기 위해 자발적인 협동조합 운영을 보장하고 시장 가격보다 높은 가격을 산정하여 재배 농가의 삶의 질을 개선해주었지요. 이 제도는 2000년 4월부터 시작되어 지금까지 전 커피 산지로 확대되고 있습니다.

스타벅스커피 코리아는 지난해에 서울을 비롯해 부산, 대구, 광주 등 대도시의 대형매장에서 원산지 보호 캠페인의 일환으로 '커피 원산지 사진전'을 순회 전시하였습니다. 커피 구매 전문가들이 원산지를 직접 방문하여 촬영한 사진들을 전시하여 커피 전문회사로서의 전문성을 알리고 스타벅스를 찾는 커피 마니아들에게 커피와 관련된 정보를 폭넓게 얻어 갈 수 있도록 하였습니다.

스타벅스 홈페이지에는 일회용 컵 판매 및 환불 실적이 공개되어 있습니다. 그뿐 아니라 미 환불 보증금은 재활용 제품과 관련하여 고객에게 환원 또는 폐기물 재활용 사업에 지원하거나 환경 보존 활동에 지원할 사용 계획도 밝혀놓았습니다. 미환불 보증금을 이용하여 재활용 노트를 만들어 고객들에게 나눠주었으며 커피 찌꺼기를 비료화하여 잔디나 상추 씨와 함께 제공함으로써 환경보호 활동에 기여하였습니다. 이밖에 '일회용 컵 보증금 제도'나 컵 받침, 종이 봉투, 냅킨 등을 재활용품으로 바꾼 것들도 스타벅스의 사회적 책임을 다하기 위한 프로그램에서 기인한다는 사실을 강조하고 싶습니다.

오늘도 스타벅스는 커피 재배국에 정수 공급 시스템과 건강 위생 교육, 문맹 퇴치를 위해 적극적으로 참여하거나 기금을 기부하고 있습니다. 이 모든 활동의 근간은 '기업은 어떻게 사회적 책임을 다할 수 있을까?'라는 기업 정신에서 출발하고 있는 것입니다.

3 모든 기업은 자기만의 사명을 띠고 이 땅에 태어난다

스타벅스의 〈우리의 사명〉을 보면 초일류 기업의 기업문화를 생각하게 된다. 아울러 그들의 사명과 연결된 마케팅의 실체도 유추할 수 있다.

기업은 기업의 인격에 해당하는 '기업문화'를 명확히 함으로써 제시된 문화의 성격과 정신에 의거하여 목표를 설정하고 전략 형성의 틀을 마련한다. 예를 들어 "우리 기업은 세계 시장을 상대로 최고 품질의 제품을 최저의 가격과 최선의 서비스로 판매함으로써 초우량 기업이 되기를 원한다"라고 하면 겉으로는 그럴듯한 미사여구로 포장되었지만 종업원들에게는 명확한 지침을 제공하지 못한다. 따라서 마케터는 다음과 같은 근본적인 질문을 던져 기업 사명이 명확하게 반영되고 있는지 점검해야 할 것이다.

1 우리 회사는 어떤 사업을 하고 있는가(What is our business)?

2 우리의 고객은 누구인가(Who is the customer)?
3 우리의 사업이 고객들에게 어떤 가치를 제공하는가(What is value to the customer)?
4 우리의 사업이 앞으로 어떻게 될 것인가(What will our business be)?
5 우리의 사업이 앞으로 어떻게 되어야 할 것인가(What should our business be)?

이 질문에 의해 우리는 바람직한 기업 사명의 특성을 정확히 파악해낼 수가 있다. 그 첫째 요소로서는 기업 사명은 명확한 가치를 제공해야 하며 모든 것은 나열되어서는 안 된다. 즉 기업 사명은 종업원들이 독립적으로 수행하는 업무들이 전체적으로 기업 목표와 조화되도록 이끌어주는 보이지 않는 손의 역할을 수행해야 하는 것이다.

일례로 화장품 제조, 가공, 판매를 주업으로 하는 태평양 화학의 경우 그들의 사명을 이렇게 규정짓고 있다.

"아름다움과 건강을 통해 인류의 꿈을 실현하는 초우량 생활문화 기업으로서 강력한 브랜드 파워와 고객 중심 서비스를 발판으로 세계를 향해 도약해나갑니다."

한마디로 잘 정리된 기업 사명은 사원들에게 공통된 방향과 달성의식을 주어 독립적으로 일하지만 같은 목적을 향하게 한다.

둘째, 기업 사명은 기업이 활동할 사업 영역(business domain or competitive domain)을 명시해야 한다. 기업은 기업 사명 속에 자신이 진출할 산업들의 범위와 각 산업 내에서 자사의 사업이 공략해야 할 시장의 범위를 명확히 정의해야 한다. 이를 두고 '정체성'이라고도 하는데 이는 한마디로 “우리 회사가 어떤 사업을 하고 있느냐(What business are we in)?”라는 질문과 일맥상통한다.

하버드 대학의 마케팅 교수인 테어도어 레비(Theoredore Levitt)는 사업(영역)을 제품에 의해 정의하는 것보다 시장(혹은 고객 요구)에 의해 정의하는 것이 보다 바람직하다고 주장한다. 다음은 기업의 정체성을 제품 지향적과 고객 지향적으로 양분해보았다.

기업의 정체성

기업	제품 지향적 정의	고객 지향적 정의
풀무원	생식품 프레미엄 브랜드	자연과 조화된 안전한 먹거리
제록스	복사기 사업	사무실 생산성의 증가
서울우유	가공사업 (우유, 치즈, 버터 외)	최고의 유제품과 서비스로 풍요로운 삶 제공
쓰리세븐	가방 사업	사회활동에 기여하는 명품
에버랜드	레저, 서비스문화 사업	자연 속의 휴식과 편안함
레인컴	휴대용 오디오 기기	소비자 기호에 맞는 디지털 세계

따라서 기업 사명을 설정할 때 시장의 욕구를 충족시킴과 동시에 시장에서 기회를 얻을 수 있는지를 염두에 두어야 한다. 그 범위를 너무 넓게 설정하면 방향을 잃어버리고 좁게 규정해도 기회를 상실한다.

셋째, 기업 사명은 종업원의 동기를 유발시켜야 한다는 것이다. 기업 사명은 종업원들이 행하는 일들이 의의 있고 더 나아가 다른 사람들의 삶에 공헌한다는 자부심을 가져야 한다. 단지 이익을 추구하는 것이

기업 사명이 되어서는 안 된다는 말이다.

국내 제약업계 중에는 귀감이 되는 기업이 있다. 바로 유한양행이다. 2004년 한국능률협회는 혁신 능력, 직원가치, 주주가치, 고객가치, 사회공헌, 기업 이미지 등 6개 부문에 고루 높은 평가를 하였으며 특히 사회공헌, 직원가치, 기업 이미지에서 국내 최고 수준으로 조사되기도 하였다. 이밖에 동아일보, 한국 IBM 등 공동 조사에서도 유한양행은 '한국의 존경받는 30대 기업'에 오르기도 했을 뿐 아니라 영국 〈파이낸셜 타임즈〉 조사에서도 세계에서 가장 존경받는 기업가(43위), 사회적 책임 실천 우수기업(42위), 기업의 윤리성 우수기업(38위)으로 선정되어 국제적 공인을 받았다.

마지막으로 기업 사명은 기업 장래에 대한 비전을 제공해야 한다. 여기서 한 가지 짚고 넘어가야 할 사항은 기업 사명이 수시로 변경되어서는 안 된다는 것과 이런 상황이 전략 수립의 바람직한 방향을 제시하지 못한다면 새롭게 정의되어야 한다는 것이다. 이를테면 정유회사가 정유업이 아니고 에너지업으로, 전화 회사가 전화 회사에서 통신 회사로, 비누 제조 회사가 비누 제조 회사에서 청결로, 화장품 회사가 립스틱에서 아름다움(美)으로, 출판 회사가 책에서 정보 제공으로 전환하는 것은 과거의 기업 사명이 기업이 나아가야 할 방향을 제시하는 데 공헌하지 못한 결과, 즉 새로운 기업 비전이 포함된 재정립의 시도라 보아야 할 것이다.

유한양행 　오직 이익만을 추구하는 것이 기업 사명이 아니라는 것을 보여준 우수 기업의 사례

그렇다면 마지막으로 기업문화와 마케팅,

이 쌍두마차를 어떻게 운영할 것인지 알아보자.

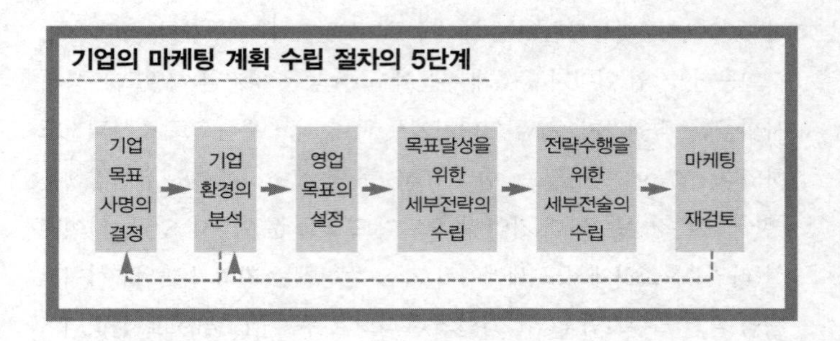

진화라고 표현해야 할까, 아니면 구체적이라 정의할까, 기업의 사명은 기업의 목표로 전환되어 구현되므로 마케터는 기업 목표에 많은 노력을 기울여야 한다. 1980년대 초 GE 회장 잭 웰치는 첨단 기술과 서비스 분야에서 세계적인 선도기업이 되는 것을 새로운 기업 사명으로 설정하였다. 따라서 GE는 세계에서 가장 경쟁력 있는 기업으로 만들기 위해 세계 1위, 혹은 2위의 경쟁력을 보유한 사업만 존속시키기로 결정했다. 아울러 전통적인 주력 사업의 비중을 줄이고 미래 유망 분야인 첨단기술 사업과 고부가가치 사업인 서비스 사업의 비중을 크게 증가시키는 방향으로 전반적인 기업 목표를 설정하였다. GE의 기업 사명을 토대로 한 구체적인 기업 목표는 이러하다.

1 핵심 사업과 첨단 기술에서 1, 2위가 되는 것
2 인수와 매각을 통해 사업믹스를 변경함으로써 90년대 초반까지 수익의 80%를 첨단기술과 서비스 분야에서 발생시킬 것

3 각 사업의 수익 성장률을 최소 10% 이상 유지할 것
4 각 사업으로부터 15%의 투자 수익률을 달성할 것

이렇듯 기업 목표를 어느 범주에 어떤 방향으로 갈 것인지 결정함에 따라 마케팅 계획에 영향을 미친다는 사실을 명확히 알아두어야 할 것이다. 미국의 펜센트럴(Penn Central) 철도 회사는 회사의 목표를 소비자에게 운송 서비스를 제공하기보다는 철도 회사 자체에 두었기에 생존할 수 없었다. 만일 그들이 운송의 목표를 철도에 국한시키지 않고 버스나 비행기 등 다른 곳으로 폭넓게 설정하였다면 결과는 달라졌을지 모른다.

기업의 사명은 마케팅의 시발점이라는 사실은 아무리 강조해도 지나치지 않다.

스타벅스 미션

예전엔 길거리를 가다가 일정한 시간이 되면 애국가가 흘러나오고 국기에 대한 맹세가 방송을 타고 흘러나왔습니다. 그러면 누가 가르쳐준 것도 아닌데 가던 길을 멈추고 국기를 향해 예의를 표했습니다. 후에 이런저런 이유로 폐지되었지만 개인적으로는 그 짧은 시간에 '나'를 생각하고, '국가'를 생각할 수 있었다면 나름대로 효과가 있지 않았나 생각합니다.
스타벅스에도 이와 같지는 않지만 유사한 〈우리의 사명〉이라는 것이 있습니다. 스타벅스를 세계에서 최고 품질의 커피를 공급하는 우수한 회사로 만들도록 6개 항목과 원칙을 정해놓은 것인데, 이 항목들을 통해 우리는 어떤 결정을 내릴 때마다 이에 적절한지 가늠해보고 있습니다.
첫째 기준은 "훌륭한 작업환경을 제공하고 서로를 존중하며 존엄성으로 대한다"입니다. 제가 하워드 슐츠 회장의 저서 〈스타벅스, 커피 한잔에 담긴 성공신화〉에서 감명 깊었던 구절은 1987년 스타벅스를 인수하고 소집한 첫 회의에 그가 강조한 내용들이었습니다. 그것은 다름 아닌 '마음에서 우러나오는 말을 한다', '상대방의 입장에 선다', '그들과 함께 꿈을 나눈다'였습니다. 이것은 앞서 말한 서로서로를 존경과 품위로 대하자는 그만의 노하우였습니다. 어떻게 보면 인간경영의 핵심이라 할 수 있지요.
둘째, "비즈니스를 하는 방법에 있어서 필수적 요소의 하나인 다양성을 수용한다"라는 기준입니다. 나는 이것이 오늘날 스타벅스를 지지할 지지대의 실체가 아닌가 생각합니다. 기업이 성장하고 그 숫자가 늘어갈수록 더 보수적이고 더 수동적이지, 다양성이나 코워크(co-work)하는 것을 반기지는 않습니다. 스타벅스는 급성장 일로에 있는 세계적인 초일류 기업이라 자부하는 회사입니다. 앞으로도 꾸준히 성장할 것이고 또 많은 사람들이 같은 비전과 목표를 두고 모여들 것입니다.
미국인들 사이에 스타벅스가 어떻게 자리잡고 있는지 명료하게 보여주는 코미디가 있습니다. 대사 중에 "어디 있는 스타벅스요? 우체국 앞? 우리 집 옆의 골목? 아니면 새로 생긴 곳이요?" 하면 "그 사람들이 우리 집 거실에 방금 스타벅스를 오픈했어요"라고 말을 받습니다.

이들은 '고객과 바리스타 사이에 가족과 같은 친분관계 형성'이나 '커피에 대한 감동과 경험'에 익숙한 사람입니다. 그들에게 이런 가치를 심어주고 더 나아가 또 다른 편익을 제공하기 위해서는 '다양성'은 필수라 생각합니다.
이미 미국 내 스타벅스는 타 업종과 윈윈 전략을 구사하기 시작했습니다. 자신을 지키고 더 나은 가치의 융통성을 발휘하기 위해 그들은 노력합니다. 펩시와 유나이티드 항공과 뉴욕 타임즈, 반스앤드노블과 손을 잡았으며 아이스크림 제조사(드라이어스 그랜드 아이스크림 사)와 손을 잡고 강배전된 커피의 독특한 향이 담긴 다섯 가지 맛의 아이스크림을 개발하였습니다. 이 다양성은 B2B(Business to Business), 즉 회사 대 회사에서만 적용하는 것이 아니라 고객에게도 반영이 되었습니다. 초창기 일반 우유만을 사

용하여 커피를 제조했던 방식을 버리고 고객의 요구에 따라 무지방 우유를 채택했던 사례가 그것이었습니다. 물론 무지방과 일반의 두 가지 우유를 사용하는 것이 커피 제조 기법 상 불가능하다는 스토어 현장 매니저들의 의견도 있었지만 바닐라 시럽을 에스프레소 음료에 섞어 마시는 것같이 다양성의 묘미를 살리는 데 주저하지 않았습니다.

스타벅스 고유의 혼합음료인 프라푸치노도 예외는 아니었습니다. 음악 사업에 진출하고, 부가상품을 판매하며 지역별 특화 메뉴를 만들 수 있었던 그 기반에는 다양한 비즈니스 기법에 근거를 두고 있다는 것을 말씀드리고 싶습니다. 변해가지만 변하지 않는 초일류 브랜드 스타벅스는 바로 이런 기준에 의해 거듭나고 있습니다.

셋째, '커피의 구매, 로스팅, 그리고 서비스에 대해서 가장 엄격한 기준을 적용한다'는 원칙을 살펴봅시다. 스타벅스는 세계에서 최고급이라 인정받는 고급 원두를 사용합니다. 가격으로 따져도 인스턴트 커피나 자판기 커피에서 쓰는 원두 가격의 30배 이상 비싼 원두를 씁니다.

이런 원두만 사러 다니는 담당 부사장이 있는데, 이분이 단순하게 원두만 구매하는 것이 아니라 커피 농가가 직면한 사회, 경제, 환경적인 문제도 아울러 담당하여 회사가 효율적으로 지원하도록 연구하고 노력합니다. 이는 '지역사회와 환경에 긍정적으로 기여한다'는 스타벅스 사명 선언서의 중요한 원칙을 실현하는 것으로 결국 소비자에게 최고의 커피를 통해 풍요로운 삶을 제공하는 중요한 모티브가 될 것입니다. 신선한 최고 양질의 원두에 로스트, 테스팅, 예술적 브랜딩의 기술을 위해 투자하는 스타벅스의 어제와 오늘이 바로 이 기준에 의한 원칙이었음은 두말할 나위가 없습니다.

넷째, "고객만족을 위해서 끊임없이 노력하라"는 원칙입니다. 스타벅스커피 코리아는 고객 존중의 일환으로 매년 4~5개 프로모션 테마를 구성하여 고품질의 스페셜 커피를 제공하고 있습니다. 매월 청결도, 서비스, 품질을 측정하여 맛과 서비스를 동일하게 유지하도록 하며 전문기관과 연결하여 스냅숏(snapshot) 프로그램을 실시하고 있습니다.

아울러 고객 코멘트 카드(customer comment card)를 온라인과 오프라인에서 접수하여 고객의 소리에 귀를 기울이고 있습니다. 이는 고객 존중의 경영으로 계속될 것입니다.

끝으로 남은 두 가지 원칙은 "지역사회와 환경보호에 적극적으로 공헌한다"는 원칙과 "수익성은 우리 미래의 성공에 필수적이라는 것을 인식한다"는 것입니다. 스타벅스커피 코리아는 개점 이래 1999년부터 지역사회를 위해 각종 봉사 활동을 시행해오고 있습니다. 특히 최근 국가적 재해 · 재난시 회사와 파트너의 매칭 그랜트를 실시하여 기부금 및 물품을 지원하고 있으며 서울대학교 어린이 병원에 심장병 어린이 수술비 지원 및 불우 어린이 치료비 지원을 지속적으로 담당해오고 있습니다.

아울러 환경보호 활동의 일환으로 재활용 수첩, 노트 및 메모지를 제작하여 고객에게 증정하였으며, 커피 찌꺼기로 재배한 미니 화분을 커피 배양토와 함께 나누어주는 환경 캠페인을 전개하기도 하였습니다.

마지막으로 스타벅스는 미래의 성공요인으로 '수익성'이라는 기업 본연의 목표를 향해 매진하여왔습니다. 그 결과 기업 공개 11년 후 주가는 4,000% 가까이 상승하였고, 매출액은 매년 두자릿수의 성장을 지속해왔습니다. 아울러 〈비즈니스 위크〉지에서 세계 기업 중 가장 빨리 성장하는 브랜드로 선정되기도 하였습니다.
스타벅스커피 코리아도 국내 상륙 후 단기간 내에 좋은 성과를 나타냈으며 이미 100호점을 넘어 업계 1위로서의 위치를 공고히하고 있습니다. 이는 타 기업에서 찾아볼 수 없는 문화 마케팅과 삼성전자, SK텔레콤, LG텔레콤 등 이종 업체들과의 공동 마케팅, 고객의 감성에 호소하여 호감도를 높이는 감성 마케팅, 매장 규모를 키우고 자국어 간판을 주저하지 않고 내다 건 파격 경영의 결과였습니다. 본질을 잃지 않으면서 기본에 충실한 스타벅스의 원칙에는 수익을 위해 정책도 바꿀 수 있는 탄력성과 순발력도 가미되어 있음을 전문가들은 지적하고 있습니다.

4 위기 관리, 새로운 도약을 위해

작년 2004년에 경제신문에는 스타벅스의 커피 값 인상 계획을 기사로 다룬 적이 있다.

커피 전문점 부문의 대표 브랜드로 뽑히고 있고 고객과의 모든 접점에서 선호도가 높은 것이 아직까지의 스타벅스라 한다면 앞으로는 가격 인상, 적용의 범위가 넓어지면서 발생하는 정체성, 벤치마킹을 통한 경쟁사의 공격적인 소비자 전략, 소비자 불만과 서비스 등 위기라고 할 만한 예기치 못한 상황들을 겪게 될 것이다.

그렇다, 위기 관리란 개인이나 조직에 위기를 가져다주거나 줄 수 있는 경우가 발생할 때 이에 적절하고 효율적으로 대처하여 바람직하지 못한 결과나 피해를 최소화하기 위한 신속한 조치를 뜻하며 위기 발생 요소의 측정이나 분석, 대비 및 통제, 위기 상황 후속 조치도 이 관리 기법에 포함된다. 물론 위기 관리에는 수동적으로 대처하거나 아예 처음부터 봉쇄하거나 극복하는 적극적인 방법이 있으며 사전에 준비해

두는 것도 효율적 관리라 말할 수 있다.

아울러 쟁점관리에 비해 단기적인 결정을 내리거나 위기 상황을 위한 대응방법의 성격을 파악해두기도 한다. 위기 관리에 대해 언급하고 교훈을 얻자면 존슨앤드존슨의 타이레놀 사건을 주목할 필요가 있다. 존슨앤드존슨은 우리가 잘 알다시피 일회용 반창고로부터 베이비 로션과 같은 유아용품, 각종 의료기구 등 성장 일로에 있는 세계적인 기업이다. 그런데 이런 분위기에 찬물을 끼얹는 사건이 일어났다. 1982년 9월 30일 시카고의 어떤 사람이 해열 진통제인 타이레놀을 먹고 사망한 것이다. 첫 사고가 신고된 후 불과 48시간 내에 무려 일곱 사람이 죽는 대 사건이 벌어졌다.

더욱이 존슨앤드존슨을 궁지로 몰아넣은 것은 먹다 남은 병 속의 타이레놀 캡슐에서 청산가리가 발견된 것이다. 이쯤 되면 평상시 위기 관리에 대해 교육받거나 대처 계획을 가진다 해도 속수무책이 될 것이다. 이 사건은 기업의 존폐로까지 이어졌다.

곧 위기 관리의 평상시 조치인 조기 경보 체제가 발령되었다. 존슨앤드존슨은 첫 사망자가 생긴 지 채 몇 시간이 안 되어 공장에서 제조된 타이레놀 93,400병을 즉각 수거하였다. 그리고 모든 생산과 광고를 전면 중단시키고 시카고 근교에 임시 실험실을 세웠다. 그들은 수거된 제품을 검사해본 결과 이상이 없었으므로 적어도 생산 과정상의 잘못은 아닐 거라 판단하였다. 누군가가 타이레놀

타이레놀　신속한 대처와 진솔한 태도로 기업 존망의 위기를 발전시켜 '가장 칭송받는 기업'으로 선정된 존슨앤드존슨

캡슐을 열어 원래의 약을 빼고 청산가리를 집어넣은 후 상점 선반에 다시 올려놓았을 거라 추측될 뿐이었다.

그날 오후 전국의 의사, 병원, 도매상에 주의를 환기시키는 편지를 50만 통 보냈다. 또한 조사의 공정성을 위하여 각계의 전문가는 물론 주요 신문사 임원들을 회사 전용기로 사고 지역까지 급히 데려왔다. 말하자면 수습을 위한 대응책을 마련한 것이다. 그리고 곧이어 타이레놀에 청산가리를 넣은 자에 대해 10만 달러의 현상금을 내걸었다. 그들은 사고 지역 외에서 생산한 제품도 회수하여 전량 파기하도록 하였으며 신문에 해명이나 반박 광고를 내지 않았다. 미디어 대응책이라고는 오직 기자회견뿐이었다. 존슨앤드존슨은 이에 만족하지 않고 소비자의 의문이나 불평에 직접 답하는 전화를 개설하였는데 한 달 동안 약 3만여 통의 전화가 걸려왔다고 한다. 편지도 3천여 통 왔는데 단 하나도 빠지지 않고 일일이 답장해주었다고 하니 이들의 긴급위기 시 대처요령에 혀를 내두르게 된다.

그러고 난 후 이들은 이 사건이 대중에게 어떤 영향을 미쳤는지 여론조사를 실시하였다. 사건이 난 후라 일반인들은 타이레놀 상표나 존슨앤드존슨에 대해 부정적인 반응을 보였지만 다행히도 청산가리를 투입한 것이 회사의 실수는 아닌 거라고 믿어주었다. 놀랍게도 사건 발생 5주 후 만약 포장 방법이 개선된다면 타이레놀을 다시 사용하겠다고 하는 사람이 77%에 이르렀다고 한다.

이 사건으로 말미암아 타이레놀은 판매가 급속히 감소하여 한때는 시장점유율이 6.5%까지 떨어졌다. 그러나 존슨앤드존슨은 이에 굴하지 않고 창구를 조심스럽게 넓혀나갔다. 이를테면 의사, 간호사, 약사들에게 관련 서류를 수시로 보내 청산가리 투입이 제품과는 전혀 상관

없음을 밝혔다. 그들에게 보낸 편지만도 200만 통이 넘는다고 한다.

이 사건을 종합적으로 판단컨대 우리에게 교훈으로 남는 것은 종업원의 사기를 진작시키기 위해 사내 의사소통 프로그램을 소통시킨 것과 폐쇄적인 언론정책을 개방적으로 순발력 있게 전환한 점이다. 사건 전 37%에 이르던 타이레놀의 시장점유율은 한때 6.5%까지 떨어졌었으나 82년 말에 이미 빠른 속도로 회복되었다. 타이레놀은 이 사건을 계기로 소비자의 안전과 이익을 최우선으로 생각하는 기업으로 이미지를 심게 되었으며 1년 후 〈포춘〉지가 선정하는 '가장 칭송받는 기업(the most admired corporation)' 가운데 하나로 손꼽히게 되었다.

위기 관리의 효율적인 대응책

평상시	긴급시	수습후
1 모니터링 및 조기 경보체제 구축 2 잠재 이슈 및 위기 요소의 지속적인 파악 3 쟁점관리/위기관리팀 구성 4 대처계획 작성/교육 및 트레이닝	1 수습을 위한 긴급대응 2 위기관리팀 운영 3 미디어 대응 4 성명서 발표, 제3자 활용	경우에 따라 이미지 회복 프로그램을 실시하고 때에 따라 사과하거나 종업원의 사기를 진작시킴

위기 관리 중 긴급사태 발생시 감정적으로 대응하거나 준비 없이 일관성이 결여된 대응을 해서는 안 된다. 또한 최고 경영자나 대변인의 부적절한 태도나 표정, 옷차림 등은 각별히 주의해야 한다. 아울러 보고 체계를 먼저 확립하고 외부 전문가와의 네트워크를 구축한다. 이 밖에 대외 커뮤니케이션 창구를 일원화하여 전 직원의 공감대 형성과 언행을 일치시켜야 한다. 따라서 전사적으로 총력전을 펼치고 최고 경영자의 의지와 신속한 대처를 통해 위기를 전화위복의 계기가 되도록 한다.

최근 위기 관리 차원에서 특히 조심해야 할 것은 구전으로 인한 공격적인 마케팅이다. 인터넷과 같은 디지털 기술의 발전은 이러한 속도에 대응하지 못한 기업을 의외의 어려운 상황으로 몰고 가기도 한다. 실제로 포드는 익스플로어 모델의 타이어 결함으로 인한 소비자 불만에 효과적으로 대응하지 못해 2000년에 10억 달러의 손실과 CEO의 퇴진이라는 아픔을 겪었다.

대개 기업들은 위기에 처하여 부정적인 정보를 접하게 되면 이를 지우려고 급급하여 오히려 화를 자초하기도 한다. 맥도널드가 그런 예였다. 맥도널드는 1978년 후반부터 황당무계한 루머에 시달려야 했다. 맥도널드 햄버거의 고기에 지렁이가 섞여 있다는 것이었다. 맥도널드가 아무리 부인해도 소문은 꼬리를 물고 이어졌고 그 기간 동안 판매는 30%가 격감하였다. 이에 당황한 맥도널드는 "쇠고기를 쓰면 파운드 당 1달러의 원가가 드는 데 비해 지렁이 고기는 파운드 당 8달러가 듭니다. 그런데 왜 우리가 지렁이 고기를 쓰겠습니까?" 하고 반박 논리의 광고를 냈다. 결과는 역효과였다. 오히려 부정적 정보를 되새기게 하는, 이를테면 득보다 실이 많은 바람직하지 않은 위기 관리였다.

어느 기업이든 위기의 범주 내에서 자유로울 수가 없다. 앞서 거론한 타이레놀의 사례처럼 예외가 없다는 것이다. 따라서 평상시든 긴급을 요하든 이에 대응할 매뉴얼과 커뮤니케이션 체제를 갖추어야 할 것이다.

100호점 이후의 위기 관리

'빅맥지수 이론'을 아시지요? 세계적으로 품질, 크기, 재료가 표준화되어 있는 맥도널드 빅맥 햄버거 가격으로 세계 물가와 구매력을 평가할 수 있다는 이론입니다. 빅맥 가격은 각 나라의 부동산, 인건비 수준을 반영하기도 하는데, 이제 빅맥지수는 별 의미가 없다는 주장이 제기되고 있습니다. 왜냐하면 패스트푸드 식생활이 성인병의 주 요인이라는 분석이 나오면서 햄버거 수요가 줄어 빅맥의 가격이 구매력을 따지는 기준으로 적당치 않다는 얘기죠.

그래서 빅맥지수 대신 스타벅스에서 팔리는 커피 중 가장 많이 판매되는 카페라떼를 구매력 지수 기준으로 삼아야 한다는 주장이 설득력을 얻고 있습니다. 그만큼 스타벅스 브랜드의 위력이 대단하다는 것을 말해주는 것이죠. 외신에 의하면 전 세계적인 불경기에도 불구하고 올 들어 스타벅스의 매출은 더 증가된 것으로 분석되었습니다. '급증'이라는 단어를 사용할 수 있을 만큼 2004 회계연도 총수익은 전년비 27% 증가된 것으로 나타나 스타벅스의 롱런은 별 의의 없이 점쳐지고 있습니다.

이는 공격적인 점포 확장과 음식료품의 혁신으로 인한 결과로, 2005년엔

전 세계에 1,500개의 매장을 신규 오픈할 예정이라 합니다. 최근 스타벅스커피 코리아도 1999년 이대점을 오픈한 지 꼭 5년 만에 용산구 이태원동에 100호점을 오픈하고 이 여세를 몰아 발전의 속도를 늦추지 않고 그 성장세를 이어가고 있습니다.

그러나 이런 상황임에도 불구하고 우리는 '언제까지 스타벅스의 무적행진은 계속될 것인가'를 자문자답하고 있습니다. 그리고 100호점 이후의 위기 관리에 대해 몇 가지 해결해야 할 문제를 발견했습니다.

그 첫째가 아직도 '고급 커피의 대중화 작업'이 부족하다는 것입니다. 물론 국내의 에스프레소의 열풍과 테이크 아웃 전문점의 유행은 당분간 계속될 전망이지만 이에 만족치 않고 다양한 마케팅을 통해 그 기회를 넓혀야 한다는 여론도 있습니다. 하워드 슐츠 회장은 스타벅스의 미래에 대해 이렇게 말한 바 있습니다.

1980년대 초를 돌아보고 오늘날을 보면, 나는 스타벅스가 어떤 회사가 될 수 있는지 분명한 비전을 갖고 있었다. 나는 내가 원했던 모습, 스토어가 주는 느낌, 성장 속도, 우리 직원들과의 관계를 알고 있었다. 나는 스타벅스가 지금까지 지내온 25년을 훨씬 능가하는 미래를 본다. (중략) 나는 스타벅스가 우리가 성취한 것뿐 아니라 그것을 어떻게 이룩했는가에 대해서도 존경받기를 원한다. 나는 우리가 다국적기업으로 발돋움하더라도 우리의 열정과 스타일, 기업가적인 정신과 개인적인 유대감을 유지함으로써 대기업의 문제점을 극복할 수 있다고 믿는다. (중략) 어느 기업도 앞길에 놓여 있는 도전 및 어려움과 맞부딪치지 않고는 튼튼하게 구축될 수 없으며 어떤 꿈도 이룰 수가 없는 것이다. 열정이 마음에서 우러나오는 것일수록 좌절은 더욱 해를 끼칠 것이다. 그러나 우리는 우리들만의 가치에서 나오는 해결책을 더 생각해낼 수 있을 것이다. 스타벅스는 여전히 성공하기 위해 애쓰고 있으며, 앞으로는 우리가 지금까지 극복했던 것보다 훨씬 어려운 난관 앞에 봉착하게 될 것이다.

어떻게 보면 스타벅스 앞에 많은 난관이 놓일 것이라고 보는 시각은 매우 현실적인지 모릅니다. 번화가 위주로 몰려 있는 스타벅스 매장의 식상함을 토로하는 고객이 늘어날 수도 있으며, 우리가 상상할 수 없는 어떤 상황이 벌어질지도 모릅니다.
최근 미국 내에서는 던킨 도너츠가 '내 입맛에 맞는 고급 커피'의 이미지를 살리기 위해 다양한 마케팅 전략과 광고 전략을 구사하고 있습니다. 이들은 스타벅스보다 낮은 가격으로 '더 빨리, 더 값싸게, 간편하게'라는 캐치프레이즈를 내걸고 이미 미국 내에서 대대적인 TV 광고를 펼쳐가고 있습니다. 이렇듯 스타벅스의 아성을 허물기 위해 대기업의 도전은 계속되고 있어 미래의 스타벅스의 암초도 감지되고 있습니다.
따라서 우리는 100호점 이후 보다 새롭게 거듭날 수 있는 전략을 세우기 위해 노력하고 있습니다. 후발업체들이 넘볼 수 없는 진입 장벽을 구축해 나가기 위해서 말입니다. 스타벅스의 위기 관리는 시대를 이끌어가는 미래 기업의 폿대로 또 다시 자리 잡아갈 것입니다.
그러나 사회가 발전할수록 사람들은 더욱 더 일상의 지루함을 벗어나 집이나 직장이 아닌 제3의 편안한 장소에서 조용히 음악을 들으면서 사랑하는 연인 또는 마음이 통하는 친구와 정겨운 이야기를 나누고 싶어하리라 생각합니다. 행복한 만남의 장소 혹은 혼자만의 시간을 갖고 생각할 수 있는 장소에서 말입니다.

나는 스타벅스가 이러한 만남의 장소가 되었으면 합니다. 스타벅스에서 친구와 만날 약속을 하고 연인들끼리 대화를 나누고 때론 선남선녀들이 맞선을 보는 장소, 주부들의 계 모임 장소, 동호회 미팅 장소가 되었으면 합니다. 그리고 아침에 편한 차림으로 스타벅스에 와서 커피 한잔을 시켜 마시며 조간 신문을 보면서 하루를 시작할 수 있었으면 합니다.

그러기 위해 우리는 계속 매장을 늘려갈 계획입니다. 고객이 집 문을 나서면 어디서나 스타벅스를 찾을 수 있도록 말입니다.

참고문헌

1. 〈스타벅스 커피 한잔의 성공 신화〉 하워드 슐츠, 김영사, 1999
2. 〈스타벅스 감성 마케팅〉 김영한/임희정, 넥서스, 2003
3. 〈광고 대사전〉 코래드 광고전략 연구소, 1996
4. 〈쉽게 알자 마케팅〉 강상원, 더난출판, 2002
5. 〈삼성과 싸워 이기는 전략〉 이용찬/신병철, 살림, 2004
6. 〈one page 마케팅〉김영한, 거름, 2003
7. 〈세계 초일류 브랜드 10가지 특징〉 LG경제연구원, 2000
8. 〈보이지 않는 뿌리〉 홍성태, 박영사, 1999
9. 〈내일신문〉 2004. 08. 02 기사 '전사에 마케팅 정신을 전파하라'
10. 〈서울신문〉 2004. 08. 20 기사 '사람 몰리는 점포 모셔라, 건물 띄우기 트렌드 변화'
11. 〈국민일보〉 2004. 07. 28 기사 '진출 5년 만에 100호점, 한국 고객 충성도 높아'
12. 〈한국일보〉 2004. 07. 28 기사 '스타벅스 5년 만에 100호점 오픈'
13. 〈조선일보〉 2004. 03. 18 기사 '스타벅스, 음악도 팔아요'
14. 〈문화일보〉 2004. 03. 15 기사 '따끈한 CD 주문하세요'
15. 〈매일경제〉 2004. 06. 03 기사 '스타벅스 후광 무섭네'
16. 〈서울경제〉 2004. 04. 29 기사 '초일류 브랜드 이것이 다르다'
17. 〈서울경제〉 2004. 04. 25 기사 '스타벅스, 커피 찌꺼기로 비료 만들어 나눠줘'
18. 〈매일경제〉 2004. 03. 24 기사 '커피 있는 문화 공간을 팝니다'
19. 〈매일경제〉 2004. 03. 18 기사 '커피 전문점 시장'
20. 〈매일경제〉 2004. 02. 13 기사 '월가 우려 떨치고 스타벅스 펄펄 난다'
21. 〈머니투데이〉 2004. 02. 12 기사 '스타벅스에선 커피를 팔지 않는다'
22. 〈한국경제〉 2004. 01. 20 기사 '스타벅스 카페라떼 가격으로 본 주요국 환율'
23. 〈머니투데이〉 2004. 01. 19 칼럼 '제3의 공간을 만들자'

24. 〈한국경제〉 2004. 01. 17 기사 '스타벅스, 불 파리 입성–에스프레소에 도전장'
25. 〈마케팅원론〉 안광호 외, 학현사, 2000
26. 〈단숨에 배우는 마케팅〉 연대 상대 마케팅 연구회, 새로운 사람들, 2002
27. 〈일 잘하는 사람의 마케팅 전략노트〉 아이하라 히로유키, 넥서스북스, 2002
28. 〈디지털 라이프〉 손형국, 황금가지, 2001
29. 〈비미남경 이야기〉 이동진, 영진.com, 2004
30. 〈브라질에 비가 내리면 스타벅스 주식을 사라〉 피터 나바로, 예지, 2003
31. www.istarbucks.co.kr
32. www.caffe.co.kr
33. www.mydreamwiz.com/kliny
34. www.ohmycoffee.com
35. www.advertising.co.kr
36. 〈이수일은 심순애를 어떻게 꼬셨나?〉 김광희, 넥서스북스, 2004
37. http:/business.chonbuk.ac.kr
38. http:/abc.marketingschool.com
39. www.kangnam.ac.kr
40. '왜 체험마케팅인가? – 체험 경제시대의 도래' 박성연, 2004. 09. 09
41. 〈전자신문〉 2004. 06. 18 기사 '체험 마케팅 열풍'
42. http:/marketcast.co.kr '오감을 통해서 고객을 자극하라(시각, 청각)', 김형택
43. 〈GE 웰치 회장의 성공경영과 시사점〉 삼성경제연구소, 2001. 11. 07
44. 레포트 월드 '선택과 집중의 경영의 중요성' '선택과 집중의 경영전략' '전략적 제휴' '삼성전자 사례' '고객의 재발견' '기업의 사회적 책임' '위기 관리란'
45. 〈경영의 법칙〉 에쿠치 가쓰히코, 국일증권 경제 연구소, 2002

국내 인용사례 기업 및 브랜드

1. CJ/햇반
2. 동아제약/박카스
3. 광동제약/비타 500
4. 삼성전자/애니콜
5. 만도위니아/딤채
6. 현대자동차/엘레강스
7. 쿠쿠홈시스/쿠쿠
8. 현대/고려 페인트
9. 롯데칠성/칠성 사이다
10. LG전자/트롬 세탁기
11. 대우 일렉트로닉스/클라쎄 드럼세탁기
12. GM대우
13. 오리온/초코파이
14. 파크랜드
15. 게토레이
16. 하이마트
17. 사임당가구
18. 유한양행
19. 에이블 씨엔씨/미샤
20. 풀무원
21. 경동보일러
22. 레드망고
23. 현대해상/하이카

24. 한샘도무스
25. KTF
26. 해태제과
27. 삼양식품
28. 세스코
29. 웅진코웨이